LE MAL-AIMÉ

Janet DAILEY

LE MAL-AIMÉ

FRANCE LOISIRS
123, Boulevard de Grenelle, Paris

34,848

Titre original :

NIGHT WAY

Traduction de Janine Vassas

Edition du Club France Loisirs, et du Club RTL
avec l'autorisation des Presses de la Cité

© 1981 Janet Dailey.

© Presses de la Cité, 1983 pour la traduction française.

ISBN : 2-7242-1933-3

PREMIÈRE PARTIE

CHAPITRE PREMIER

L A TERRE S'ÉTENDAIT A PERTE de vue, entrelacée de rios et couronnée de *mesetas* et de buttes. Des forêts de cèdres et de pins obscurcissaient les pentes, l'herbe et la sauge se bousculaient sur le plateau désert.

Un avion à réaction laissa une traînée blanche dans le ciel lumineux qui surplombait la réserve des Indiens Navajos. Les frontières du territoire touchaient à quatre Etats : l'Arizona, le Nouveau-Mexique, l'Utah et le Colorado.

Au sud, en bordure de l'Arizona, un canyon s'était creusé dans la masse rocheuse rouge carmin. Un gigantesque peuplier étirait ses branches juste sur le bord et ses feuilles épaisses dissimulaient l'entrée d'une grotte percée dans la pierre. Maintenant, elle était vide, abandonnée depuis longtemps par les Anciens qui en avaient fait un refuge. La grotte surplombait le canyon sur lequel était bâti une minuscule habitation : une construction de bois comportant une pièce unique et dont la porte s'ouvrait sur l'est, direction sacrée. Tout près, une *ramada* rustique formait un abri contre le soleil brûlant. Un chien galeux et squelettique dormait dans un creux de terre fraîche à l'abri du wigwam.

Un garçon de neuf ans à peine détala. Il portait un jean et une chemise rouge brique qui flottait autour de sa taille. Des mocassins de cuir souple chaussaient ses pieds. Un bandeau jaune retenait ses cheveux aussi noirs et luisants que des plumes de corbeau. Le gamin avait une peau cuivrée mais ses yeux étaient bleus comme le ciel après un orage de printemps.

Une silhouette courbée de jeune femme se redressa en entendant des pas. Elle regarda le garçon s'approcher, avec un sourire tendre et plein de fierté. Ses yeux sombres brillaient comme des charbons, répandant chaleur et amour. Ses cheveux longs et lisses étaient retenus par un lien blanc sur sa nuque, coiffure qui accentuait ses pommettes et sa mâchoire. Une ceinture d'argent incrustée de coquillages resserrait une blouse de velours vert qui recouvrait une longue jupe en calicot ondulant sur des jupons superposés.

— *Chizh kin gone yah' tinil.*

L'enfant s'arrêta près de sa mère, à peine essoufflé par sa course entre le wigwam et le champ de blé.

Elle reprit son fils en secouant la tête :

— Non. Marche-sur-deux-chemins, tu dois parler anglais, autrement il croira que tu ne sais pas ! Tu dois l'apprendre, c'est sa langue.

Le visage du gamin refléta sa soumission.

Ensuite, il répéta la phrase précédemment prononcée en indien, s'appliquant à chaque mot :

— Je porte le bois à la maison en une fois. Il vient aujourd'hui ?

La mère se détourna de l'enfant pour scruter la terre en direction du sud. Il n'existait pas de routes, seules, des empreintes indiquant le passage d'un véhicule servaient à indiquer le chemin. Et le vent de l'Arizona les gommait tout de suite. A l'est, à une centaine de kilomètres se trouvait la ville de Flagstaff. Au nord, la terre des Navajos, striée de pistes rudes et de rares chemins. Mais au sud était le ranch de son mari...

— Peut-être, répondit la mère, qui espérait comme son fils.

Elle tenait un plantoir dans sa main, signe que l'ouvrage n'était pas terminé.

— Puisque tu as rentré le bois pour le feu, tu peux m'aider à planter le maïs.

Elle lui tendit le sac de grains. Le maïs n'était pas semé dans des sillons, selon la technique des Blancs, mais en tas. Avec le bâton on enfonçait plusieurs grains à trente centimètres dans la terre. Le maïs prenait racine dans l'humidité du sol. « Quatre grains pour le ver, quatre pour le

corbeau, quatre pour le scarabée et quatre qui germent »,
disait un ancien dicton. Le maïs était une plante sacrée,
pas seulement à cause de sa valeur nutritive, mais parce
que, selon le mythe navajo, les premiers hommes avaient
été créés à partir de deux épis ; après qu'on eut planté
quatre grains blanc, bleu et jaune, la terre était née.

Sauge-blanche savait que l'homme blanc n'avait pas la
même conception de la création. Dans la réserve se trouvaient de nombreuses missions dirigées par des ordres
différents — pères franciscains, méthodistes, baptistes,
mormons... Tous ces chrétiens se référaient à une terre
lointaine nommée la Palestine et à un village appelé Beth-
léem que Sauge-blanche ne pouvait imaginer. Le peuple
rouge, au contraire, vénérait les quatre montagnes sacrées,
et Sauge-blanche avait vu elle-même les pics de San Fran-
cisco, à l'horizon de Flagstaff, qui appartenaient à la Mon-
tagne de l'Ouest.

Le livre saint des Blancs parlait d'un Dieu et de disci-
ples humains. Sauge-blanche croyait au principe Féminin
Changeant, figure essentielle des contes, et à d'autres divi-
nités, comme l'Araignée et l'Eau Salée. Les hommes blancs
étaient persuadés que leur Dieu était parfaitement bon.
Mais l'Indienne savait qu'en toute chose coexistent le bien
et le mal. Les croyances de l'homme blanc n'avaient aucun
sens !

Le garçon s'accroupit par terre pour jeter les graines.
Pendant que sa mère les tassait avec le bâton, il se redressa
pour regarder au loin. Une fine ride plissait son front.

— Est-ce que nous sommes pauvres ? finit-il par demander.

— Non, nous ne sommes pas pauvres, répondit la mère.
N'avons-nous pas de la nourriture et des vêtements chauds
pour nous couvrir ? Ton père pourvoit à tout. Il est *rico*.

Sauge-blanche, baptisée Mary par les missionnaires,
savait que seul un homme riche pouvait entretenir deux
maisons et deux familles. Les missionnaires de la réserve
lui avaient expliqué qu'avoir deux femmes était un péché,
mais Yeux-qui-rient prétendait qu'il en était ainsi la plupart du temps. Ils avaient souvent ri ensemble de la vanité
des lois occidentales qui ordonnent une chose, alors que
les gens en font une autre.

Mary avait compris lorsque Yeux-qui-rient lui avait expliqué que sa première épouse n'accepterait pas qu'ils vivent

13

tous ensemble. Elle était très différente de Sauge-blanche.

— Mon père a-t-il beaucoup de moutons ? poursuivit l'enfant.

La richesse des Navajos se mesure à l'importance de leur troupeau et non à la possession individuelle de la terre. A l'intérieur de la réserve, celle-ci appartient au groupe tout entier qui en a la jouissance. Le chef de famille en a le contrôle mais ne peut en priver les siens. Chacun a le droit d'y faire paître ses troupeaux.

Le wigwam dans lequel Sauge-blanche habitait était construit sur un terrain qui appartenait à son oncle maternel Jambes-en-arceaux.

— Ton père possède beaucoup, beaucoup de bêtes, répondit l'Indienne, impressionnée par le fait que d'immenses troupeaux exigeaient de vastes étendues de terre pour les nourrir. Et il y a beaucoup de gens pour l'aider. Ils travaillent pour lui — comme cet homme appelé Rawlins.

— On devrait avoir des moutons, déclara le gamin avec assurance. Je suis assez grand pour les garder. Jambes-en-arceaux me laisse surveiller les siens quand je vais avec lui.

Sa mère le raisonna :

— Tu ne peux pas garder les moutons pendant que tu es à l'école.

Les yeux bleus du petit, brillants et lumineux un instant plus tôt, s'assombrirent. Il se rebella :

— Toi et papa vous pouvez m'enseigner ce dont j'ai besoin.

Ces paroles avaient une résonance étrange dans la bouche d'un fils qui s'était montré avide d'apprendre, curieux de tout, plus zélé que le coyote. La mère s'arrêta pour observer l'enfant.

— Pourquoi ne veux-tu pas aller à l'école ?

Il attendit avant de répondre :

— Parce qu'on dit que je n'appartiens pas au Peuple !

En effet, les Navajos se désignaient comme le « Peuple ». Le mot navajo est dérivé de *Apaches de Navajo* qui signifie : « ennemis des champs cultivés ».

— Qui dit cela ?

— Tout le monde. C'est parce que mes cheveux ne sont pas raides comme ceux des Indiens, et j'ai les yeux bleus.

Mary hésitait à répondre lorsqu'un bruit inhabituel résonna à son oreille. Elle fixa le nuage de poussière qui se rapprochait de son habitation. Ses yeux immenses bril-

14

lèrent doucement lorsqu'elle reconnut le camion de son époux.

— Le voilà, dit-elle à son fils.

Il lui jeta le sac de graines. Brusquement, la tristesse de l'enfant fit place à une joie infinie. Il vola avec l'agilité de l'antilope vers le wigwam avant que le véhicule se soit arrêté. Inutile de continuer à semer. Sauge-blanche ramassa le maïs et le plantoir pour suivre son fils. La jeune femme ne courut point, ses pas étaient moins agiles que ceux du petit, à cause des jupons qui entravaient sa marche.

Lorsque le camion stoppa, le garçon se trouvait déjà devant la cabane, prêt à se jeter dans les bras du grand homme qui descendait de la cabine. Les retrouvailles du père et du fils obéissaient toujours au même rituel. Le gamin éclatait de rire lorsqu'il le jetait en l'air et le rattrapait.

— Comment un enfant peut-il pousser en deux jours ?

L'homme ébouriffa les cheveux de Marche-sur-deux-chemins ; ils avaient du mal à rester sous le bandeau jaune qui les maintenait en frange.

— Je suis comme le maïs, toujours en train de pousser, je savais que tu viendrais aujourd'hui !

Le petit se trouvait au niveau des yeux de son père et comprenait pourquoi sa mère l'avait surnommé Yeux-qui-rient. Des dizaines de petites rides lui bordaient le coin des paupières, donnant l'illusion que les yeux riaient — des iris d'un bleu lumineux qui contrastaient avec une peau hâlée, alors que celle de l'Indien avait une teinte cuivrée.

— Je t'ai apporté quelque chose.

L'homme glissa une main dans la poche de sa chemise blanche et sortit un paquet de chewing-gum, friandise favorite du gamin. John Buchanan Faulkner tendit le paquet aux petits doigts avides et reposa son fils par terre.

Marche-sur-deux-chemins déchira le papier et engloutit la première barre. Avant même de l'avoir mâchée, il ouvrit la deuxième. Bientôt le paquet de chewing-gum tout entier se retrouva dans la bouche du petit Indien.

— Ça durerait plus longtemps si tu mâchais une barre après l'autre, remarqua le père avec indulgence, mais Marche-sur-deux-chemins fut incapable de répondre, la bouche pleine de gomme.

Sauge-blanche ralentit le pas pour laisser le père et le fils savourer l'un de ces rares moments passés ensemble.

Le regard de la jeune femme se posa avec fierté sur cet homme qui était son époux, grand, aux épau'es larges, vêtu d'une chemise blanche et d'un pantalon en velours côtelé. Un Stetson beige recouvrait ses cheveux châtains. Il était tel qu'elle l'avait aperçu la première fois.

C'était la nuit de la cérémonie du « Sentier des Ennemis », au moment de la « danse des jeunes filles », seule partie à laquelle pouvaient assister les étrangers. Les Blancs l'appelaient la « danse des Squaws », peu d'entre eux réalisaient qu'il s'agissait d'une danse guerrière. Les jeunes Indiennes en âge de se marier choisissaient un partenaire parmi l'assistance des hommes. C'était la première fois que Sauge-blanche y participait. Pour l'occasion, elle avait revêtu sa plus belle toilette et arborait le collier d'argent et de turquoises de sa mère.

A un moment donné, elle avait remarqué John Buchanan Faulkner assis les jambes croisées, et s'était aperçue qu'il ne regardait plus qu'elle parmi les autres danseuses. Obéissant à une impulsion obscure, elle lui avait demandé d'être son partenaire. Elle ne se souvenait plus combien de fois ils avaient fait le tour du poteau du scalp... Puis, en regardant ses yeux, Mary avait compris que le Blanc désirait s'unir à elle. Elle aussi avait éprouvé du désir bien qu'elle fût vierge. A la fin, Faulkner avait regagné le cercle des hommes, et elle avait pu choisir un nouveau cavalier. Mais, quelques jours plus tard, il avait cherché le nom de son clan, l'endroit où vivaient ses parents. Il lui avait rendu visite plusieurs fois, en apportant toujours des cadeaux. John Buchanan faisait partie des rares Blancs respectés des Indiens. Sauge-blanche avait appris qu'il possédait un gros ranch au sud de la réserve et qu'il louait souvent les services des gens du Peuple.

Un mois après la rencontre des jeunes gens, Faulkner demandait Sauge-blanche en mariage à son oncle maternel. Au cours de sa nuit de noces, la jeune mariée découvrit l'étrange habitude qu'avait son mari de dormir sans vêtements. Le Peuple conservait pour dormir ses habits de la journée. Pourtant, Sauge-blanche se rappelait l'instituteur en train d'expliquer que les Blancs mettaient une tenue spéciale pour aller au lit. Yeux-qui-rient ne portait rien du tout, et avait insisté pour que sa femme fasse de même.

Elle s'y était faite progressivement.

Mais tout cela appartenait au passé. Maintenant il était

là, à lui sourire. Elle se précipita à sa rencontre et se blottit entre ses bras puissants. Il pencha la tête pour frotter sa joue rugueuse contre la sienne.

— Tu m'as manqué !

Sa voix bourrue qui chuchotait dans l'oreille de Mary lui rappelait le vent dans les cèdres.

— Je crois que je vis uniquement pour ces moments passés avec toi.

En sentant des mains avides sur son corps, elle sut que la nuit ne viendrait jamais assez tôt pour l'unir à son époux. Il releva la tête comme à regret et caressa la joue de sa femme.

— Je m'inquiète toujours quand je suis loin de toi. Tout va bien ?

Elle le rassura du regard en désignant le petit garçon qui mâchait son chewing-gum. Sa joue paraissait contenir un œuf.

— Le petit m'aide.

— Je suis heureux de te l'entendre dire.

Faulkner relâcha son étreinte pour regarder son fils.

— Parce que je lui ai apporté un cadeau en plus du chewing-gum. Tu ferais bien. de jeter un coup d'œil dans le camion, petit.

Tout en mâchant vigoureusement sa gomme, Marche-sur-deux-chemins se rua vers le camion. Ses yeux bleus s'écarquillèrent de surprise.

— Une selle !

Il se hissa à l'arrière et brandit une magnifique selle en cuir repoussé pour la faire admirer à sa mère. Elle était si lourde qu'il eut du mal à la bouger, cependant il ne demanda aucune aide. Il voulut l'essayer immédiatement. Et après l'avoir apportée dans le corral il la plaça sur le dos d'un cheval. Après avoir réglé les étriers à la bonne longueur, Marche-sur-deux-chemins effectua une courte promenade. Il décrivit un large cercle autour du wigwam de façon que Sauge-blanche et John Buchanan Faulkner puissent l'admirer.

— Je souhaiterais que Chad monte aussi bien, soupira John Buchanan en regrettant aussitôt d'avoir fait allusion à son « autre » famille.

— Il monte depuis qu'il est grand comme une tige de yucca, répliqua Sauge-blanche en évitant de prononcer le prénom de son fils.

Le nommer trop souvent risquait de lui nuire. Il était coutumier parmi le Peuple d'avoir plusieurs noms. Ainsi, outre son prénom totémique, le petit garçon se nommait Celui-qui-a-les-yeux-bleus ; à l'école on l'appelait Jimmy-Blue.

— Aujourd'hui, notre enfant a prétendu qu'il voulait garder les moutons, il ne veut pas retourner en classe. On dit qu'il n'appartient pas au Peuple, se plaignit Mary.

— Il n'est pas indien, rétorqua John Buchanan sur un ton sans réplique. Je sais que des enfants issus de mariages mixtes se considèrent souvent comme du Peuple, mais je ne peux nier que mon fils soit à moitié blanc. Il doit terminer ses études et aller à l'Université. Il recevra l'instruction la plus complète que je puisse lui donner.

L'Indienne ne put qu'approuver, mais elle se souvenait combien elle-même avait souffert à l'école de voir son mode de vie ridiculisé et les croyances du Peuple bafouées. Il en avait été de même lorsque sa famille avait séjourné à Flagstaff où on l'avait considérée avec mépris.

Sauge-blanche avait été horrifiée par les paroles que les hommes blancs lui lançaient dans la rue. Aussi avait-elle été heureuse de retourner chez elle. Depuis, elle ne s'était plus aventurée hors de la réserve. Maintenant elle s'inquiétait à l'idée que son fils dût partir un jour pour son éducation, mais peut-être Yeux-qui-rient avait-il raison.

— Tu dois lui parler, déclara-t-elle, il déteste être différent des autres.

— Il est différent — et ce n'est que le commencement, annonça Faulkner.

Il sourit en regardant sa femme mais son sourire n'était pas sincère.

John Buchanan fit signe à l'enfant de venir. Celui-ci obéit à contrecœur et ramena le cheval près du corral où son père attendait. Sauge-blanche regarda Yeux-qui-rient saisir le cheval par le mors et aider leur fils à sauter par terre. Elle entra dans le wigwam préparer le repas.

L'animal fut conduit dans le corral et les rênes nouées à un poteau.

— J'ai entendu dire que tu voulais quitter l'école ? interrogea John Buchanan avec une désinvolture apparente.

Le gamin se dressa sur la pointe des pieds pour relâcher la sangle.

— On dit que nous sommes pauvres parce que nous

18

n'avons pas de moutons. Mais nous ne sommes pas pauvres, je veux avoir des moutons pour le prouver ! Dès que tu me les auras apportés, je resterai à la maison pour m'en occuper. Je suis assez grand.

L'enfant fuyait le regard paternel.

— Est-ce l'unique raison pour laquelle tu ne souhaites plus retourner en classe ?

Le petit garçon répondit par un silence.

— Est-ce qu'on se moque de toi à l'école parce que tu n'es pas comme les autres ?

— Je suis comme les autres.

L'enfant tira pesamment sur la selle pour l'ôter du cheval. Son père s'avança et la posa par terre.

— Ce n'est pas vrai, tu es différent ; ni indien ni blanc. Tu es les deux à la fois.

John Buchanan souleva son fils et l'assit sur une barre, au même niveau que lui.

— Tu dois en être fier ! mais tu ne seras jamais l'un ou l'autre. Au cours de ta vie les Indiens exigeront que tu sois plus indien qu'eux et les Blancs, plus blanc qu'eux.

Les yeux bleus de l'enfant se froncèrent, sceptiques.

— Comment est-ce que je serais les deux à la fois ?

— En apprenant le plus possible les coutumes du Peuple et ce qui vient des Blancs. Prends le meilleur de chaque côté et fais-en ce qui sera *toi*. Tu comprends ?

Le petit garçon hocha la tête sans conviction.

— Est-ce que je devrai choisir ?

— A toi de décider, répondit John Buchanan avec un sourire triste, je ne peux t'aider, ta mère ne peut t'aider. Tu es seul. En grandissant, tu auras encore plus de mal.

Le père commençait à peine à réaliser combien il était difficile pour un enfant de devenir un homme. Il leva les yeux vers un faucon qui planait dans les airs, utilisant les courants favorables.

— Il te faudra devenir comme ce faucon solitaire : ne dépendant que de toi-même, et volant au-dessus de tout.

Marche-sur-deux-chemins renversa la tête en arrière pour contempler l'oiseau dont les ailes déployées le portaient sans effort. Le ciel était sans nuages, le faucon se découpait sur le bleu infini.

— Aujourd'hui est un jour nouveau, déclara le petit garçon d'une voix mâle. Désormais, je m'appellerai Hawk [1]. (Il se tourna vers son père.) Tu aimes ?

— J'aime, dit John Buchanan Faulkner.

---

1. Hawk signifie faucon en anglais.

CHAPITRE II

En été, le ventre de la mère commença à grossir. Hawk réfléchissait beaucoup sur lui-même, il voyait les choses avec des yeux nouveaux, des yeux acérés comme ceux d'un faucon. L'automne arriva et, avec lui, la rentrée scolaire à la réserve. Le garçon écouta l'instituteur blanc sans s'opposer aux déclarations qui remettaient en cause les croyances du Peuple. On faisait encore allusion à ses yeux bleus et à ses cheveux ondulés qui frisaient davantage depuis que Hawk avait renoncé au bandeau qui était censé les maintenir en place. Il se savait différent et, parce qu'il était différent, il devait être meilleur.

Au début du printemps naquit une petite sœur. Hawk nota avec intérêt qu'elle n'était pas comme lui. Ses yeux étaient bruns comme ceux de sa mère, mais ses cheveux étaient clairs comme le tronc des cèdres et ne brillaient pas comme les plumes du corbeau. Le bébé fut surnommé Cèdre.

Hawk se mit à appeler sa sœur Celle-qui-pleure-tout-le-temps. En effet, elle criait lorsqu'elle avait faim, dès qu'elle entendait un bruit, lorsque sa mère la levait ou la couchait. La fillette n'acceptait que son père Yeux-qui-rient.

Tout d'abord le garçon souffrit d'être rejeté, ses parents ne s'occupant que de sa petite sœur. Il devint solitaire comme le faucon, poussé hors du nid pour chercher sa nourriture. Mais il en était capable. Ne portait-il pas un pantalon ? Ne venait-il pas de subir les épreuves initiatiques de la tribu ? Hawk plaignait le bébé de tout son cœur car il dépendait des autres.

Du fait que la petite fille exigeait l'attention constante de sa mère, Hawk assuma d'énormes responsabilités. Son père venait leur rendre visite deux ou trois fois par semaine, apportant des présents, de la nourriture et des vêtements. Il restait quelques heures, ou une partie de la nuit, mais repartait toujours avant l'aube. Ainsi Hawk portait sur ses épaules le fardeau qui aurait incombé au père s'il avait vécu avec sa famille. Si la classe se terminait de bonne heure, la première pensée de Hawk était d'aller ramasser du bois et de le fendre avant la nuit. La neige ne l'arrêtait pas.

Pourtant ce jour-là, la neige qui tombait des lourds nuages gris n'était pas légère. Elle avait recouvert la terre de plusieurs centimètres, lorsque l'autocar scolaire déposa le petit garçon devant sa maison. Hawk négligea la mise en garde de l'instituteur qui avait annoncé une tempête. Avant même que l'enfant ait atteint le wigwam, les flocons tombaient dru, le vent s'était levé, soulevant la neige. La visibilité était réduite, mais Hawk n'eut pas besoin d'entrer dans la hutte pour savoir qu'il n'y avait pas de feu en train de brûler dans la cheminée. Aucune fumée ne montait du toit. Hawk pensa que sa mère et sa petite sœur s'étaient abritées chez leur oncle à cause du blizzard. En passant devant le corral, il entendit hennir le cheval. On ne distinguait rien en dehors de la neige qui tombait. Hawk se précipita vers l'animal et, sans prendre la peine de le seller, sauta à cru.

Le vent hurlait, le cheval avançait laborieusement dans la neige qui commençait à s'accumuler.

Sauge-blanche et Cèdre ne se trouvaient pas chez l'oncle et Hawk resta un moment devant le feu à réchauffer ses membres engourdis. Sa famille essaya de le convaincre. Il n'y avait aucun espoir de retrouver sa mère et sa sœur dans une pareille tourmente, mais ils ne purent le dissuader de repartir à leur recherche. Le père absent, Hawk était responsable.

Muni d'une chaude couverture prêtée par ses cousins, le garçon ressortit. La tempête s'était amplifiée, la température avait encore chuté. Le froid imprimait une barre douloureuse sur le front du gamin, qui ne voyait presque plus rien.

22

Maintenant, la neige était plus épaisse et le vent soufflait en rafales. Le cheval commença à peiner, avec de la
neige jusqu'au ventre. A un kilomètre du wigwam il tomba
sur les jarrets. Hawk finit par admettre qu'il était vain de
persévérer. Il glissa à terre et libéra l'animal dont la bourre
était incrustée de glace. D'instinct la bête tournerait la
queue au vent et regagnerait le corral.

Hawk chercha un abri et découvrit un éboulis recouvert
de neige, derrière lequel il s'accroupit, s'enveloppant de
la couverture comme d'une tente. Il ne se révoltait pas
contre les circonstances. Comme tous les Indiens, Hawk
savait se plier à l'événement. C'était le moment de rassembler son énergie, au mépris du froid, du vent et de la tempête qui faisait rage autour de lui.

Le temps s'écoula sans qu'aucune pensée vienne le troubler. Hawk resta lové dans sa posture, abrité par sa tente
improvisée. La neige accumulée sur le tissu l'isolait du
froid. Au bout de plusieurs heures, un sens inné avertit
l'enfant que la tempête était calmée. Il se releva, secoua
la neige, et enroula la couverture sur ses épaules en la
croisant sur sa poitrine. Le monde était blanc et figé, étrangement neuf. Les repères familiers étaient dissimulés sous
un manteau immaculé. Hawk se dirigea sans hésiter vers
le wigwam. Puisqu'il avait survécu au blizzard, sa mère et
sa sœur avaient dû survivre également. Elles devaient l'attendre à la maison, s'inquiétant déjà de son absence.

Hawk avait parcouru une centaine de mètres, lorsqu'il
aperçut une tache d'un vert lumineux dans la neige, on
aurait dit la couleur de la blouse favorite de sa mère. L'enfant se précipita en trébuchant vers ce point coloré. Lorsqu'il s'arrêta, il distingua les contours d'un corps humain.
Tout près, le berceau du bébé formait une bosse. Rien ne
bougeait. Hawk resta un long moment à observer en silence
puis s'approcha en hésitant. Il balaya la neige avec la
paume de sa main. Sur les joues de Cèdre des larmes
étaient gelées. Hawk recula d'un pas, d'un autre, puis se
retourna et se mit à courir. Il fallait mettre une distance
entre lui et les corps de sa mère et de sa sœur. Le froid qui
lui mordait les reins l'obligea à ralentir. Sans se retourner,
il regagna le wigwam.

Un bruit étouffé de sabots lui parvint à travers le silence
de ce monde impeccable. Le cuir d'une selle craqua. Le
garçon leva les yeux et aperçut un cavalier qui s'appro-

chait au petit trot. De la vapeur blanche sortait des naseaux de son cheval. Le cavalier tenait par la bride l'alezan de Hawk.

— Hawk !

En entendant l'appel de son père, l'enfant agita le bras. Yeux-qui-rient s'arrêta et descendit de selle pour se précipiter vers son fils. Il l'étreignit. Son visage exprimait le soulagement et non plus l'inquiétude du début.

— J'ai retrouvé ton cheval... Où est ta mère ? le bébé ?

Les grandes mains de John Buchanan Faulkner pétrissaient la chair de l'enfant, à travers la couverture.

— Parties...

La réponse était plate, dépourvue d'émotion.

— Parties ? Que veux-tu dire ? demanda Faulkner.

— Elles sont parties sur un chemin qui ne mène qu'à un seul endroit.

Hawk avait répondu sur le ton de celui qui accepte stoïquement les événements.

— Non ! Bon Dieu ! Je ne vais pas les laisser mourir ! Tu vas me conduire auprès d'elles.

— Non !

L'enfant eut un mouvement de recul, plein d'effroi et tenta de se dégager de la poigne puissante de son père.

— Tu vas me conduire auprès d'elles, tu entends ?

Faulkner saisit son fils par le bras et, le faisant pivoter sur lui-même, l'obligea à suivre les traces. Hawk effectua le chemin en sens inverse. Le regard égaré de son père scrutait le sol recouvert de neige, devant lui. Il poussa un gémissement en découvrant les empreintes de pas qui conduisaient à une tache verte, là où la neige avait été fraîchement remuée.

Tout à coup, le visage gelé d'un bébé lui apparut. Il se mit à courir, entraînant son fils derrière lui. Hawk perdit l'équilibre et tomba. Son père le traîna sur plusieurs mètres sur les genoux. L'épais coussin de neige amortit le choc. Hawk se releva, abandonnant la couverture, il tremblait plus de terreur que de froid. Sa terreur augmenta en voyant Yeux-qui-rient éparpiller de ses mains gantées la neige qui recouvrait les corps, et proférer des sons inarticulés comme ceux d'un dément.

— Non ! hurla Hawk, pris de panique devant le corps de sa mère arraché à son linceul de neige.

Sur le front elle avait des cristaux de sang. Le garçonnet

détourna les yeux du visage gelé. Son horreur grandit encore lorsque son père frotta les membres raides. Avec des accents désespérés, Yeux-qui-rient suppliait son épouse de lui parler, il prononçait son nom, le répétait. Lorsqu'il pressa sa bouche sur les lèvres bleuies pour tenter d'insuffler un peu de vie dans cette enveloppe vide, Hawk craignit plus pour son père que pour lui-même.

Il se rua sur la silhouette agenouillée et la repoussa avec frénésie.

— Tu dois les laisser ! Il ne faut pas que tu les regardes ! Je t'en prie ! Je t'en prie ! Il va arriver des choses terribles si tu les regardes. Les fantômes vont s'emparer de toi. Eloigne-toi d'elles !

L'avertissement eut un certain effet, car John Buchanan Faulkner se tourna vers son fils cramponné à lui et pétrifié d'horreur. L'homme avait un visage semblable aux masques effrayants que portent les *kachinas*[1].

— Lâche-moi !

La voix sortait bien de la bouche de son père, mais ce n'était pas la sienne. Trop effrayé par cette expression inconnue, Hawk n'aperçut pas la main qui s'abattit sur sa mâchoire et sa joue droite ; d'un revers, elle le fit chanceler. Il s'affaissa sur la neige. Il était inconscient lorsque deux bras le soulevèrent avec tendresse, que des doigts tremblants caressèrent la marque rouge qui lui couvrait la moitié du visage. Il n'entendit pas non plus qu'on lui demandait pardon. Déjà il flottait dans une zone obscure et impénétrable.

Lorsqu'il reprit connaissance, il était seul dans le wigwam. Un feu de bois brûlait, répandant sa chaleur. Une douleur à la joue droite le lancinait. Avec d'infinies précautions Hawk posa sa main sur la chair enflée de la mâchoire à la pommette.

Au moment où l'enfant se soulevait sur le coude, la porte s'ouvrit. Hawk eut un mouvement de recul instinctif en apercevant la charpente massive de son père. Mais la folie avait disparu de ses yeux, ainsi que le rire, d'ailleurs. Maintenant, ses yeux étaient tristes et évitaient Hawk.

— As-tu faim ?

Faulkner se plaça devant le feu pour se réchauffer les mains, tournant le dos à son fils.

---

1. Sorte de poupée dans une cérémonie initiatique.

34,848

— Ton cousin a préparé une soupe.

La voix était rude et un peu gênée, mais elle tira le gamin de sa torpeur, puis l'odeur de la nourriture lui rappela qu'il avait l'estomac vide. Avec énormément de mal, Hawk parvint à se mettre debout. La partie droite de son visage lui semblait étrangement lourde. Il prit une chope en étain pendue au mur du wigwam et la plongea dans le potage sur le feu.

John Buchanan Faulkner était mal à l'aise, Hawk le sentait à la façon dont ses yeux l'évitaient. Il voulut boire la soupe, mais, dès qu'il ouvrit la bouche, l'enflure de sa joue, en s'étirant, lui donna l'impression que des aiguilles s'enfonçaient dans sa chair. Il ne put dissimuler une grimace de souffrance.

— Je ne voulais pas te faire mal, petit, dit une voix pleine de regret et de remords.

— Tu n'aurais pas dû les regarder. Il arrivera des malheurs, répéta Hawk. Si on ne fait pas les choses comme il faut, les fantômes viendront.

— Je ne crois pas aux fantômes, ils n'existent pas ! Comment peux-tu croire que ta mère reviendra te nuire ? Tu sais combien elle t'aimait !

— Les fantômes sont la mauvaise partie des gens.

Pendant qu'il buvait avec précaution une autre gorgée de soupe, le regard du petit tomba sur les poings serrés de son père. Il était en colère et luttait pour se dominer.

— Que crois-tu... que croit le Peuple lorsque quelqu'un est mort ?

Faulkner faisait allusion à la dernière affirmation de l'enfant.

— Le mort va dans un endroit, au nord noir. Pour l'atteindre, il doit voyager pendant quatre jours, et il est accompagné par un parent disparu avant lui. Au bout d'une haute falaise, il y a une entrée qui mène à l'endroit situé en dessous. Mais les gardiens de l'entrée doivent vérifier si le mort est bien mort.

L'homme avait fermé les yeux et serrait les mâchoires au point que son menton tremblait. Quand Hawk eut fini son explication, il murmura avec douleur :

— Mon Dieu, quel horrible lieu !

Il prit une profonde inspiration. Puis il expira lentement.

— Ce n'est pas ce que les Blancs croient. Quand une

personne meurt, elle monte au paradis. C'est un endroit au ciel, plein de beauté et de bonheur, où l'on n'a jamais faim ni froid. La douleur n'existe plus. Au ciel, ta mère trouvera la paix et le bonheur qu'elle n'a jamais connus sur terre.

— Alors pourquoi voulais-tu qu'elle revienne, si le paradis est si merveilleux ?

— Parce que je suis un égoïste.

Hawk médita sur la réponse, les sourcils froncés. L'instituteur de la réserve lui avait parlé d'un tel endroit, mais il ignorait s'il existait. Alors si son père y croyait, peut-être...

Faulkner s'éloigna du feu et du regard inquisiteur de son fils.

— Il est tard, bientôt il fera sombre, nous allons passer la nuit ici et partirons demain matin.

— Partir ? s'étonna Hawk. On a encore des choses à faire. Rassembler les affaires de maman pour les enterrer avec elle. Après, il y aura quatre jours de deuil et de sacrifices...

Son père passa une main lasse sur son front.

— Je suis bouleversé, pardonne-moi, parce que... je ne peux pas emporter les corps de ta mère et de ta sœur, je suis obligé de les abandonner ici...

Sa bouche se ferma sur la phrase inachevée.

— Tes cousins ont déjà rassemblé les objets personnels de ta maman. J'ai donné mon accord pour qu'elle soit ensevelie selon *leurs* rites.

— Tu vas m'emmener vivre avec toi dans ton wigwam ?

A nouveau son père fut gêné.

— Je vais te prendre avec moi, mais... nous n'habiterons pas ensemble.

— Pourquoi ? Est-ce que ton autre épouse ne me voudra pas ? Je suis fort et travaille dur. Je pourrais l'aider beaucoup.

— Bon sang, Hawk ! Si je t'expliquais tu ne comprendrais pas, éclata son père. (Il poussa un soupir las.) Lorsque tu seras assez vieux pour comprendre, tu trouveras toi-même la réponse et je n'aurai pas à me justifier. En attendant, un couple s'occupera de toi. Tu connais Tom Rawlins ? Un type qui travaille pour moi, il habite au ranch.

L'incertitude du père rejaillit sur le fils. La situation déplaisait à Hawk.

— Je peux vivre chez Jambes-en-arceaux, il a besoin de quelqu'un pour garder ses moutons.

La réponse fut catégorique :

— Non. Ta mère vivante, tu vivais avec son peuple. Maintenant tu vivras avec le mien, le monde des Blancs. Il est temps que tu marches sur cette voie, que tu apprennes à connaître nos valeurs et nos croyances. Tu devras te faire ta propre place, tout seul ; je t'aiderai quand je le pourrai, mais je suis prisonnier d'un système que tu ne peux encore comprendre.

Le père lut le désarroi dans les yeux bleus de Hawk.

— Tu ne vois pas de quoi je parle, pas vrai ?

Hawk secoua la tête, dans un aveu muet de son incompréhension.

— Laisse-moi t'expliquer, chuchota John Buchanan Faulkner. Suppose que tu aies un troupeau de moutons et qu'un agneau égaré soit attaqué par les loups, tu voudras le protéger, le sauver. Pendant que tu t'y emploies les loups attaquent le troupeau. Que vaut-il mieux ? Sauver l'agneau, et perdre le troupeau ? Ou bien rester auprès du troupeau, et espérer que l'agneau s'en sorte ?

— Moi, je resterais avec le troupeau, affirma Hawk.

— C'est ce que je fais. Toi, tu es mon agneau. Bien... Maintenant, je vais jeter un coup d'œil sur mon cheval et lui trouver un coin pour dormir, nous sommes obligés de dormir ici, j'aurais aimé l'éviter, mais...

— Tu ne crois pas aux fantômes, lui rappela Hawk, pensant que c'était la seule explication aux hésitations de son père.

— Pas aux fantômes, non, approuva Faulkner, mais aux souvenirs.

Il sortit par la porte qui donnait sur l'est, laissant Hawk seul à l'intérieur.

Aux premières lueurs de l'aube, deux cavaliers s'éloignèrent du wigwam, au trot, dans l'immense étendue de neige froissée. Le fin panache de fumée d'un feu qui s'achève sortait de la cheminée du wigwam déserté. Le soleil levant colorait le gris de la fumée d'une teinte lilas.

Dans le froid mordant du petit matin, les cavaliers quittèrent en silence le canyon. L'homme avait relevé le col de sa grosse canadienne pour se protéger, son Stetson était enfoncé sur le crâne. L'enfant était tête nue, et ses cheveux noirs brillaient sous les premiers rayons du soleil. Les épaules de l'homme étaient affaissées, l'enfant se tenait droit, plein d'une noblesse indomptable.

En prenant la direction du sud, ils pénétrèrent sur une terre que Hawk n'avait jamais vue. Le petit garçon observait, cherchait, identifiait sans relâche, notant le moindre mouvement. Vers midi, il découvrit un troupeau ; il avait déjà vu des vaches mais jamais aussi nombreuses et aussi grasses, avec un pelage roux et une tête blanche. Hawk se remplit les narines de l'odeur des bêtes tièdes. Puis il étudia le profil de son père. Les petites lignes qui donnaient l'impression que ses yeux riaient s'étaient figées, effaçant bonheur et vitalité.

Hawk était seul, mais conditionné pour accepter ce fait tout comme le mode de vie indien l'avait façonné pour ne point se révolter contre la mort de sa mère. Elle lui manquait, c'était tout. Le wigwam lui avait paru étrangement silencieux sans les cris de sa petite sœur, mais il ne pouvait rien changer, et acceptait.

Poursuivre sa route et oublier. Le soleil brillait sur un jour nouveau.

CHAPITRE III

Q UAND HAWK DÉCOUVRIT L'EN-
semble des vastes bâtiments, il se crut arrivé dans une
ville. Des chemins de terre reliaient les constructions les
unes aux autres : lignes brunes qui s'entrecroisaient dans
la neige. Des écuries s'élevaient, bâties en planches lisses,
peintes en blanc. Les chevaux étaient énormes et musclés,
comme celui monté par le père.

Près du corral se dressaient trois baraquements. Faulkner se dirigea vers l'un d'eux. Hawk supposa qu'il s'agissait des étables et écuries dans lesquelles on abritait les
animaux. Hawk n'avait jamais quitté la réserve, ses contacts
avec les Blancs s'étant limités jusqu'ici aux enseignants
de l'école aux mormons et à cet homme, nommé Rawlins,
qui avait accompagné son père plusieurs fois au wigwam.
Hawk n'incluait pas son père parmi les Blancs rencontrés.

Un gars conduisait une sorte de camion sans portières,
tiré par une importante machine à trois roues. Hawk
l'identifia comme un tracteur, d'après les dessins qu'il
avait vus dans son livre de classe. Il était fier de savoir
autant de choses. Lorsque les cavaliers le dépassèrent, le
conducteur du tracteur leva la tête et fit un signe de la
main. Etre dévisagé par un étranger mettait le jeune Indien
mal à l'aise. Il serra son cheval contre celui de son père.

Le drôle de bâtiment appelé écurie avait une porte suffisamment haute pour permettre à un cavalier d'entrer sans
descendre de selle. Le cheval de Hawk hésita devant

l'ouverture puis suivit, apeuré, l'étalon de Faulkner à l'intérieur.

Par contraste avec la réverbération du soleil sur la neige, il faisait sombre dedans. Hawk fixa le coin le plus noir, pour permettre à ses pupilles de s'adapter à la différence de lumière. Malgré l'absence de soleil, la température était tiède. Le père avança de quelques mètres et arrêta sa monture, suivi de son fils. La selle craqua ; Faulkner mit le pied à l'étrier pour descendre.

Hawk hésita, puis glissa sans bruit sur le sol. Ignorant ce qu'il devait faire il attendit que son père commence à desseler son pur-sang pour l'imiter. Il détacha la couverture contenant ses effets et la posa par terre.

L'étrangeté de l'environnement mettait tous ses sens en alerte. Son ouïe aiguisée perçut des bruits de pas humains, qui craquaient sur la couche de neige.

Il prévint son père à voix basse.

Lorsque les pas furent assez proches pour être entendus par une oreille de Blanc, John Buchanan Faulkner leva la tête. Le petit cheval alezan et le pur-sang formaient un écran derrière lequel Hawk put observer le nouveau venu, au moment où il passait la grande porte. De taille et de stature moyenne, il portait un Levis raide et une lourde veste de mouton retourné, boutonnée jusqu'au cou. Hawk le reconnut : c'était Rawlins, avec ses yeux bruns et son visage tranquille.

Le contremaître marqua une légère hésitation.

— Vous voilà enfin de retour, John Buchanan, on commençait à s'inquiéter.

Les yeux de Rawlins, non accoutumés à l'obscurité, n'avaient pas encore remarqué le deuxième cheval, plus petit. Faulkner ne répondit rien et ôta sa selle pour la poser contre le mur. Rawlins l'observa de près.

— Tout... va bien ?

Suivit un long silence, au cours duquel Faulkner resta immobile à fixer son employé. Soudain son corps fut parcouru d'un grand frisson.

— Elle est morte, Tom. La petite aussi. Elles ont été surprises par la tempête en rejoignant le wigwam de leur oncle.

Les mots s'écoulaient de la bouche de Faulkner comme de l'eau retenue par un barrage qui cède soudain.

— Elle avait du sang glacé sur le front. Tom... elles sont mortes de froid, elle et le bébé... Je...

Le reste de la phrase fut étouffé. Seulement, Hawk vit son père avaler sa salive, pencher la tête et se passer la main sur les yeux. Rawlins se tourna vers son patron, le regard ailleurs.

— Je... je suis désolé.

C'était là un mot usé, sans signification. John Buchanan s'essuya sauvagement la joue.

— Et le gamin ? demanda Rawlins.

John Buchanan, qui détachait sa couverture de selle, s'arrêta étonné, puis regarda son fils par-dessus l'échine du petit cheval.

— Je l'ai ramené avec moi, affirma-t-il, bourru, en étalant la couverture sur la selle posée à terre.

Il devait avoir remarqué le mouvement de tête de Rawlins, car il ajouta :

— Je ne pouvais pas l'abandonner !

Faulkner prit les rênes de son pur-sang et le conduisit à l'autre extrémité de l'écurie, mettant ainsi le jeune Indien en évidence. Les yeux de Rawlins se braquèrent sur lui ; Hawk baissa la tête, absorbé par sa tâche.

— John Buchanan...

— Bon sang, je t'ai dit que je ne pouvais pas l'abandonner ! Il a besoin de recevoir une instruction, il aura plus de chance de réussir sa vie qu'à la réserve... et je le veux près de moi.

La dernière déclaration avait été faite avec une certaine douceur.

— Mais..., se récria Rawlins, troublé par ces paroles.

— Je sais, rétorqua Faulkner avec un soupir.

Il jeta un coup d'œil à son fils, qui à son tour ôtait la selle de son petit alezan et la posait sur le sol.

— Je ne peux le prendre à la maison, Katheryn serait...

— Je pensais que... j'espérais... que toi et Vera vous vous occuperiez de lui.

Rawlins resta sans réponse, les yeux agrandis de surprise. Faulkner parut mécontent.

— Je suis désolé, mais je n'ai personne d'autre à qui me fier.

Les deux hommes avaient parlé si bas que Hawk aurait entendu la paille craquer sur le sol. Faulkner se tourna vers son fils et ordonna :

— Hawk, viens ici !

Le petit garçon se baissa pour ramasser la couverture qui contenait ses effets. Il se faufila sous le cou de son cheval et s'approcha sans bruit des deux hommes. Ses yeux bleus détaillèrent celui avec lequel son père voulait qu'il vive. Rawlins ne l'accueillit pas avec sa chaleur coutumière et Hawk ne voulut pas faire le premier mouvement.

— C'est un petit intelligent, qui apprend vite, il ne te donnera aucun mal, Tom, j'en fais le serment.

— Qu'est-ce qui lui est arrivé : son visage ?

Le regard de Rawlins quitta la joue enflée du petit pour interroger son patron.

— Dieu me pardonne, murmura Faulkner dans un souffle, c'est moi qui l'ai frappé. Je ne voulais pas lui faire mal et il n'était pas coupable.

— Bien, répondit le contremaître, renonçant à en savoir davantage.

— Est-ce que tu t'en charges ?

Rawlins fit un signe affirmatif.

— Et si on m'interroge, que voulez-vous que je réponde à son sujet ?

Un muscle tressaillit dans la mâchoire de Faulkner.

— N'est-il pas normal pour un couple chrétien d'offrir l'hospitalité à un métis orphelin ?

Rawlins considéra la réponse pendant un moment, avant de faire oui de la tête.

— J'imagine que c'est possible.

Faulkner poussa son fils par les épaules devant Rawlins.

— Il s'appelle Jim Blue Hawk : Hawk, en fait.

— Hello, Hawk ! Tu te souviens de moi, pas vrai ?

Un faible sourire étira les lèvres de Rawlins lorsqu'il tendit la main à l'enfant.

Hawk fit oui de la tête, sans perdre son expression attentive. Il plaça sa main dans la main tendue ; l'homme n'avait pas la poigne de son père.

Il retira sa main.

— Tu dois avoir faim et froid après cette longue randonnée, dit Rawlins, je vais te conduire chez moi, ma femme Vera te fera quelque chose à manger. Qu'est-ce que tu en dis ?

Hawk approuva en silence. La main qu'il venait de serrer se posa sur son épaule pour le guider vers la maison.

D'une voix hésitante Faulkner arrêta son contremaître :

— Tom ? Merci. Je t'enverrai de l'argent tous les mois pour les vêtements, les dépenses...

— Parfait, répondit Rawlins par-dessus son épaule.

— Qu'as-tu raconté à Katheryn hier ? Elle a dû demander où j'étais parti ?

— Que vous étiez allé jeter un coup d'œil sur le troupeau, comme vous me l'aviez dit.

La douleur et l'amertume se lurent sur le visage de Faulkner.

— Katheryn sera probablement soulagée en s'apercevant que je n'irai plus contrôler personnellement le troupeau.

— Certainement.

Hawk vit son père scruter le contremaître d'un air malheureux.

— Tu ne m'as jamais approuvé ? Pas vrai, Tom ?

— Ce n'est pas à moi de juger, déclara Rawlins en hochant la tête.

Faulkner fit une grimace et se détourna pour signifier qu'il mettait fin à la conversation. A cet instant, Hawk sut que sa vie avait changé de façon radicale. Ce n'était pas seulement le fait de vivre avec des étrangers, mais sa mère était morte et maintenant il se rendait compte que les sentiments de son père s'étaient transformés. Jamais plus il n'aurait avec lui les mêmes relations tendres. Hawk était vraiment seul. Lorsqu'il se retrouva dehors, il leva les yeux vers le ciel d'un bleu intense. Il était vide, infini ; son néant n'offrait aucune évasion.

Sa couverture roulée sous le bras, Hawk suivit Rawlins. Les bottes de l'homme crissaient dans la neige ; au contraire, on entendait à peine les pas de l'enfant. Tous deux passèrent devant des cow-boys qui dévisagèrent le jeune Indien. Stoïque, il méprisa leurs regards.

Au moment où Rawlins gravissait les marches en bois de sa maison, Hawk recula, troublé.

— Que se passe-t-il, Hawk ? Viens, ne crains rien.

Le contremaître le poussa en avant avec un sourire forcé.

— La porte ne donne pas sur l'est, déclara l'Indien en désignant l'horizon.

Le sourire de l'homme s'évanouit.

— Les Blancs ne considèrent pas comme nécessaire d'avoir leurs portes à l'est.

Hawk connaissait ce détail, mais la pensée de vivre dans

un tel endroit le gênait. Rawlins attendit patiemment, sans presser l'enfant d'entrer. A la fin Hawk monta l'escalier et suivit l'homme dans la maison. Rawlins s'essuya les pieds sur un paillasson pour en ôter la neige. Une porte s'ouvrit sur une pièce blanche d'où provenaient des odeurs de cuisine. Rawlins prit la couverture pliée des mains de Hawk et la posa par terre, dans un coin. Pendant ce temps, l'enfant aperçut son reflet dans un miroir. Sa joue était enflée jusqu'à l'œil et violacée. Malgré le froid qui l'avait rafraîchie, la chair distendue brûlait et était très douloureuse au toucher.

— Vera ? appela Rawlins.

— Papa ! papa !

Une petite fille s'était précipitée en criant d'une voix aiguë. Elle se jeta dans les bras de son père.

— Maman m'a permis de faire des biscuits, annonça-t-elle avec orgueil. Je les ai faits toute seule.

— Presque, rectifia une voix de femme.

Hawk aperçut une dame dans l'embrasure de la porte, mais les boucles blondes de la gamine le fascinaient.

— Comment avez-vous mis des rayons de soleil dans ses cheveux ? interrogea-t-il, impressionné.

Il avait déjà entendu parler de cheveux jaunes, sans jamais en voir. Son attention fut attirée ensuite par les yeux verts de la petite fille.

— Nous n'avons pas détourné le soleil, expliqua Rawlins, elle est blonde. Beaucoup de gens parmi les Blancs ont les cheveux de cette couleur, inutile d'invoquer la magie pour cela.

— Comment t'appelles-tu ? demanda la fillette.

Hawk ne répondit pas, il réfléchissait à la déclaration de Rawlins.

— Qui est cet enfant ?

Cette fois c'était la dame qui avait posé la question.

— Carol, Vera, je vous présente Hawk, dit Rawlins en poussant sa fille en avant. Hawk, voici ma fille Carol.

— Hawk, s'étonna la gamine en fronçant le nez, comme l'oiseau ? Quel drôle de nom !

— Hawk trouve probablement ton prénom amusant, remarqua Rawlins.

— Qu'est-ce que tu as sur la figure ? demanda Carol en fixant la meurtrissure le long de la mâchoire.

Rawlins répondit avant que l'Indien n'ouvre la bouche.

— Il s'est blessé en tombant. Pourquoi ne pas amener Hawk dans la cuisine et lui faire goûter à tes gâteaux ? Il n'a pas mangé depuis un bout de temps.

— Viens, Hawk.

Carol attrapa le garçon par le bras. Tout d'abord, il résista puis se laissa conduire par la petite fille qui avait des cheveux d'or longs jusqu'à la taille.

— Tom ! A qui est cet enfant ? Pourquoi l'as tu amené à la maison ? demanda Vera à voix basse.

Hawk regarda par la porte entrouverte, les cheveux de la femme étaient clairs aussi, mais pas jaunes comme ceux de sa fille. Elle portait une robe à fleurs. Hawk dut renoncer à son examen lorsque Carol le poussa vers une chaise pour s'asseoir. Ensuite elle s'éloigna quelques secondes, le temps d'aller chercher le plat de biscuits. Le bruit empêcha Hawk de bien entendre ce que le mari et la femme se disaient sous le porche.

— J.B. l'a ramené. Il...

— Tu veux dire que ce gamin est le fils de sa maîtresse navajo ?

— Oui, elle est morte dans la tempête. J.B. m'a demandé de prendre soin de son fils et j'ai accepté, avoua Rawlins d'une voix grave.

— Tu veux dire que c'est à nous d'élever ce garçon ? s'inquiéta la femme sur un ton courroucé. Comment peux-tu être d'accord ? Katheryn est mon amie. Faulkner s'imagine que... elle ne devinera rien ?

— Katheryn fermera les yeux comme elle l'a toujours fait. Je ne comprends pas comment les femmes se montrent si loyales envers J.B. Quel dommage qu'il ne puisse se fier aux hommes de la même manière !

— En tout cas il a un sacré culot d'installer son bâtard ici, sous le nez de son épouse légitime.

— Ne comprends-tu pas qu'il nous fait entièrement confiance, Vera ?

Rawlins restait calme malgré le ton persifleur de sa femme.

— J'aimerais seulement que Faulkner comprenne dans quelle situation il nous place, rétorqua Vera, un peu radoucie.

Carol revint avec une assiette de gâteaux et se mit à côté du garçon, lui cachant le couple qui discutait sous le porche. Au bout de quelques instants Rawlins rentra. Il déboutonna et enleva sa veste en mouton en fixant Hawk.

— Pourquoi ne te déshabilles-tu pas ? Tu vas avoir trop chaud dans la maison.

Contrairement au Blanc qui agit sans savoir s'il se trompe, le Peuple enseignait de ne rien faire dans une situation inconnue, jusqu'à ce que l'on sache comment se comporter. La proposition de Rawlins était la première indication donnée à Hawk sur la marche à suivre. Il se leva et commença à défaire son poncho.

— Oui, et lave-toi les mains, ajouta Vera, dans cette maison on se lave les mains avant de manger.

Rawlins poussa Hawk sous le porche et suspendit son vêtement à un crochet à côté du sien. Hawk le suivit jusqu'au lavabo. L'homme tourna le robinet et laissa couler l'eau pendant qu'il se savonnait les mains. Tout comme les maîtres blancs, il utilisait l'eau comme s'il s'agissait d'une denrée inépuisable. Hawk critiqua en silence un tel gaspillage, mais ne fit aucune remarque. Il se lava les mains. Décidément tous les Blancs étaient gaspilleurs. Ensuite il suivit Rawlins dans la cuisine et se rassit sur sa chaise.

— Le café est chaud, ma chérie ? demanda le contremaître à sa femme.

— Il est sur le fourneau.

Hawk regarda Rawlins prendre une tasse en porcelaine blanche sur l'étagère du buffet et la remplir. Rawlins s'aperçut que le jeune Indien humait l'arôme du café et sourit.

— Tu en veux une tasse, Hawk ?

Le gamin fit oui du menton. Rawlins attrapa une seconde tasse.

— Tu ne vas pas lui donner du café, protesta sa femme, ce n'est qu'un enfant !

Elle s'avança vers la table avec une assiette contenant des tranches de pain blanc.

— Les petits Navajos ont l'habitude de prendre café et thé, Vera, expliqua son mari. De plus, ça réchauffera le gamin, il est resté dans le froid.

Sa mâchoire enflée obligea Hawk à avaler par petites gorgées, doucement. Pendant qu'il sirotait la boisson brûlante, la petite fille s'installa sur les genoux de son père.

— Pourquoi il ne parle pas, papa ?

— Pourquoi parles-tu autant, toi ? lui demanda Rawlins pour la taquiner.

Elle gloussa :

— Peut-être qu'il a donné sa langue au chat !

— Cela m'étonnerait, mais contrairement à toi il ne prend la parole que lorsqu'il a quelque chose d'important à dire.

Rawlins chatouilla le bout du nez de sa fille.

— Où sont ton papa et ta maman ? poursuivit celle-ci en dévorant Hawk de ses yeux verts.

— C'est un orphelin.

Le jeune Indien darda un regard sombre sur l'homme qui venait de répondre à sa place.

— Il n'a plus de parents, ils ont disparu.

La réponse confirmait ce que Hawk redoutait : son père n'était plus vraiment son père.

— Je suis seul, répondit-il avec sincérité et non pour s'attirer la pitié.

C'était un fait, rien de plus.

— Où habites-tu ?

La réponse du gamin avait soufflé une nouvelle question à Carol. Son père lui expliqua :

— Il va habiter avec nous.

— Oui, Tom, continua Vera, mais auparavant tu vas envoyer cet enfant prendre un bain. Je ne serais pas étonnée qu'il soit infesté de vermine. Où sont ses vêtements ? Il vaudrait mieux que je les lave aussi, ainsi que ceux qu'il porte sur lui.

— Tu as raison, Vera, soupira Tom Rawlins. Ses affaires se trouvent dans la couverture sous le porche, mais il faudra bien qu'il mette quelque chose en attendant.

— Katheryn a laissé un colis d'habits de Chad devenus trop petits. Je devais les apporter à la mission.

Tom Rawlins déposa sa fille par terre et se leva.

— Viens, Hawk, nous allons te faire un shampooing. Ensuite, tu prendras un bain.

En faisant couler l'eau sur les cheveux du petit Indien, Rawlins prit un air dégoûté.

— Tu ne trouveras pas de vermine dans la maison.

Hawk pensa que cette famille avait bien de la chance. Après qu'il eut la tête propre, Rawlins conduisit le gamin dans une petite pièce à côté de la cuisine, dans laquelle se trouvait une longue cuve blanche montée sur quatre pieds semblables à des pattes de cougouar. Le père de Hawk lui avait déjà décrit une baignoire. Rawlins la remplit et, après avoir donné à l'enfant des instructions pour les vêtements propres, le laissa finir son bain seul.

Etant donné la rareté de l'eau, Hawk avait toujours considéré les bains comme un luxe. Il se lava lentement, savourant ce plaisir rarissime. Après s'être lavé, il se vêtit ; les habits étaient trop amples pour lui, mais ils étaient propres et sentaient bon.

De retour dans la cuisine, Hawk aida son hôte à installer un petit lit et une commode dans une pièce vide destinée à devenir sa chambre.

L'enfant avait énormément à observer, tout était nouveau et étrange. On lui apprit à se laver les dents et à coiffer ses épais cheveux ondulés. Pour la nuit on lui donna un pyjama, ce qu'il connaissait déjà par l'instituteur, mais qui était contraire aux habitudes de son père.

Hawk dormit fort mal, à l'affût des bruits insolites. Dès que le premier rayon de soleil pointa dans sa chambre, il se leva et s'habilla. Il quitta la pièce éclairée par la faible lumière naturelle et, sans allumer l'électricité, il se dirigea vers le porche. A tâtons il chercha son poncho. Derrière lui, la cuisine s'éclaira subitement. Surpris, Hawk se retourna et heurta une botte par terre.

— Qui est là ?

Il y avait une nuance de peur dans l'impérieuse question de cette voix féminine.

Avant même que le petit garçon ait pu répondre, Vera se rua dans l'embrasure de la porte, le foudroyant du regard.

— Qu'as-tu à rôder à une heure pareille ?

— Que se passe-t-il, Vera ? A qui parles-tu ? demanda Rawlins.

Il s'avança derrière son épouse et aperçut Hawk sous le porche, l'air coupable.

— Où allais-tu, petit ? interrogea-t-il.

— Mon cheval va mourir de faim et de soif. Il faut que je lui donne de l'eau et de la nourriture avant que le car de l'école passe.

L'enfant n'était pas certain que le bus saurait où le prendre depuis qu'il avait quitté sa maison.

— Ne te tracasse pas pour ton cheval ; Luther le nourrira, le rassura Rawlins. Quant à l'école, elle est fermée en ce moment, ce sont les vacances. D'ailleurs tu n'iras plus en classe à la réserve, nous allons te mettre dans une école proche. Maintenant, mon garçon, tu ferais mieux de revenir dans la cuisine, Vera va préparer ton petit déjeuner.

L'épouse de Rawlins avait disparu dans la pièce, Hawk hésita sur le seuil.

— Est-ce qu'il y a des choses à faire ? demanda-t-il d'une voix incertaine.

— Des choses ? (Rawlins plissa le front.) Qu'est-ce que tu entends par là ?

— Mon travail, c'était de couper le bois pour le feu, de charrier l'eau, et d'aider ma mère au champ.

Ici, rien de tout cela n'avait besoin d'être fait : la maison avait l'eau courante, le fourneau chauffait, et il n'y avait aucune trace de jardin.

— Je vois. Tu auras aussi des tâches à accomplir ici. Après le petit déjeuner je dois aller jeter un coup d'œil au bétail, tu m'accompagneras.

CHAPITRE IV

LA VIE AU RANCH REPRÉSENTAIT un monde parfaitement étranger pour Hawk. Les choses lui étaient si peu familières qu'il se sentait souvent perdu, abandonné. Cependant comme son père désirait qu'il s'initie, l'enfant acceptait l'étrangeté de la situation.

Tom Rawlins fournit à Hawk l'occasion d'appréhender le métier de cow-boy. Le premier jour l'enfant se contenta d'observer ce qui se passait, le deuxième jour il posa des questions :

— A qui appartient tout ce bétail ? fit-il en montrant du doigt les bêtes marquées au flanc d'un F.

Elles mangeaient, tête baissée, le foin que les cow-boys leur avaient jeté d'un fourgon. Leurs pelages étaient dorés sur la neige sale. Rawlins hésita un instant.

— M. Faulkner est le propriétaire.

Cette affirmation fit naître une autre question chez l'enfant.

— C'est vous qui commandez, et le troupeau est à mon père ?

— Il m'emploie pour le surveiller, je suis ce qu'on appelle un contremaître, c'est-à-dire que je suis responsable de tout.

Un cow-boy vint prendre conseil auprès de Rawlins, et Hawk comprit que c'était un homme important et respecté.

Au matin du troisième jour, Rawlins renvoya Hawk des pâturages avec un message :

— Dis à Vera que je dois me rendre de bonne heure en ville, cet après-midi, qu'elle prépare le déjeuner pour onze heures et demie.

Lorsque Hawk atteignit le porche de derrière, il entendit des voix dans le living. Il reconnut la première, celle de Vera, aiguë et criarde comme d'habitude, mais qui prenait maintenant une intonation respectueuse. La deuxième s'éleva douce et pure. Pour l'Indien, elle était aussi belle que le cri de la chouette.

Les conversations avaient couvert le bruit de la porte qui s'ouvrait et se refermait. On ne remarqua pas la présence de l'enfant, en arrêt devant l'inconnue assise sur le canapé. Mince comme une liane, elle bougeait ses mains avec la grâce d'un saule qui ondule sous le vent. Ses cheveux avaient la couleur du faon nouveau-né et lui retombaient sur les épaules en vagues épaisses. Sa peau éclatante avait une teinte dorée au soleil et ses lèvres étaient aussi rouges que les « Falaises vermeilles ». Tout à sa fascination, Hawk remarqua à peine le garçon assis à côté de la dame.

— John est convaincu qu'il lui faut acquérir une autre terre à Phoenix ; il veut profiter du *boom* immobilier, expliquait l'étrangère. Imaginez un peu, Vera, cette ville est un enfer, l'été, quoique, je le reconnais, l'hiver c'est un paradis. Mon mari envisage d'acheter du terrain pour construire une maison et doit aller voir cette semaine les promoteurs.

— Est-ce un projet sérieux ? interrogea la femme de Rawlins.

— Il semble que oui, nous avons toujours habité au ranch, mais vous savez combien il est lugubre l'hiver — la neige pendant des jours et des jours... et aucune distraction ! A Phoenix nous pourrions sortir, aller dans les restaurants et les boîtes de nuit. Ce serait peut-être comme au temps où J.B. me faisait la cour !

La dame esquissa un sourire qui s'arrêta net lorsqu'elle remarqua le gamin devant la porte. Son expression alerta Vera, qui se retourna sur sa chaise.

— Combien de fois t'ai-je dit de ne pas rôder partout ?

Cette accusation ébranla Hawk. Vera le soupçonnait perpétuellement d'espionner. Elle ne l'entendait jamais s'approcher, alors qu'il marchait normalement sans essayer de la surprendre.

— C'est l'orphelin métis amené par Tom ?

Katheryn Faulkner avait appuyé sur le mot « orphelin ».

— Oui... oui, c'est lui, reconnut Vera, embarrassée.

— Approche, petit, que je voie à quoi tu ressembles, ordonna la dame.

Hawk obéit, il avait senti un changement dans l'air, comme si des lumières invisibles s'étaient mises à danser autour de lui. Il s'arrêta devant Mme Faulkner et baissa les yeux pour rencontrer son regard pailleté d'or. Il respira son parfum.

— Vous avez l'odeur des fleurs sauvages, murmura-t-il avec respect.

— Comment t'appelles-tu ? demanda-t-elle, ignorant le compliment.

— Hawk.

Les yeux de la dame se rétrécirent de mécontentement. L'enfant débita son nom en entier, pour qu'elle abandonne cet air dur :

— Jim Blue Hawk.

— Qui t'a baptisé ainsi ? interrogea-t-elle.

— Moi-même.

L'enfant allait expliquer comment, mais la dame l'en empêcha :

— N'as-tu pas un autre nom ?

— Si, fit Hawk : Marche-sur-deux-chemins.

Il avait hésité. Mais peut-être, en révélant son totem, ferait-il revenir le soleil dans les yeux fauves.

— Mais on t'appelle Hawk ?

L'inconnue n'avait pas saisi l'importance de la révélation.

— Je suis Katheryn Faulkner, ce ranch appartient à mon mari. Le savais-tu ?

Hawk hocha la tête, il ignorait que cette étrangère était la première épouse de son père.

— Comprends-tu la signification du nom Faulkner ?

Hawk secoua la tête une nouvelle fois.

— Non.

— Il signifie dresseur de faucons. Quelle étrange coïncidence, n'est-ce pas ?

La voix de la dame vibrait de colère. Elle se pencha vers le petit garçon assis à ses côtés.

— Voici mon fils, Chad Faulkner.

Cette fois, son visage s'était adouci. Elle regarda son fils avec tendresse. Hawk souhaita être à sa place, pour être regardé ainsi. Il examina son demi-frère, de quatre ans son aîné ; ce dernier le dépassait de quelques centimètres. Il avait les cheveux plus foncés que ceux de Katheryn, mais les mêmes yeux fauves. La petite Carol était assise à côté de lui et coloriait un livre d'images, en se servant du genou de Chad comme d'une table.

Chad Faulkner examina Hawk avec une curiosité modérée. Apparemment la situation l'amusait.

— Salut ! fit-il, feignant le désintérêt. Que fais-tu ici ?

La question rappela au jeune Indien la raison pour laquelle on l'avait renvoyé à la maison. Il s'adressa à Vera Rawlins et lui transmit le message de son mari.

— C'est bien, répondit Vera sèchement.

Du coin de l'œil, Hawk observa Mme Faulkner en train de retrousser le poignet de son gilet qui cachait une montre en or.

— S'il vous faut préparer le repas de bonne heure, Vera, nous allons partir.

Katheryn Faulkner se leva et passa devant Hawk en prenant soin de ne pas le toucher.

— Ne partez pas ! protesta Carol lorsque le genou de Chad se retira. Je n'ai pas fini mon dessin !

— Tu n'auras qu'à me l'apporter à la maison cet après-midi.

Le fils Faulkner caressa la tête blonde de la petite avec une affection pleine d'indulgence :

— Peut-être ferons-nous un bonhomme de neige.

— C'est vrai ?

Le visage de la fillette s'illumina. Elle était remplie d'adoration, comme si cette promesse était la chose la plus merveilleuse au monde.

— Chad ! vous la gâtez trop, soupira Vera Rawlins.

Hawk ne l'avait jamais vue aussi heureuse.

Le jeune Indien s'écarta du petit groupe pour épier la femme de son père tandis qu'elle enfilait une lourde parka au col de fourrure. Il écouta sa voix grave remercier Vera pour le café et saluer. Lorsque la porte se referma, Vera se précipita dans la cuisine pour préparer le repas, abandonnant Hawk dans le living-room. Un parfum de fleurs sauvages flottait dans la pièce. Hawk souffrait des affres de la solitude.

Au cours de la semaine, Hawk reçut deux fois la visite de son père. Chaque fois, celui-ci lui demanda comment il allait et s'il avait besoin de quelque chose. Mais l'enfant avait lu dans les yeux bleus vides qu'il n'avait pas besoin de répondre aux questions posées. Il ne fit aucune allusion à son dépaysement et à sa solitude et se contenta de dire ce que son père attendait.

Le lundi, Hawk alla pour la première fois à l'école des Blancs. Il fut prêt de très bonne heure : il se sentait nerveux et anxieux. Serait-ce comme à la réserve, où l'instituteur frappait la main des enfants avec une règle s'ils parlaient navajo ? Dans son manteau neuf, avec ses cheveux lissés, Hawk se tenait devant la fenêtre de la cuisine, attendant que Vera ait coiffé la petite Carol et qu'elle lui ait attaché ses rubans. Ce premier jour, Rawlins devait accompagner les enfants en voiture ; les autres jours, ils prendraient l'autocar.

— Tu es trop couvert pour rester dedans, Hawk, remarqua Rawlins.

Assis à la table de la cuisine, il buvait son café en contemplant sa femme qui peignait leur fille.

— Pourquoi n'attends-tu pas plutôt dehors ? Carol sera bientôt prête.

Hawk accepta la proposition avec joie et quitta la maison à pas de loup. L'air froid lui pinça le visage et transforma sa respiration en petits nuages de vapeur. Tout à coup, il éprouva un violent désir de fuir vers le nord dans le wigwam de sa famille. Son regard se porta par-delà les arbres sur la maison blanche où son père habitait. Justement, il l'aperçut qui sortait et se dirigeait vers sa voiture garée tout près. Il ne portait pas sa veste en mouton ni son jean, mais un manteau sombre qui lui arrivait jusqu'aux genoux et un costume assorti. Hawk s'élança à travers les arbres, tenaillé par l'appréhension. Lorsqu'il arriva à la voiture, son père y était déjà.

— Est-ce que tu nous accompagnes à l'école ?

John Buchanan Faulkner eut un air coupable.

— Non, je vais à Phoenix, et je venais te dire au revoir.

Les clefs de la voiture à la main, il évitait le regard de son fils.

La crainte dévorait le petit garçon comme une bête qui se serait insinuée sous sa peau.

— Quand reviendras-tu ?

— Je ne sais pas. Pas avant un moment... Hawk, essaie de comprendre. Je pense toujours que ta mère m'attend dans le wigwam. Trop de souvenirs hantent ma mémoire. J'ai besoin d'un cadre nouveau. Je reviendrai, je suis toujours revenu, n'est-ce pas ?

Cette fois, c'était différent. Pour Hawk, son père était le rocher où se cramponner dans ce monde fluctuant, changeant comme les sables du désert. L'Indien ne comprenait pas ce besoin qu'il avait de son père, aussi ne put-il l'exprimer. Il se contenta de lui adresser une supplique muette.

— Tu auras beaucoup à faire à l'école, et pour aider Tom ; tu ne t'apercevras même pas de mon départ. Je veux que tu t'appliques en classe et que tu fasses bien les devoirs que le maître te donnera. Tom et Vera veilleront sur toi.

Des pas légers s'approchèrent de la voiture. Hawk se retourna. C'était la première femme, Katheryn. Elle considéra l'enfant avec dédain, puis jeta un regard inquiet sur son époux.

— Je croyais que tu partais tout de suite, John ?

— Je pars.

John Buchanan avait sursauté. Il fixa Hawk une dernière fois avant de gagner la place du conducteur. Il ouvrit la portière.

— Bonne chance, Hawk, pour ton premier jour d'école.

Ses yeux glissèrent ensuite vers la dame au capuchon de fourrure.

— Au revoir, Katheryn.

— N'oublie pas de me téléphoner ce soir, lança cette dernière avec un sourire contraint.

Il répondit par un salut de la main et se glissa derrière le volant. Dès que le moteur démarra, Hawk s'écarta pour laisser le chemin à la voiture. Il fixa la belle dame qui se tenait en face de lui. Son désespoir muet faisait écho à celui de l'enfant.

— Hawk !

C'était Tom Rawlins qui le rappelait à la maison.

L'adaptation à la nouvelle école fut difficile. Après lui avoir fait subir des tests, on avait placé Hawk dans une classe d'enfants plus jeunes. Non seulement il était le plus âgé, mais aussi le plus grand. Les écoliers le taquinaient impitoyablement, se moquant de sa peau cuivrée et de son prénom. Hawk vivait intensément cette différence. Il travaillait avec acharnement, non pour briller et leur prouver qu'il était aussi intelligent qu'eux — cette attitude n'ayant pas cours chez les Indiens —, mais parce que le savoir était une valeur.

La vie de l'enfant s'installa dans la routine. Après l'école il aidait Rawlins et faisait ses devoirs avant de se coucher.

Durant le mois où son mari fut absent, Katheryn rendit plusieurs visites à Vera, pendant que Hawk était à l'école. Chaque fois il sut qu'elle était venue au parfum de fleurs sauvages qui embaumait la maison. Ces fois-là, il s'asseyait sur le canapé où l'odeur était la plus persistante. Tout imprégné de senteur, l'enfant s'imaginait alors que quelqu'un l'aimait...

Au bout de trente jours, John Buchanan Faulkner revint au ranch. Hawk se trouvait à l'écurie pour aider aux travaux du soir lorsqu'il aperçut la voiture. Aussitôt il abandonna sa tâche pour courir à la rencontre de son père. Le souvenir d'autres retrouvailles remontait à sa mémoire.

— Tu es de retour !

— Je t'avais promis de revenir, non ?

Son père plongea à l'intérieur de la voiture et sortit un paquet enveloppé dans un papier de couleur.

— Je t'ai rapporté quelque chose.

Hawk se mit à genoux pour déchirer le papier. Dans la boîte se trouvait une chemise à carreaux, comme celles que portaient les cow-boys. Hawk la brandit avec fierté.

— Je savais qu'elle te plairait, remarqua son père, heureux de sa joie.

— Tu déballes les cadeaux, J.B. ?

Cette question avait été posée par Katheryn, qui venait de contourner la voiture, suivie de Chad. Hawk n'avait pas revu son demi-frère depuis leur première rencontre chez les Rawlins, car Chad fréquentait un collège privé. Mère et fils n'accordèrent pas la moindre attention à l'Indien.

— Bonjour, Katheryn, bonjour, Chad.

Faulkner accueillit son fils légitime et sa femme. Il serra la main de Chad avec orgueil.

— Je suis heureux que tu sois au ranch pour le week-end.

— Oui, père.

Le bref signe de tête du garçon s'alliait parfaitement à ses épaules carrées et à son maintien rigide.

— Qu'as-tu rapporté à Chad ?

Faulkner hésita à peine :

— Rien, Chad n'a besoin de rien, il a tout ce qu'il désire.

— Tu veux dire que tu as rapporté un cadeau à cet Indien et rien à ton propre fils ? se récria Katheryn, en proie à une colère froide.

John Buchanan Faulkner se raidit puis se détendit avec un soupir las.

— C'est exactement ce que j'ai fait, mais nous pourrions poursuivre cette conversation plus tard, ce long voyage m'a fatigué.

Katheryn s'empressa de prendre un air aimable.

— Bien entendu, mon chéri. Chad, rentre à la maison et sers un whisky à ton père. Ne t'occupe pas des bagages, J.B., j'enverrai un domestique les chercher.

Hawk suivit des yeux le trio qui disparaissait, puis regarda sa chemise. Le vent faisait bruire le papier du paquet. C'était un bruit triste. Hawk vivait chez les Rawlins mais ne ferait jamais partie de leur clan. Hawk était seul.

Au cours de l'hiver interminable et jusqu'au printemps, Hawk vit rarement son père, le voyage à Phoenix ayant été suivi de nombreux autres. Chaque fois qu'il partait et revenait, John Buchanan Faulkner allait saluer son fils et avait avec lui des discussions sérieuses sur des sujets variés ou l'école ; mais jamais il ne demandait à Hawk comment il s'adaptait à sa nouvelle vie, s'il se trouvait bien chez les Rawlins ou s'il regrettait la réserve.

Au retour de chaque voyage, Hawk recevait un cadeau ; un petit canif brillant, une ceinture en cuir... Il ne chercha pas à savoir si Chad en avait reçu lui aussi. Bientôt l'école ferma pour les vacances d'été. L'Indien avait découvert le sens des mots : « bâtard », « maîtresse » et « illégitime ».

Au cours des discussions entre cow-boys il avait également appris le mépris qu'ils manifestaient à l'égard des Indiens. Peu à peu, il devint évident pour Hawk que son père éprouvait de la honte... honte parce que son fils était né du « mauvais côté », et qu'il avait pour mère une squaw.

Parfois, l'enfant se souvenait de l'heureux temps où sa maman était vivante. Assis à table en fixant les tranches de pain blanc, il songeait à celui que faisait sa mère. Alors il restait éveillé le soir dans son lit, à écouter le bois craquer, et à rêver aux incantations rituelles des Indiens. Il se les chantait parfois mais à voix basse de crainte de voir la femme de Rawlins entrer dans sa chambre et lui faire des reproches.

Avec l'été, les jours plus longs permirent de vivre davantage dehors. Hawk était censé travailler. D'ailleurs, les cow-boys s'étaient habitués à l'avoir toujours parmi eux et ne le considéraient plus comme un être bizarre. De temps à autre, ils l'incluaient même dans leurs plaisanteries et leurs rires.

La première semaine de juin, Chad revint au ranch pour l'été. Hawk l'entrevit les premiers jours. Pourtant, un soir que le jeune Indien achevait de nettoyer l'écurie, Chad entra.

— As-tu vu mon père ? demanda-t-il en suivant Hawk à l'abreuvoir, nous devions monter à cheval ensemble.

— Non.

Hawk tourna le robinet pour boire.

— Il ne saurait tarder, répliqua Chad avec insouciance.

Il posa son pied botté sur la barre inférieure de la barrière du corral. Une fois désaltéré, Hawk ferma le robinet et observa son demi-frère. Rien en lui n'exprimait que sa présence fût indésirable, au contraire. Une curiosité bien naturelle poussa Hawk à s'attarder dans le corral. Chad lui jeta un regard oblique, puis parcourut des yeux l'espace ouvert devant lui.

— Tout ceci m'appartiendra un jour.

Hawk se retourna sans répondre.

— Je sais qui tu es ! proclama Chad.

Il se planta devant son demi-frère pour le détailler avec curiosité.

— J'ai entendu maman parler de toi.

— Qu'a-t-elle dit ?

La fascination que l'Indien éprouvait pour la première

épouse de son père avait augmenté au point qu'il se croyait envoûté.

Chad n'avait pas l'intention de répondre à la question de Hawk.

— Ta mère était vraiment une Navajo ?

— Oui.

Pour l'instant Hawk ne décelait aucun mépris chez son demi-frère.

— As-tu assisté à des cérémonies ?

— Oui.

— Jess Hank, un ami du collège, prétend qu'ils mettent des serpents à sonnette entre leurs dents.

— Les Hopi le font dans leur danse du serpent, expliqua Hawk.

— Ils ne se font jamais mordre ?

— Quelquefois, répondit Hawk en haussant les épaules pour montrer que cela avait peu d'importance.

Chad médita sur cette révélation, les yeux dans le vague.

— Est-ce vrai que ta mère était une putain et qu'elle couchait avec tous les hommes qui le lui demandaient ?

L'insulte alluma l'incendie qui couvait dans les yeux de Hawk.

— C'était la seconde épouse de notre père ! Elle n'a dormi qu'avec lui.

Chad ricana.

— Sa seconde épouse ! Un homme n'a droit qu'à une seule femme légale, notre père a épousé ma mère. Si ta mère a couché avec lui, c'était une putain.

La rage ôta toute prudence à Hawk ; il oublia que Chad était plus âgé que lui, plus grand, plus fort, et qu'ils étaient demi-frères. Il se rua sur lui. La soudaineté de l'attaque envoya Chad à terre. Les deux garçons roulèrent dans la poussière, Hawk frappait avec ses pieds et ses poings, il réussit à faire mal à Chad. Mais celui-ci parvint à lui immobiliser la main et lui tordit le bras. Enfin il le plaqua au sol, la face dans la poussière.

— Tu abandonnes ? hurla Chad hors d'haleine.

Comme l'adversaire ne répondait pas, il lui tordit un peu plus le bras.

— Tu abandonnes ?

Hawk serra les dents pour retenir un cri de douleur.

— Qu'est-ce qui se passe ici ?

Chad desserra son emprise en entendant la voix bourrue de son père et se redressa, libérant Hawk. De grandes mains aidèrent le petit à se remettre sur pied, lui frottèrent ses joues pleines de terre.

— Es-tu blessé, mon garçon ?

Hawk secoua la tête, les yeux rivés au sol.

— Rentre à la maison, Chad ! ordonna John Buchanan Faulkner.

— Mais on devait monter à cheval ensemble !

— J'ai dit : rentre à la maison.

— Ce n'est pas moi qui ai commencé, c'est lui !

Chad avait pointé un index accusateur vers Hawk.

— Je ne me soucie pas de savoir qui a commencé. Je t'ordonne de rentrer à la maison.

Chad obéit à regret, le défi aux lèvres.

— Qui a déclenché la bagarre, Hawk ? demanda Faulkner.

Hawk releva la tête et fixa son père de ses yeux bleus.

— Tu étais marié avec ma mère ?

Les traits de Faulkner étaient empreints de sévérité.

— Oui, nous étions mariés selon la loi du Peuple.

— Mais pas d'après la loi de l'homme blanc ?

— En effet.

— Pourquoi as-tu fait ça ?

— Parce que j'aimais ta mère, alors je respectais ses traditions.

— Mais pour les Blancs elle n'était pas ton épouse ?

— Blanche-Sauge était ma femme dans mon cœur.

— Alors, pourquoi ne l'as-tu pas épousée selon la tradition blanche ?

— Regarde autour de toi, Hawk. Ta mère n'aurait pas été heureuse ; si je l'avais épousée, c'est ici qu'elle aurait vécu.

Hawk crut ces paroles, mais elles ne le rassurèrent qu'en partie.

— Moi, je suis aussi ton fils ! Pourquoi est-ce que je n'habite pas avec toi ?

— Ce n'est pas possible, assura Faulkner en secouant la tête en signe d'impuissance.

— A l'école on me traite de bâtard, de métèque, de moitié de Blanc.

— Ce serait pire si tu vivais chez moi, certifia son père avec lassitude.

Hawk en devina la raison :

— Ils m'appelleraient le bâtard ?

— Oui, maintenant tu comprends pourquoi je n'ai pas voulu que tu portes ce fardeau, toi aussi ?

— C'est ce que les gens pensent de moi, ou le souci de ta réputation, qui te préoccupe ? demanda l'enfant avec une sagesse surprenante pour son âge.

Le visage du père se décolora.

— Hawk, essaie de comprendre. Toi et moi ne sommes pas seuls impliqués. Je dois tenir compte de Katheryn et de Chad ! Je t'ai procuré un logis, donné une bonne instruction. Un jour viendra où tu auras ta part dans mes affaires.

De ses yeux bleus impassibles, Hawk jaugeait son père, découvrant ses côtés faibles. L'enfant n'avait plus aucune illusion, mais restait sans amertume.

Lentement il se détourna et s'éloigna. Seul.

Pour célébrer la fête nationale du quatre juillet, le ranch Faulkner organisa un rodéo et un barbecue. Une rivalité de bon aloi régnait parmi les cow-boys qui se mesuraient au lasso et à la course au taureau. La dernière attraction fut une course de chevaux à laquelle Hawk participa.

Lorsque l'Indien s'avança sur son alezan, au milieu des concurrents, il y eut un moment de silence. La plupart des cow-boys avaient déjà vu le petit cheval du désert, lancé ventre à terre dans la prairie. Les regards se fixèrent ensuite sur le bai luisant de Chad. On pariait sur la deuxième et troisième place.

Katheryn se plaça à la ligne de départ pour tirer le coup de pistolet. L'épouse de Faulkner portait un ensemble de daim et un chemisier blanc.

Luther Wilcox, le cow-boy qui se trouvait à côté de Hawk, lui confia :

— Tu as beau avoir un bon cheval, tu ne battras pas le bai de Chad.

— Il est plus rapide, reconnut Hawk, mais je monte mieux.

Au signal, les chevaux bondirent en avant. Le parcours était long de mille cinq cents mètres, formant un circuit qui commençait au pré, passait par un champ de coton, pour revenir à son point de départ.

Hawk, d'abord en tête, se laissa rattraper puis dépasser

par le bai de Chad. Il choisit le terrain avec soin et, au lieu de traverser la cuvette asséchée dont la pente ralentissait les chevaux, guida son alezan vers les bords du ravin peu profond. Il reprit la tête.

Le bai l'avait presque rattrapé au champ de coton. Mais la courbe à décrire était large. L'alezan rasa les arbres de si près que Hawk s'écorcha le genou. Il était couché sur le cou de sa monture, dont la crinière agitée par le vent lui fouettait le visage.

Le bai gagna encore du terrain et le perdit au ravin. A la ligne d'arrivée l'alezan de Hawk gagna d'une tête. Le martèlement des sabots et les hennissements, mêlés aux cris de la foule, avaient assourdi le jeune Indien. Rouge de contentement et bouleversé par sa victoire, il effectua un tour d'honneur. Il ne s'inquiéta pas du regard furieux lancé par son demi-frère, mais remarqua la fierté de son père, qui se tenait devant la foule.

Mais ce n'était pas tellement la fierté de John Buchanan Faulkner que Hawk recherchait. C'était l'attention de la gracieuse dame qui remettait les prix ; un ruban bleu et de l'argent. Les yeux bleus de Hawk brillaient d'excitation lorsqu'il s'avança vers Katheryn. Il était plus désireux de l'éloge que du prix. La petite Carol se tenait près de Mme Faulkner. Hawk s'arrêta devant elle sur son maigre cheval. Des secondes interminables s'écoulèrent avant qu'elle daigne lever la tête. Hawk crut qu'il allait mourir en découvrant de la colère et de la haine dans ses yeux fauves. Son sourire victorieux s'évanouit aussitôt, tandis que son cheval piaffait d'impatience.

— Tu as triché !

L'insulte piqua Hawk au vif, ses yeux bleus s'assombrirent encore.

— Tu as gagné uniquement parce que tu as dévié du parcours.

Une haute silhouette s'approcha de la petite fille blonde qui s'accrochait à la main de Katheryn Faulkner.

— Il a gagné sans tricher, déclara John Buchanan d'une voix si basse que personne ne put l'entendre. Tu ne peux favoriser Chad devant tous ces spectateurs !

Le ruban bleu et l'enveloppe qui contenait l'argent dans la main, Katheryn se tourna vers Carol avec un sourire de circonstance.

— C'est toi qui remettras le ruban, cette fois.

Faulkner se baissa et hissa la fillette jusqu'à Hawk toujours en selle, pour lui offrir la récompense. Au moment où le vainqueur tendit la main, Carol retira la sienne en fronçant les sourcils :

— Je voulais les remettre à Chad, il aurait dû gagner.

— Il aurait dû, approuva John Buchanan, mais Hawk mérite le ruban bleu, tu offriras le rouge à Chad.

La réticence de Carol ne surprit pas Hawk : les rares fois où il l'avait surprise en sa compagnie, elle traitait Chad comme un dieu.

Hawk accepta le prix et regagna les écuries au petit trot. Lorsqu'il dessella son cheval au milieu des cow-boys, ceux-ci lui firent des compliments ambigus. L'Indien préféra ne pas répondre et cacha sa déception sous un masque stoïque.

La course terminée, les participants et spectateurs commencèrent à se rassembler sur la pelouse de la maison du maître, où devait avoir lieu le barbecue. Hawk se joignit à eux, sans appétit, et resta un peu à l'écart, près d'un groupe d'employés du ranch et de leurs familles. Il ne souhaitait pas se faire remarquer et se contenta d'admirer la femme de son père qui parlait et riait avec ses invités. Les assiettes vides s'emplirent à plusieurs reprises jusqu'à ce que les ventres affamés soient satisfaits. Les adultes étaient assis en groupes, mangeant, buvant et riant ; les enfants chahutaient, excepté Hawk assis sous un arbre à les regarder.

Cette nuit-là, Hawk se glissa hors de la maison pendant que tous dormaient, et sella son cheval. Il s'enfuit vers le nord. La pleine lune éclairait son chemin. Plusieurs fois, Hawk éperonna sa monture, redoutant la présence de fantômes dans l'obscurité.

A l'aube il arriva au wigwam de son oncle. Il y passa trois jours, jusqu'à ce que son père vienne le chercher. Pourtant, Hawk ne fut pas malheureux de quitter les parents de sa mère : en un an, il avait changé.

DEUXIÈME PARTIE

CHAPITRE V

AU COURS DE SON ANNÉE DE senior au collège, Hawk apprit que son père avait l'intention de l'envoyer dans une université de l'est à l'automne. Le jeune homme n'était guère emballé à l'idée d'être transplanté une seconde fois dans une atmosphère étrangère. Toutefois, il avait conscience que son expérience et son instruction y gagneraient.

Lorsque le moment arriva, il partit sans protester. Seule Carol, devenue une svelte adolescente, versa quelques larmes en le voyant quitter le ranch.

John Buchanan Faulkner accompagna son fils à l'aéroport et lui prodigua ses conseils jusqu'à la dernière minute. Hawk écouta comme il l'avait toujours fait. S'il y avait une chose que son père lui avait enseignée, indirectement, c'était à réfléchir seul. En effet, bien que Hawk rencontrât Faulkner chaque fois qu'il revenait au ranch, leurs relations restaient distantes. La manière dont Faulkner avait traité la naissance illégitime de Hawk avait creusé entre eux un gouffre infranchissable. Quand ils étaient ensemble ils discutaient du ranch, du collège et des affaires du père à Phoenix.

Des rumeurs circulaient au sujet de John Buchanan Faulkner : il passait son temps à acquérir des parcelles de terre à Phoenix qu'il revendait avec de larges bénéfices. Il avait fait construire des immeubles commerciaux, investi dans des plantations d'agrumes et acheté des mines de cuivre. Des plaisanteries couraient : Faulkner avait l'intention d'acheter tout l'État de l'Arizona avant sa mort ! Aux vacances universitaires, Hawk revint au ranch pour travailler. Il ne demanda jamais de faveurs et accepta son lot de travail, un travail subalterne la plupart du temps. Ainsi, il gagna l'estime des cow-boys, mais une barrière demeurait entre lui et certains d'entre eux pour lesquels il restait le bâtard du milliardaire.

Pour les Navajos, Hawk était un homme comme les autres, leur unique méfiance provenant du fait qu'il avait du sang de Blanc. Depuis sa fugue du quatre juillet, des années auparavant, Hawk avait obtenu la permission de retourner à la réserve deux semaines chaque été, pour rendre visite aux parents de sa mère.

Cet été-là, il abandonna la camionnette du ranch devant le wigwam de son oncle, Jambes-en-arceaux, et emprunta un cheval pour gagner les hautes terres où celui-ci faisait brouter ses moutons.

Les deux semaines s'écoulèrent à une vitesse vertigineuse. Hawk suivit les coutumes du Peuple et observa leur style de vie et leurs tabous.

Il avait économisé l'eau, toujours rare. L'été, la famille dormait en plein air et Hawk avait dû prendre garde à ne pas marcher sur un corps endormi, ce qui aurait attiré les mauvais esprits. Il avait évité les arbres touchés par la foudre et s'était abstenu de tuer les coyotes et les serpents à sonnette.

Pour Hawk, ces superstitions n'étaient pas plus ridicules que, chez les Blancs, la phobie des chats noirs, le vendredi 13 ou la crainte de passer sous une échelle. Hawk avait fait sa part de travail manuel. Il s'était assis dans le sauna indien avec les adultes mâles, et avait chanté avec eux, face au nord, les mélopées rituelles et purifié son corps. Le soir, il retrouvait tous les autres autour d'un feu de camp pour bavarder et raconter des histoires. Jambes-en-arceaux s'était occupé de faire construire un bâtiment officiel pour la tribu et avait discuté de ce projet avec son neveu.

Un matin, de bonne heure, Hawk quitta son clan. Le soleil d'août l'accompagna jusqu'au soir. La nuit tombait lorsque sa camionnette entra dans la cour du ranch. Il remarqua une activité intense autour de la maison des maîtres et se souvint tardivement que Chad était de retour.

58

On avait organisé une fête pour accueillir Faulkner fils, héritier de surcroît.

La mesquinerie et la jalousie étaient étrangères à Hawk, le Peuple lui ayant enseigné à accepter l'inéluctable. De cette façon, la vie était plus facile. Hawk descendit du véhicule et s'arrêta pour écouter la musique, les rires et les paroles anglaises qui s'élevaient de la maison. Les mélodies différaient des chants indiens. Hawk jeta un regard sur ses vêtements poussiéreux qu'il n'avait pas quittés depuis deux jours et entra chez lui pour se changer et prendre une douche.

Une demi-heure après, il rejoignit la surprise-partie. En contournant les invités, il réussit à trouver Chad — le héros de la soirée — qui se tenait devant la table du buffet en compagnie de Katheryn, sa mère. John Buchanan Faulkner aperçut son fils cadet et s'approcha.

— Je vois que tu es de retour, Hawk.

Il avait accompagné ses paroles de bienvenue d'un sourire.

— Oui, répondit Hawk en prenant une gorgée de bière. Jambes-en-arceaux te salue.

Le jeune homme tenait à ce que son père se souvienne du lieu où il venait de passer quinze jours.

— Comment va-t-il ? demanda celui-ci avec intérêt.

— Très bien.

Hawk chercha du regard son demi-frère : l'âge adulte avait donné à Chad un charme un peu sophistiqué. A un moment donné ce dernier leva les yeux et croisa le regard de Hawk, une fraction de seconde.

— Chad paraît apprécier son retour au logis, remarqua Hawk.

— Oui, répondit leur père, cette fête est une sorte de consécration pour lui, je l'ai chargé de gérer mes affaires de Phoenix.

La nouvelle ne surprit pas le jeune homme : depuis des années, Faulkner avait initié son aîné à la finance.

— Il est préparé pour cela, conclut Hawk.

— L'an prochain tu finiras tes études de sciences politiques, et je n'aurai aucun mal à t'obtenir un poste élevé dans les affaires de l'Etat.

Hawk réfléchit au plan échafaudé par John Buchanan Faulkner. Il était aisé d'en apercevoir le double objectif : son père lui achetait la respectabilité d'une position élevée pour effacer son illégitimité. Par la même occasion il plaçait quelqu'un au gouvernement.

Hawk devait admettre qu'il s'agissait là d'un trait de génie, mais Faulkner tirait profit de tout ce qu'il entreprenait.

— Tout cela est parfaitement réfléchi, approuva Hawk.

Une senteur de fleurs sauvages parvint jusqu'à lui, émanant de Katheryn. Elle interrompit son mari, sur le point de répondre à Hawk.

— N'oublie pas que tu assistes à une fête, déclara-t-elle avec une voix savamment modulée.

Hawk se déplaça insensiblement pour mieux voir la dame qui tenait son fils par le bras.

— Vous ne devriez pas rester dans un coin, Hawk !

Hawk eut une grimace amusée. Sa « belle-mère » le tolérait dans les coulisses familiales, tout en l'empêchant jalousement de s'introduire sur la scène. Elle considérait Hawk comme une menace pour son fils.

— Hello, Chad ! John Buchanan me parlait justement de toi. Félicitations.

Hawk s'avança pour tendre la main à son demi-frère. Il était parfaitement conscient que Chad l'observait, curieux de voir s'il manifestait de l'envie ou du ressentiment.

— Je te remercie.

Chad se tourna vers son père, excluant Hawk de la conversation. L'Indien regarda Katheryn Faulkner. Elle avait une beauté sans âge, immatérielle. Hawk ne comprenait pas très bien les sentiments qu'elle lui inspirait. A la mort de sa mère, il l'avait d'abord considérée comme un substitut : sa nature navajo lui ayant inculqué le respect du matriarcat. Maintenant, il ne savait plus ; en tout cas, Katheryn l'attirait étrangement et il acceptait simplement le fait.

Hawk alla poser son verre de bière vide sur la table, des jupons bruirent à son oreille, il se retourna et aperçut Carol. Sa prude robe blanche contrastait avec ses yeux verts enjôleurs. Deux semaines d'abstinence avaient excité les désirs de Hawk.

Les lèvres roses de la jeune fille s'avancèrent en une moue provocante.

— Il est tard ; je me demandais si tu allais te montrer.

Hawk expliqua son retard sans s'excuser :

— J'arrive à peine. Je n'ai pas dû vous manquer, votre bien-aimé Chad est ici !

— Chad me trouve très belle.

Pour une fois les deux frères étaient du même avis. L'été dernier, Hawk avait remarqué que Carol s'était épanouie ; la petite fille s'était transformée en une femme aux seins ronds et à la taille fine. Mais cet été-là, le lendemain même de son retour de l'Université, Carol l'avait provoqué par ses regards, son sourire, sa façon de se tenir. Hawk supposait qu'elle avait déjà couché avec des hommes, mais peu lui importait d'être le premier. Le Navajo n'attache aucun prix à la virginité, contrairement au Blanc. Carol s'était confiée à lui au cours des vacances précédentes. Hawk avait blâmé sa mère, Vera Rawlins, d'avoir mis dans la tête de sa fille des horreurs : que le sexe était un péché, et qu'il arrivait de terribles malheurs aux demoiselles qui n'attendaient pas le mariage pour consommer leur union. Même aujourd'hui, les réticences de Carol n'avaient pas complètement disparu. On le comprenait à sa manière de rechercher la compagnie de Hawk lorsqu'il se trouvait seul, et de se montrer distante devant la famille. Hawk, d'ailleurs, ne faisait aucune objection, un Navajo n'affichant pas ses relations intimes en présence d'autres personnes.

— Tu ne me trouves pas belle ? répéta Carol.

— Tu sais bien que oui, lui répondit-il sans enthousiasme.

— Tu pourrais être plus emballé, répliqua-t-elle, offensée dans sa dignité. Chad l'est, lui.

Hawk prit un air amusé. Carol essayait de créer une rivalité entre les deux frères, ce qui flattait sa féminité.

— Je ne suis pas en compétition avec Chad pour gagner tes attentions !

Carol s'éclipsa, indignée, et flirta outrageusement toute la soirée avec l'aîné des Faulkner. Lorsqu'un couple se faufila dans les ombres de la nuit, Hawk ne fut pas surpris... Il attendrait que son tour vienne.

Deux jours plus tard, il partit faire un tour dans la propriété. Après avoir mené son cheval au petit trot jusqu'à la crête d'une colline, il fit une halte tout près d'un moulin à vent. Hawk sauta de selle pour vérifier la pompe à eau ; elle fonctionnait normalement. Adossé à son alezan, l'Indien scruta l'austère paysage. La voix de la terre et ses mystères surgissaient de toutes parts, dans la chaleur de cet après-midi d'été. Aussi loin que l'œil voyait, rien ne bougeait. Cette rudesse touchait Hawk, faisant vibrer une corde au plus profond de lui.

Ses yeux d'un bleu intense rayonnaient de plaisir. Sa peau exposée au soleil avait pris une teinte encore plus cuivrée au-dessus des pommettes. Cette familiarité ancestrale avec la terre était un don du Peuple. Elle le réconfortait et le nourrissait. Hawk savait qu'un Blanc ne comprendrait pas. Les hommes appartenaient à la terre, mais la terre n'appartiendrait jamais aux hommes.

Hawk perçut un mouvement sur le côté. Il se tourna pour l'identifier et découvrit un cavalier qui approchait. Tout de suite le jeune homme reconnut la silhouette mince de Carol et l'attendit. Ses longs cheveux blonds flottaient dans son dos jusqu'à la taille.

A dix-huit ans, elle était une femme, capable d'éveiller le désir d'un homme. Elle tira sur les rênes de sa jument et s'arrêta à quelques pas de Hawk, laissant sa monture danser pour mettre en valeur sa silhouette. Elle eut un sourire doux comme le miel. Hawk aurait voulu goûter à ses lèvres, mais il se retint. Le temps viendrait, il en était certain, rien qu'en effleurant du regard le renflement des seins libres sous le fin tissu.

— Enfin je t'ai trouvé ! soupira la jeune fille.

— J'étais donc perdu ?

Carol plissa le nez de façon provocante.

— Maman m'envoie te rappeler qu'il y a un dîner à la maison ce soir. Il faut rentrer à temps pour te doucher et te changer. Elle ne veut pas que tu arrives en retard.

— Je n'ai pas oublié.

Hawk s'approcha de la jument et caressa son naseau rose et doux comme du velours.

— Parfois, Hawk, tu as tendance à te perdre lorsque tu pars seul à cheval. Je me demande ce qui t'attire...

Hawk désigna l'horizon d'un geste ample.

— Les Navajos croient que la terre est mère de toutes choses, de toutes les choses nécessaires à la vie. L'eau, l'air et le soleil qui font du corps humain ce qu'il est. A la mort, la poussière redevient poussière, les cendres redeviennent cendres. Carol ! Je dois partir dans deux semaines dans l'est, mais ce sera la dernière fois, je reviendrai au printemps, pour toujours.

— Tes diplômes ?

Hawk fixa Carol. Le désir lui avait fait affluer le sang au visage.

— Tu ne crois pas que tu perds ton temps ?

— Etudier n'est jamais du temps perdu, corrigea le jeune homme.

— Mais tu es sûr que John Buchanan va te fournir un travail ? Chad supervise les affaires, et toi...

Hawk l'interrompit en posant les mains sur les hanches de la jeune fille. Il la souleva de la selle et la déposa par terre. Une lueur animait déjà ses prunelles vertes.

— Penses-tu que John Buchanan te laissera le ranch ?

— Pourquoi le ferait-il ?

Hawk avait repoussé cette éventualité, elle ne le concernait pas.

— Ton père s'occupe très bien du ranch, Carol.

— Mais mon père pourrait travailler pour toi !

Hawk étudia la jeune fille dont les yeux brillaient d'ambition.

— Tu as toujours rêvé de devenir la maîtresse de cet immense domaine, n'est-ce pas ? Tu essaies même d'imiter Katheryn, tu as adopté ses manières.

La tête penchée de côté, Carol défia Hawk dans une attitude à la fois impertinente et défensive.

— Ah oui ? Pourtant, quand j'étais petite je me souviens que tu idolâtrais Katheryn. La nuit, tu te glissais pour l'épier, caché dans les arbustes, à travers les carreaux de la véranda pendant qu'elle jouait du piano.

— Tu me suivais donc ? A moins que tu aies fureté pour apercevoir le beau Chad ?

— Jaloux ?

— Je n'ai jamais été jaloux de Chad, affirma l'Indien en s'approchant de Carol au point de la toucher.

Elle posa ses mains à plat sur son torse, sur la chemise mouillée de sueur.

— Je dois m'en aller, déclara Carol. Je venais seulement te transmettre le message de 'man.

Hawk répondit par un sourire entendu.

— C'est l'unique raison pour laquelle tu t'es dérangée ?

Une excitante odeur de fleurs sauvages émanait de la peau de Carol, car elle avait fini par adopter le parfum de Katheryn.

— Bien sûr !

Hawk avança les lèvres vers la bouche de la jeune fille,

63

qu'elle lui offrit d'instinct. Elle se mit à trembler lorsqu'il les taquina. Tout doucement, sans qu'elle s'en aperçoive, il tendit le bras derrière elle et souleva le rabat de la sacoche, dans laquelle il prit le soutien-gorge. Carol ne se rendit compte de rien.

— Si tu venais juste me faire une commission, pourquoi avoir enlevé ton soutien-gorge ?

Elle rejeta la tête en arrière. La fureur embrasa ses yeux verts à la vue du sous-vêtement de dentelle, se balançant entre les doigts de Hawk. Hawk savait pertinemment que la jeune fille était en colère non pas tellement à cause de sa trouvaille mais parce qu'il avait vu clair dans son jeu. Carol aimait faire croire que ses effusions étaient spontanées. Malgré tout, Hawk l'attirait parce qu'elle le désirait autant qu'il la désirait.

— Tu adores être traquée comme du gibier, pas vrai ?

Hawk referma les bras autour d'elle. Elle se débattit, mais il remarqua ses lèvres entrouvertes.

— Résistes-tu parce que tu crois que c'est convenable, ou pour accroître ton plaisir ?

— Hawk ! Arrête. Laisse-moi partir, protesta-t-elle, furieuse.

Déconcerté, le jeune homme relâcha son étreinte et s'écarta.

— D'accord.

Aussitôt il vit son air consterné : elle n'avait nullement envie d'être libérée.

— Veux-tu remettre ton soutien-gorge avant de repartir ? Maman risquerait de se poser des questions !

— Va au diable, Hawk !

Elle lui arracha le sous-vêtement. Un rire énorme roula dans la gorge de l'Indien. Elle voulut le frapper mais il lui saisit la main.

— Mufle !

— Aguicheuse !

Il écrasa ses lèvres sur la bouche de Carol, lui interdisant toute réponse. Le désir les consumait tous les deux. Hawk se laissa embraser, tout en s'obligeant à ne pas se presser. Il désirait prendre Carol à son heure sans se laisser bousculer par elle comme elle le ferait s'il la laissait prendre l'initiative. Il ne se sentait ni coupable ni troublé. Pour une fois les Navajos et les Blancs étaient d'accord : le sexe et le désir faisaient partie de la nature, aussi inévitablement que la vie et la mort. D'ailleurs Hawk n'avait nul besoin de nier la joie que lui procurait le corps de la jeune fille. Elle lui caressa les cheveux et le visage et couvrit sa bouche de baisers.

Il l'éloigna un peu, pour pouvoir déboutonner son chemisier.

— C'est très exposé ici, protesta Carol dans un souffle. Mais elle laissa Hawk faire glisser le vêtement sur ses épaules.

— Et si on nous voit ?

Hawk ne tenta pas de donner une réponse satisfaisante ; il n'y en avait pas. Il descendit la blouse le long des bras blancs puis enleva son Stetson, qu'il accrocha au pommeau de sa selle. Ensuite, il ôta sa chemise et l'étendit sur l'herbe, afin que celle-ci n'écorche pas la peau de Carol. Elle se tenait debout la poitrine nue, frissonnante d'incertitude.

Hawk lui tendit la main, elle hésita avant de placer sa paume blanche dans les mains cuivrées qui l'entraînèrent sur le matelas improvisé. Hawk attendit avant de s'allonger, la dévorant du regard.

— Ne trouves-tu pas que j'aie un joli corps, Hawk ?

La voix n'était plus qu'un souffle.

Hawk étendit son grand corps à côté de celui plus petit de son amie, et se redressa sur un coude.

— Si.

Sa main glissa sur le ventre plat, s'arrondit sur un sein, dont il taquina le mamelon en traçant avec le pouce des petits cercles pour le voir se durcir. Lorsque Carol gémit, la main de Hawk remonta dans les cheveux blonds.

— Ta chevelure est lumineuse comme le soleil.

Maintenant il lui faisait le compliment qu'il lui avait refusé au cours de la soirée donnée en l'honneur de Chad.

— C'est doux comme de la soie et tes yeux ont la couleur de la pierre-femme.

L'Indien pencha la tête pour caresser avec ses lèvres les joues satinées.

— Qu'est-ce qu'une pierre-femme ? chuchota la jeune fille, intriguée par ce compliment insolite.

— Les Navajos croient que la nature tout entière se divise en masculin et féminin.

Hawk s'interrompit pour embrasser la gorge de Carol, caresse qui arracha à la jeune fille un nouveau gémissement. Pendant ce temps sa main partait à la découverte du ventre. Elle s'arrêta à la ceinture du pantalon.

— Par exemple, les turquoises sont mâles ou femelles. Les bleu foncé sont du principe masculin, les claires du principe féminin, comme le bleu de tes yeux, Carol.

Habilement, il fit glisser la fermeture-Eclair du pantalon, et laissa la jeune fille se défaire du vêtement. Il se releva pour quitter son levis.

— Mon Dieu, que tu as l'air sauvage avec ce cache-sexe ! s'exclama Carol, tremblante d'excitation. Pourquoi en portes-tu ?

— C'est plus confortable qu'un slip, expliqua Hawk en haussant les épaules.

— En te voyant ainsi, j'ai l'impression d'être une prisonnière ! Est-ce que les Navajos enlèvent les Blanches ? demanda Carol sur un ton que la curiosité rendait plus aigu.

Hawk avait l'habitude de ces questions saugrenues ; toutes les fois que les femmes apprenaient qu'il était métis, elles l'interrogeaient avant ou après avoir couché avec lui. Il hocha la tête, affirmatif.

— Les Blanches, les Mexicaines, les Apaches, n'importe lesquelles, pourvu qu'elles n'appartiennent pas à la tribu. Les mariages à l'intérieur du clan sont interdits. C'est pourquoi les Navajos sont parfois dans l'obligation d'enlever leur future épouse.

Hawk se coula près de sa compagne avec une souplesse de félin.

— Et si elle résiste ?

Sur le visage de la jeune fille, il lut la jouissance que procure la peur du danger. Il s'allongea sur elle, la clouant au sol de tout son poids.

— Tu es comme toutes les autres, hein ? Tu rêves au « gentil sauvage » qui t'enlève ?

Cette moquerie ne contenait aucune condamnation, plutôt de l'amusement. Il posa ses mains sur les bras de Carol, qu'elle tenait croisés au-dessus de sa tête. La jeune fille frémit sous lui, les pupilles dilatées.

— Ça ajoute du piment, et ça permet d'exprimer ses fantasmes sexuels, n'est-ce pas ?

Il était impossible à Carol d'admettre une chose pareille et Hawk n'en espérait pas tant. Des lèvres entrouvertes, c'était tout ce qu'il désirait. Doucement, il écarta les jambes

66

blanches avec son genou. Le corps de Carol s'arqua de désir. Elle murmura des sons incompréhensibles. Il la maintint dans cette position qui lui permit de s'enfoncer dans le creux des hanches.

Hawk avait une conscience vague du contraste entre la peau pâle et la peau cuivrée, mais il ne s'attarda pas à cette sensation, à cause du corps qui roulait sous lui et invitait à une réponse brutale. Hawk attendit encore, suspendant le désir. Des ongles s'enfoncèrent dans la chair de son dos... Lorsqu'il entendit sa compagne crier, il se laissa emporter par le plaisir qui explosa en lui. Il s'abandonna, momentanément épuisé, et resta quelques instants sur le corps de son amie, puis roula sur le côté. Carol se nicha contre lui, et lui caressa doucement le torse, en un remerciement silencieux.

— Dis-moi que tu m'aimes, Hawk, supplia-t-elle, bouleversée.

Elle avait les lèvres gonflées d'avoir été embrassées et sa chair brûlait au contact de l'homme. Le soleil était chaud. Le plaisir des jeunes gens avait été réciproque. La demande de Carol amusa Hawk.

— Qu'est-ce que l'amour ? protesta-t-il avec gentillesse. Les Navajos ne croient pas à l'amour romantique comme les Blancs.

D'après ce qu'il avait observé, ce mot s'appliquait à des objets très variés. Le désir sexuel était considéré comme de l'amour, prendre soin de quelqu'un était aussi de l'amour ; on aimait une nourriture, une couleur, un pays, etc. Chaque fois que l'Indien avait demandé des explications, on lui avait répondu qu'une personne savait qu'elle aimait lorsqu'elle aimait ! Hawk croyait plus avisé de fonder une union sur ce que l'on voyait avec ses yeux plutôt que de se fier à un sentiment vague.

Pour lui « l'amour romantique » était inaccessible, intangible et indéfinissable. Il en avait donc déduit qu'il n'existait pas, et que la vision de son peuple était plus réaliste en la matière.

— La société navajo est fondée sur le matriarcat, expliqua-t-il à Carol. Un homme ne possède rien excepté ses vêtements et sa selle. Tout le reste, terre, maison, bétail, appartient à sa femme. Simplement il travaille pour elle.

— Cela me paraît plutôt agréable, chuchota Carol en se blottissant contre lui.

Il remarqua les ombres qui s'allongeaient au soleil déclinant et se releva. Il ramassa son cache-sexe et son jean.

Carol resta étendue sur la chemise, s'étirant comme une chatte repue, toute blanche.

— Tu ferais mieux de t'habiller, lui conseilla Hawk.

— Dans une minute, fit-elle avec un regard en dessous.

CHAPITRE VI

J E VEUX MA CHEMISE.
Hawk remonta la fermeture-Eclair de son jean et se pencha pour récupérer sa chemise, sous les hanches de Carol. Au moment où il posait le genou par terre, il sentit des trépidations : des chevaux au galop. Aussitôt, il se releva pour scruter l'horizon. Le plaisir amoureux avait ôté de leur acuité à ses sens, qui normalement auraient dû déceler l'approche des cavaliers, de loin.

— Rhabille-toi ! On vient !
— Oh ! mon Dieu ! chuchota Carol en trébuchant pour se remettre debout.

Elle enfila son pantalon à la hâte.

Avant même de distinguer le visage des cow-boys, l'Indien les avait reconnus : Bill Short et Luther Wilcox. L'homme qui chevauchait en tête, raide sur sa selle, était Chad Faulkner, à côté de Tom Rawlins.

— Oh non ! C'est papa, sanglota Carol en luttant avec la fermeture de son pantalon.

Hawk comprit immédiatement qu'il était impossible de tromper Rawlins, qui en avait assez vu pour deviner ce qui venait de se passer... Hawk enfila les manches de sa chemise, mais n'essaya même pas de la boutonner. Carol était tellement troublée qu'elle ne parvenait pas à attacher son soutien-gorge.

Les cavaliers s'arrêtèrent à quelques pas des jeunes gens et descendirent de selle. Hawk concentra son attention sur Rawlins, un Rawlins petit mais en béton. Son flegme était trompeur et Hawk n'avait jamais sous-estimé ni sa force ni sa volonté. Un type bien. Mais Rawlins avait un point faible : sa fille. A ses yeux, elle était incapable de faire le mal.

Hawk respectait l'homme qui l'avait accepté, élevé et lui avait appris tout ce qu'il savait sur le bétail et le ranch. Rawlins s'était toujours comporté en homme raisonnable, mais à ce moment précis, son expression dure et mauvaise n'était certainement pas celle de quelqu'un qui désire recevoir des explications.

Hawk affronta sans sourciller l'homme qui se dressait en face de lui. Derrière il entendit sangloter Carol.

— Qu'est-ce que c'est que ce foutoir ? tonitrua Rawlins. Qu'as-tu fait à ma petite fille ?

Hawk, préparé à un éclat, resta imperturbable.

— Tom, je...

On ne lui laissa aucune chance de finir sa phrase.

— Papa ! Je ne voulais pas, hurla Carol d'une voix hystérique ; il m'a forcée !

Abasourdi par une pareille accusation, Hawk tourna la tête pour dévisager la jeune fille. Des larmes de honte ruisselaient sur ses joues rouges. Les bretelles de son soutien-gorge lui retombaient sur les épaules, et elle se cachait derrière son chemisier, qu'elle tenait serré devant sa poitrine. Ses yeux verts imploraient la clémence paternelle.

— Je t'ai traité comme un fils, sale bâtard ! aboya Rawlins, et tu me récompenses en violant ma fille ?

Hawk n'avait pas la moindre chance d'esquiver la charge. Un coup de poing s'abattit sur sa mâchoire, l'envoyant au sol. Une douleur lui traversa le crâne. Il secoua la tête pour en chasser le brouillard, un cri de femme résonna comme un écho dans sa cervelle. Titubant, il parvint à se redresser sur les genoux, sa vision troublée lui renvoya l'image de Carol en train de courir vers Chad. Avant qu'il ait pu se remettre sur pied, un deuxième coup de poing l'étendit dans la poussière. Hawk se souleva sur les coudes, la pointe d'une botte s'enfonça violemment dans ses côtes, le faisant rouler.

Instinctivement, il effectua une deuxième roulade pour s'éloigner de son assaillant et se releva. Il plongea alors sur Rawlins qui, fonçant sur lui, lui balança son poing sur la tempe. Il s'agrippa à la taille du petit homme pour le culbuter en arrière. L'Indien était plus grand et plus fort, il aurait dû renverser le Blanc aisément, mais Rawlins ne

70

tomba pas, il semblait animé par une résistance hors du commun.

Aussitôt, Hawk se sentit tiré en arrière par d'autres mains. Sa première pensée fut qu'un cow-boy essayait de stopper le combat, mais lorsqu'il reçut un nouveau coup à l'estomac, il comprit que Bill Short et Luther Wilcox étaient venus à la rescousse. Pendant que les deux hommes l'écartelaient, Tom Rawlins le martelait de coups de poing. Le soleil s'obscurcit.

Aveuglé, Hawk sentit ses jambes se dérober sous lui, mais les deux hommes qui le soutenaient l'empêchèrent de s'affaisser. Les coups continuèrent de pleuvoir après que Hawk eut déjà sombré dans l'inconscience. Son corps s'alourdit, sa tête tournant comme une girouette, en suivant la direction des coups.

Soudain, les ténèbres l'envahirent et il s'effondra comme un poids sans vie.

— Il est liquidé, patron, grogna Luther Wilcox à sa droite.

— Relevez-le, ordonna Rawlins d'une voix vibrante de rage.

Luther fit appel à la modération.

— Vous pouvez pas le tuer, patron. Bon Dieu, c'est...

L'homme avait surveillé ses mots, ne voulant pas mentionner la parenté entre Chad et l'Indien.

De plus, Luther n'était pas tellement convaincu que Rawlins était dans son droit en donnant une correction à Hawk. Il avait aperçu plus d'une fois Carol à cheval au cours de l'été, en compagnie de Hawk, et il n'était pas sûr que Hawk fût le seul... Et puis il fallait tenir compte des réactions de Faulkner si son « fils » était tué !

Le silence qui suivit renforça l'appel à la raison de Luther. La vengeance animait encore Rawlins, mais la lueur meurtrière du début ne brillait plus dans ses yeux.

— Laisse-le, Bill, commanda Luther avec un signe de tête.

Le corps de Hawk tomba par terre avec un bruit sourd. Rawlins se tourna alors vers sa fille, qui, aidée de Chad, était parvenue à enfiler son chemisier. Le jeune homme l'enlaça, lui offrant à la fois sécurité et réconfort. Le beau visage de Chad Faulkner était devenu sinistre lorsqu'il sourit à Rawlins.

Cramponnée à sa chemise, Carol pleurnichait.

— Ne m'abandonne pas, Chad !

— Attends-moi, ordonna-t-il, je vais chercher ton cheval. Dès que le jeune homme se fut éloigné, Tom Rawlins s'approcha. Sa fille baissait la tête, une mèche blonde lui cachait le visage. Lorsque son père lui posa la main sur l'épaule, elle tressaillit et se détourna. Ce furent alors les épaules du père qui s'affaissèrent. En retirant sa main, il eut le sentiment d'une défaite.

Chad enjamba le corps immobile de son demi-frère pour saisir les rênes de la jument de Carol et la ramener vers la jeune fille. Le bai de Hawk redressa la tête et poussa un hennissement de protestation à la vue des cavaliers qui s'éloignaient au trot. Puis il l'abaissa vers l'homme qui gisait par terre. Comme celui-ci ne bougeait pas, le cheval se remit à paître malgré le mors qui lui cognait contre les dents à chaque bouchée d'herbe verte et grasse.

Lorsque Hawk reprit connaissance, l'air du désert était frais, dans le ciel obscur les étoiles s'alignaient comme pour une parade. Tout était confus. D'abord, le jeune homme ne comprit pas ce qu'il faisait, allongé par terre. Ensuite, il essaya de se lever. Une douleur lui tordit les entrailles et il s'effondra en poussant un cri. Au bout de longues minutes, il commença à avoir les idées claires et réalisa que ses côtes étaient cassées.

Il essaya une seconde fois de se redresser et y réussit, titubant comme un homme ivre. Un tambour lui martelait le crâne, l'empêchant d'aligner une pensée après l'autre. Son visage enflé était mou, son nez bizarre et ses paupières gonflées au point d'être réduites à des fentes. Hawk portait la main à sa bouche lorsqu'il entendit un bruit de mastication. Il essaya de localiser le son et aperçut la silhouette de son cheval, à quelques pas. Il tenta de marcher dans cette direction, mais son cerveau fut incapable de transmettre l'ordre à ses jambes.

Au bout d'un moment, Hawk s'avança et parvint à grand-peine à saisir les rênes. Le cheval fit un écart, affolé par l'odeur du sang. Hawk s'adressa doucement à l'animal en langue navajo, celui-ci poussa un hennissement nerveux, mais se laissa approcher. Hawk glissa un pied dans l'étrier et usa de toutes ses forces pour se hisser sur la selle. Ses deux mains s'agrippèrent désespérément au pommeau, relâchant les rênes, qui retombèrent sur le cou de la bête.

Le cheval n'avait pas besoin qu'on lui indique le chemin du ranch ; il fonça droit dans cette direction. Seul l'instinct de Hawk lui permit de tenir en selle cramponné au pommeau, les jambes plaquées aux flancs de sa monture.

Au bout d'un temps indéfinissable, Hawk sortit du brouillard où il était plongé et comprit que son alezan s'était arrêté. Il piétinait le sol, refusant d'avancer. Hawk distingua alors le corral. Il vacilla sur la selle, prêt à tomber. Quelque part, pas très loin, il entendit un cheval qui rentrait, mais sa douleur était trop intense pour que ce bruit signifie quoi que ce soit.

— Hawk !

Cette voix rocailleuse ne pouvait être que celle de son père.

— J'ai entendu dire que tu avais des ennuis, j'allais voir ce qui t'était arrivé.

Hawk mit un pied à terre, mais perdit l'équilibre au moment où sa botte glissait hors de l'étrier. S'accrochant d'une main au pommeau de la selle il décrivit un demi-cercle, heureusement interrompu par le flanc du cheval contre lequel il s'adossa.

— Bon Dieu, Hawk !

Ces paroles rauques venaient de déchirer la gorge de John Buchanan Faulkner. Tout de suite après, il éleva la voix.

— Frank ! Pedro ! Venez vite me donner un coup de main.

— Non !

Le refus de Hawk avait résonné clair. John Buchanan s'avança vers son fils. Une immense faiblesse submergea Hawk, la douleur lui transperçait le corps et lui battait au visage comme un cœur.

Du coin de l'œil, il réussit à distinguer son père et lui rappela ses premières paroles.

— Tu venais voir ce qui m'était arrivé ?

C'était difficile d'articuler à cause des lèvres enflées. Il poursuivit :

— Quelqu'un a compromis tes projets ? Aurais-tu par hasard oublié de prévenir Tom Rawlins que tu avais l'intention de m'acheter une respectabilité dans quelques années ? J'aurais fait un gendre présentable !

D'autres cow-boys s'étaient joints aux deux premiers

appelés par Faulkner, mais Hawk se souciait peu de qui l'entendait. Il était d'une indifférence glaciale.

— Je n'aurais jamais cru que... tu étais si mal en point, répondit le père.

C'était là un piètre commentaire destiné à éviter des questions mordantes.

` — A quoi t'attendais-tu ?

Le jeune homme avait craché son dégoût. La violence lui arracha un gémissement de douleur ; ses côtes cassées venaient de s'entrechoquer.

— Tu ferais mieux de voir un médecin, poursuivit John Buchanan en s'avançant encore d'un pas. Laisse-moi t'aider.

— Non !

Hawk s'appuya pesamment contre son cheval, le temps que son malaise passe.

— Inutile d'appeler un docteur pour un nez et des côtes cassées. Je suis sûr qu'il n'y a aucune lésion interne.

Le jeune homme réussit à se redresser et à affronter son père.

— John Buchanan Faulkner, il y a longtemps, vous m'aviez conseillé de tracer ma propre voie. Je n'ai pas besoin de vous, je m'occuperai moi-même de Rawlins, tout seul, comme je l'ai fait pour tout.

Faulkner hésita, puis devint tout pâle, il avait du mal à ignorer les déclarations de Hawk.

— Etant donné les circonstances, tu ferais bien de retourner à l'Université le plus tôt possible.

Hawk eut un sourire qui ressemblait à une grimace.

— Fuir ? C'est ce qu'un Navajo devrait faire, pas vrai ? Quand ça tourne mal et qu'il est dépassé il se dérobe. Je parie que ça vous plairait... à vous... à Tom, à Carol. Mon départ vous faciliterait les choses, n'est-ce pas ? Et vous seriez contents si je ne revenais pas. Eh bien, je reste !

Hawk avait laissé flotter cette dernière phrase dans l'air, menaçante. Il acheva :

— Dorénavant je ferai mes propres choix, et si ça vous déplaît, John Buchanan, allez au diable !

Hawk s'éloigna, ses muscles endoloris protestèrent violemment. Son départ provoqua des murmures parmi les cow-boys. Faulkner laissa partir son fils dans un silence glacial.

Les lumières brillaient aux fenêtres de la maison des Rawlins, maison qui, faute de mieux, avait été le *home* de Hawk pendant onze ans. Il s'agrippa à la rampe pour gravir les marches du perron. Son corps las et meurtri avait besoin de repos, mais la nuit n'était pas encore terminée. En entrant dans le hall, le jeune Indien entrevit son visage dans le miroir de la salle de bains. Il ne se reconnut point ; coupé, contusionné, gonflé, il ressemblait à un monstre à crinière brune. Hawk se détourna de la glace, ferma la porte et se retrouva devant la cuisine où était attablé Tom Rawlins. Hawk s'avança dans l'embrasure de la porte.

— Je suis venu prendre mes affaires, expliqua-t-il d'une voix neutre.

— Prends-les, et fous le camp !

Autrefois, Hawk aurait gardé le silence, mais maintenant la situation avait changé.

— Vous me connaissez, Tom, et vous savez que je n'ai pas violé votre fille. Vous avez eu beau me traiter comme un fils, j'étais le dernier type que vous souhaitiez pour gendre. Ça vous retourne l'estomac, Tom, l'idée que votre Carol épouse un métis ? Le bâtard de John Buchanan Faulkner ?

Tom vira à l'écarlate, mais s'abstint de tout commentaire. Hawk savait qu'il venait de marquer un point. Il contourna la table et se dirigea vers sa chambre. A ce moment, Vera Rawlins surgit dans le couloir et s'arrêta brusquement à la vue de l'Indien. Avant qu'elle ait ouvert la bouche, Hawk reprit la parole, s'adressant cette fois aux deux époux.

— Je ne suis pas le premier à coucher avec votre fille, mais je dois avouer que sa virginité ne m'aurait pas retenu.

D'un mouvement d'épaule, Hawk se fraya un chemin dans le corridor sombre qui conduisait à sa minuscule chambre. Sa main droite soutenant ses côtes cassées, il s'appuya contre la porte pour reprendre des forces, puis s'avança vers le lit et déplia la couverture roulée au fond. C'était la couverture qui contenait ses effets lorsqu'il était arrivé, enfant. Hawk l'utiliserait à nouveau. Il vida les tiroirs de la commode et posa ses vêtements au milieu du plaid étalé. Lorsqu'il eut terminé il jeta un coup d'œil dans la pièce pour vérifier qu'il n'avait rien oublié.

Un faible bruit lui parvint du couloir, puis Hawk entendit tourner furtivement la poignée. Ses muscles étaient tendus, en alerte, lorsque la porte s'ouvrit en silence. Pourtant, une seule personne était susceptible de vouloir le rencontrer dans la maison et cette personne était Carol.

— Hawk, je suis désolée, chuchota la jeune fille. Je ne sais pas pourquoi j'ai parlé ainsi. J'étais si... terrorisée. Il faut me croire, maman et papa m'auraient tuée s'ils s'étaient doutés de la vérité.

Hawk se retourna lentement. Carol écarquilla les yeux et recula, une main plaquée sur la bouche, l'autre sur l'estomac.

— Quel portrait repoussant, n'est-ce pas ?

— Je t'en prie, pardonne-moi, murmura la jeune fille, sans le regarder.

— Pour te pardonner, cela suppose que j'oublie ce qui est arrivé ?

Hawk se retourna pour nouer les coins de la couverture.

— Pourquoi ne te précipites-tu pas vers Chad ? Il te pardonnerait, lui !

Hawk souleva la couverture repliée et inspira pour dominer la douleur.

— Hawk ?

L'Indien tendit le bras et souleva avec sa main droite une mèche blonde.

— Tout ce qui brille... n'est pas or, ricana-t-il.

Il sortit de la chambre.

Le trajet entre la maison et le dortoir des cow-boys parut interminable à Hawk. Dès qu'il ouvrit la porte, les conversations s'arrêtèrent net, mais il était trop fatigué et trop meurtri pour prendre garde aux regards braqués sur lui. A travers ses paupières à demi fermées, il repéra une couchette libre dont le matelas était roulé. Il lui fallut une seconde pour se faire un lit. Il s'allongea avec précaution, sans prendre la peine de quitter ses bottes ni de mettre la couverture sur lui. Instantanément, il s'endormit d'un sommeil profond et réparateur.

Il dormit trente-six heures d'une traite.

Lorsqu'il se réveilla, on l'avait lavé de son sang et ses côtes étaient bandées. Un bol de bouillon fumait près de lui, Hawk découvrit une main calleuse, son regard remonta jusqu'à un visage, celui de Luther Wilcox.

— Qu'est-ce que c'est ? demanda le jeune homme d'une voix rauque.

Tous ses muscles se contractèrent de douleur, lorsqu'il essaya de bouger.

— Vous achevez votre sale boulot ?

— Pas la peine.

Luther attendit que Hawk ait pris le bol pour résumer brièvement la situation.

— Carol est partie pour Phoenix avec John Buchanan et Mme Faulkner. Elle y restera un moment.

Cinq jours plus tard, Hawk sellait son cheval et gagnait le canyon muni de quelques provisions. Il resta un mois entier chez les parents de sa mère, avant de découvrir que ce n'était plus une vie pour lui, mais il avait repris des forces et retrouvé sa joie.

De retour au ranch, personne ne lui demanda où il avait été ni ne contesta son droit de dormir dans le dortoir des cow-boys. Le matin, il accompagna les hommes à cheval pour s'occuper du troupeau. Désormais, Rawlins ne lui donna plus aucun ordre, mais ses yeux brûlaient de haine chaque fois qu'ils se posaient sur lui.

Deux mois après la bagarre, Hawk apprit que Chad et Carol s'étaient mariés. Cela ne signifiait rien pour lui. Six mois plus tard, Carol donnait naissance à un garçon que l'on appela comme son grand-père : John Buchanan Faulkner.

TROISIÈME PARTIE

CHAPITRE VII

AU-DESSUS DE PHOENIX, LE ciel disparaissait sous une couverture de nuages sombres qui cachaient le soleil, plongeant la ville dans une obscurité prématurée. A intervalles fréquents mais irréguliers, des éclairs jaunes déchiraient les nues. Les brillantes décharges électriques accompagnées de coups de tonnerre faisaient crépiter l'air et vibrer la terre.

Un épais rideau de pluie ralentissait la circulation de six heures, créant un embouteillage. Les essuie-glaces de la Volkswagen s'agitaient frénétiquement pour balayer l'eau qui ruisselait sur le pare-brise. Derrière le volant, Lanna Marshall desserra les doigts, pour se détendre un peu. Les habitants de Phoenix lui avaient parlé de ces violents orages qui s'abattaient sans prévenir, mais elle ne les avait pas crus. Ici tout était si sec et plein de poussière, brûlé par une canicule implacable, qu'il lui avait paru impossible que de telles quantités d'eau puissent tomber. Maintenant, elle comprenait. Autour de la jeune fille, la circulation s'écoulait lentement. Sans cesser de surveiller les rues et les carrefours encombrés, Lanna se pencha de côté pour délacer sa chaussure de cuir blanc. Elle glissa sur le talon recouvert d'un bas de nylon. Appuyant alors son pied gauche sur l'autre pied, elle quitta sa chaussure droite et remua ses orteils crispés.

— Ça va mieux, soupira-t-elle.

Devant elle, la circulation ralentit encore, obligeant Lanna à freiner. Elle avait déjà parcouru sept kilomètres et il lui en restait encore trois avant d'arriver chez elle. A cette allure il lui faudrait une demi-heure supplémentaire.

Avec une grimace résignée, la jeune fille tira ses cheveux en arrière et les attacha en queue de cheval. Ils étaient d'un brun chaud avec des reflets roux. Un petit sourire étira ses lèvres généreuses : Lanna avait l'impression d'être un papillon sortant de sa chrysalide lorsqu'elle abandonnait l'austère uniforme d'infirmière. Non que la tenue blanche cachât ses formes ; au contraire, elle soulignait les lignes arrondies et la finesse de sa taille. Mais c'était un uniforme.

La chaleur et la pluie conjuguées rendaient l'air de la voiture oppressant. Baisser la vitre ne ferait que permettre à la pluie d'entrer. Lanna déboutonna les deux premiers boutons de l'uniforme qui lui comprimait les seins.

A droite, sur la chaussée, elle remarqua les feux arrière d'un camion en panne. Comme elle ralentissait pour le doubler, la portière du conducteur s'ouvrit et un homme solidement bâti en sortit. A la lumière des phares de la Volkswagen, Lanna distingua une veste de peau et un chapeau style western qui recouvrait des cheveux poivre et sel. Sur une face du camion était peinte l'inscription : « Falcon Construction[1] » ainsi qu'un emblème représentant le bec acéré de l'oiseau de proie.

Lorsqu'elle eut dépassé le lourd véhicule et son conducteur, Lanna jeta un coup d'œil dans son rétroviseur et vit l'homme marcher tête inclinée pour se protéger de la pluie.

Lanna n'hésita qu'un instant avant de mettre son clignotant pour indiquer qu'elle se garait sur le bas-côté. Sans arrêter le moteur, elle abaissa sa vitre. L'inconnu entre deux âges contourna la petite voiture et s'approcha de la portière.

— Voulez-vous monter ? s'écria Lanna au moment où le tonnerre grondait.

L'homme marqua un moment de surprise avant de se pencher par-dessus la vitre. La pluie dégoulinait de son chapeau à larges bords. Sous d'épais sourcils gris, des yeux bleu pâle détaillaient la jeune femme. Les années avaient creusé de profonds sillons sur son visage, ce qui lui donnait une certaine sévérité, mais Lanna n'éprouva aucune crainte.

— Montez, l'invita-t-elle avec un gentil sourire.

------

1. Falcon signifie faucon en anglais.

L'étranger hésita encore une fois puis ouvrit la portière.
— Merci.

Sa voix rocailleuse s'accordait avec son physique un peu rude.

— C'est le déluge dehors, et vous êtes trempé jusqu'aux os, observa-t-elle pendant que l'homme engouffrait sa carcasse dans la petite voiture.

Lanna appuya sur l'accélérateur et rentra dans la file qui avançait lentement. Elle glissa un regard de biais au grand homme assis près d'elle. Des rides lui marquaient le coin des yeux, qui reflétaient une grande tristesse. Conscient d'être observé, il tourna la tête vers Lanna. Aussitôt, elle fixa la route toujours balayée par la pluie.

— Vos parents ne vous ont-ils jamais enseigné à ne pas ramasser les inconnus ? C'est dangereux pour une jeune fille.

Lanna eut un petit rire ; elle se faisait réprimander par celui à qui elle venait de rendre service.

— Oui, ils m'ont mise en garde contre les auto-stoppeurs et les inconnus, mais ils m'ont également raconté la parabole du Bon Samaritain. Qu'est-il arrivé à votre camion ?

— Les vis platinées ont pris l'eau, j'imagine.

Cette question semblait l'avoir contrarié.

Lanna reconnut le signal vert de la prochaine bifurcation.

— Je crois me rappeler qu'il y a une station service à cette sortie, mais je ne suis pas sûre qu'elle soit ici ou à la prochaine. Je peux vous déposer plus loin, là où vous trouverez quelqu'un pour remorquer votre camion.

L'homme regarda sa montre à son poignet gauche.

— Je devrais être dans un quart d'heure devant l'immeuble en construction, tout près de la deuxième sortie. Ça vous ennuierait de me laisser là ? Je pourrai trouver quelqu'un qui ramènera le camion.

— Bien sûr, approuva Lanna, c'est le chemin de ma maison.

Elle examina l'étranger avec curiosité : ses vêtements, son âge avancé, et la nécessité de se trouver dans un chantier après les heures de travail lui firent penser qu'il s'agissait d'un veilleur de nuit.

— Vous n'aurez pas trop de mal cette nuit si la pluie continue.

Les sourcils broussailleux se froncèrent de curiosité.

— Pourquoi ?

— Avec ce temps, les ouvriers restent dedans, au lieu de charrier et d'entasser des matériaux de construction. Votre boulot en sera facilité, enfin, je le pense...

L'homme eut un sourire amusé ; il venait de réaliser que la jeune femme l'avait pris pour un veilleur de nuit !

— Oui, ça sera parfait, approuva-t-il. Est-ce que vous travaillez chez un médecin ? interrogea-t-il en désignant l'uniforme blanc.

— Oui, chez un pédiatre, le docteur Fairchild.

— Réceptionniste ?

— Je suis infirmière diplômée, rectifia Lanna.

— Il existe un hôpital tout près d'ici qui recrute sans cesse du personnel ; en feriez-vous partie aussi ?

— Absolument pas. Je ne travaille plus à l'hôpital.

— Pourquoi ? demanda l'homme, intrigué par une affirmation aussi catégorique.

— Une infirmière ne doit pas s'attacher à ses malades. Malheureusement, je suis trop sensible et trop proche des patients. Maintenant, je travaille dans un cabinet où les contacts sont plus fugitifs et limités.

— Vous regrettez l'hôpital ?

— Quelquefois, le travail en équipe me manque.

— Mariée ?

Lanna sentit les yeux de l'homme fixés sur son annulaire, mais elle ne portait jamais de bijoux avec l'uniforme.

— Non, je ne suis pas mariée, répondit-elle un peu tristement, je commence à croire que le sacrement du mariage n'est pas fait pour moi.

— J'ai du mal à le croire ; une belle femme comme vous doit attirer les hommes.

— J'ai vingt-cinq ans passés, et j'ai reçu pas mal de propositions mais pas une seule demande en mariage, lui confia-t-elle avec un sourire ironique.

— Je crois déceler une note de désillusion dans votre voix. Auriez-vous vécu une histoire qui a mal fini ?

Lanna éclata de rire, étonnée de tant de perspicacité et surprise du ton intime que prenait la conversation. Ne prenait-elle pas des risques à discuter de sa vie amoureuse avec un étranger ?

— Vous êtes très clairvoyant, remarqua-t-elle.

— L'expérience des années, répondit-il. Que s'est-il passé ? Il vous a abandonné pour une autre ?

— En quelque sorte, admit l'infirmière... Bien que... l'autre femme fût son épouse. J'ai attendu qu'il divorce pendant deux ans, finalement j'ai réussi à enfoncer dans mon cerveau obtus la certitude qu'il ne le ferait jamais. Pourquoi, d'ailleurs ? Il avait le meilleur des deux côtés !

Un silence pesant succéda à cet échange. Lanna remarqua que l'étranger semblait soudain triste.

— Ai-je dit quelque chose de mal ? demanda-t-elle en fronçant les sourcils.

— Comment ?

L'homme sursauta, surpris par cette question, puis se reprit aussitôt.

— Non, pas du tout. La sortie est juste là.

— Autrefois, cet endroit était envahi de cactus et de sauge ; voyez maintenant.

Lanna ne lui fit pas remarquer qu'il venait de changer de conversation.

— Vous êtes originaire de Phoenix ?

— Non, du nord de l'Arizona. Et vous ?

— Du Colorado, de Denver.

Lanna prit la bretelle de sortie et suivit la file des voitures qui l'empruntaient comme elle.

— Depuis combien de temps êtes-vous ici, Miss... ?

Lanna hésita ; après tout, elle lui avait fait suffisamment de confidences pour ne pas cacher son nom.

— Lanna Marshall. J'habite Phoenix depuis bientôt six mois.

— Vous aimez ? demanda-t-il.

— Il fait chaud.

— Un enfer.

L'homme rit ; son rire avait le même son rauque que sa voix et était aussi agréable à entendre.

— Les montagnes, la neige et les arbres me manquent, avoua la jeune femme.

Lanna s'arrêta, attendant que l'intersection se dégage, avant d'emprunter la voie principale.

— Vous vous êtes fait des amis depuis votre arrivée ? demanda-t-il.

— Quelques-uns, très peu.

Lanna ne voulait pas avoir l'air d'être abandonnée ; elle était de nature expansive et de fréquentation facile. Simplement, elle n'habitait pas la ville depuis assez longtemps pour y avoir rencontré beaucoup de gens.

Le bâtiment en construction se dressait sur la droite, Lanna ralentit.

— Laissez-moi devant cet engin.

L'homme avait désigné une longue remorque. A travers une petite fenêtre carrée située à l'arrière de la remorque, brillait une lumière. Sur la porte était tracée à la peinture : « Falcon Construction Company ». Une Cadillac sombre était parquée devant la porte. Lanna s'arrêta dans le tournant.

— Vous voilà rendu, annonça-t-elle avec un sourire chaleureux. J'ai été très heureuse de parler à quelqu'un, le trajet m'a paru moins long.

L'homme posa sa main sur la poignée, mais n'ouvrit pas tout de suite. Il répondit au sourire de la jeune infirmière ; ses yeux bleus avaient perdu leur tristesse, momentanément.

— Merci pour le voyage, mais la prochaine fois que vous rencontrerez un inconnu sur la chaussée, laissez quelqu'un d'autre jouer les Bons Samaritains.

— J'essaierai de m'en souvenir, promit Lanna, mais n'avez-vous pas un imperméable ou quelque chose ? Vous allez vous faire tremper.

Il eut un rire enroué.

— Si j'attrape un rhume, je saurai à qui m'adresser pour me faire soigner !

Il ouvrit enfin la portière et sortit sous la pluie.

— Prenez soin de vous, dit-il en claquant la portière.

Il agita la main pour dire au revoir et courut tête baissée vers la remorque. Lorsqu'il y entra, Lanna démarra.

Dès lors, chaque fois que Lanna passait devant le chantier, elle pensait au veilleur de nuit. Elle n'aurait pu dire qu'il était vieux malgré ses soixante ans ; en outre, il avait une vitalité et une rudesse qui l'attiraient. C'était bizarre, le souvenir de cet étranger la hantait. Lanna écarta cette pensée, convaincue que si elle songeait si souvent à cet homme, c'était simplement parce qu'elle connaissait très peu de monde à Phoenix.

En vérité son père lui manquait, et l'air bourru de l'inconnu le lui avait rappelé. Lanna avait perdu sa mère à onze ans et avait vécu par la suite très proche de son père. Jusqu'à ce qu'il rencontre une jeune veuve, mère de deux enfants, dont il était tombé amoureux. Ce jour-là, Lanna s'était réjouie, et elle se réjouissait encore. Pourtant, le père et la fille ne constituaient plus l'unique centre d'intérêt l'un pour l'autre ; chacun menait sa vie. Un jour, Lanna fonderait une famille et posséderait une maison à elle, ce qui comblerait le vide laissé par son père. Mais après une désastreuse aventure sentimentale, elle n'était pas pressée de se lancer dans une nouvelle histoire d'amour. En outre elle devait assurer sa carrière et avait songé à suivre des cours du soir à l'Université.

Lanna posa par terre la bassine de linge propre ; le samedi matin était régulièrement consacré à la lessive. Elle regarda son appartement, petit et peu meublé. Pour le moment c'était tout ce qu'elle pouvait s'offrir. Elle habitait seule pour la première fois. Jusqu'ici, elle avait toujours vécu avec une camarade ; elle manquait de compagnie, tout en appréciant le privilège de ne dépendre de personne. Lanna était persuadée que se fixer dans ce logement lui donnerait un sentiment de continuité.

Elle méditait sur cette dernière pensée en empilant les serviettes sèches sur l'étagère de la salle de bains lorsqu'elle entendit frapper à la porte. Elle s'empressa de répondre, écartant de son front une mèche folle.

La prudence exigeait de mettre la chaîne de sécurité, avant d'ouvrir.

— Hello ! fit-elle, à la fois surprise et alarmée, en reconnaissant le veilleur de nuit dans le hall d'entrée.

— Je suis rassuré : vous avez une chaîne de sécurité, observa l'homme avec un sourire.

— Que faites-vous ici ?... Je veux dire... Je suis très contente de vous revoir... Mais... auriez-vous oublié quelque chose dans ma voiture ?

Lanna n'avait pas trouvé les mots appropriés pour demander à l'homme pourquoi il était venu. Son regard glissa sur la haute silhouette. Cette fois le veilleur portait une chemise blanche et un pantalon kaki. Lanna remarqua ses bottes cirées et la boucle ornée d'une turquoise à sa ceinture. Il cachait quelque chose derrière son dos.

Les yeux noisette de Lanna s'écarquillèrent lorsqu'il lui tendit un bouquet de roses.

— Je voulais vous remercier, dit-il simplement.

— Elles sont belles, répondit la jeune femme avec maladresse en respirant leur parfum. Comment diable avez-vous découvert mon adresse ?

— Il y avait une seule Lanna Marshall dans l'annuaire.

C'était tellement évident que Lanna éclata de rire. Soudain elle dit :

— Je ne connais même pas votre nom !

Il hésita une seconde.

— John Buchanan.

— Que puis-je pour vous, John Buchanan ?

Elle hésitait à enlever la chaîne, malgré la senteur des roses.

— J'avais pensé que nous pourrions déjeuner ensemble. Aimez-vous la cuisine mexicaine ? (John Buchanan ne lui laissa aucune possibilité de parler.) Il y a un petit restaurant tout près d'ici, il ne paye pas de mine, mais la nourriture y est excellente.

Il remarqua qu'elle doutait encore et sourit.

— Si ça peut vous rassurer, je vous attends dans votre voiture.

Cette proposition enleva tous ses doutes à la jeune femme.

— D'accord, donnez-moi dix minutes pour me changer.

— Qu'est-ce que je fais des fleurs ? Vous ne préféreriez pas les mettre dans un vase ? interrogea John en regardant le bouquet dans sa main.

— Bien sûr.

Lanna ferma la porte, ôta la chaîne et rouvrit la porte pour prendre les roses.

— Voulez-vous m'attendre à l'intérieur ? Je ne serai pas longue, promit-elle.

Le restaurant était petit et peu fréquenté, bien qu'il fût près de midi. John guida sa compagne vers une table de coin et s'assit, le dos tourné à l'entrée. Comme il l'avait promis, la cuisine était délicieuse, mais Lanna songea qu'elle était encore rehaussée par la présence de son nouvel ami. Il avait un humour qui la réconfortait.

La serveuse débarrassa les assiettes vides et servit du café. Lanna s'abandonna sur le siège capitonné.

— Parlez-moi de vous, John, dit-elle, vous savez déjà tout de ma vie.

— Que désirez-vous savoir ?

Il sourit, mais comme s'il se cachait derrière ce sourire.

— Je ne sais pas, elle fit un vague signe de la main, quelque chose, n'importe quoi. Etes-vous marié ? Avez-vous des enfants ?

— Légitimes ou illégitimes ?

— Cessez de plaisanter et répondez correctement, insista Lanna.

— C'est bon : je suis marié, j'ai deux fils et un petit-fils, presque un homme.

Il sortit une photo de son portefeuille et la tendit à Lanna.

— Difficile à croire, il aura bientôt douze ans !

Lanna remarqua aussitôt la ressemblance de l'enfant avec son grand-père : les mêmes yeux bleus. Elle rendit la photo.

— Vous ne pouvez pas nier qu'il s'agisse de votre petit-fils. Des petites-filles ?

— Une fille, jadis.

John remit la photo dans son portefeuille, l'air absent. Lorsqu'il releva la tête, ses yeux avaient conservé une trace de mélancolie.

— C'était un bébé lorsqu'elle est morte. Elle aurait à peu près votre âge ; vingt-trois ans. Elle avait des yeux bruns et des cheveux couleur de cèdre... comme vous... Mais parlez-moi plutôt de vos parents : où habitent-ils ?

— Ma mère est morte quand j'avais onze ans, mon père s'est remarié il y a quelques années et vit dans le Colorado.

— Alors, vous voilà affublée de la légendaire « marâtre ».

— Non, Ann est une femme merveilleuse, elle m'accueille toujours très bien et rend mon père parfaitement heureux.

— Mais vous ne les voyez pas souvent, n'est-ce pas ?

— Ils mènent leur vie. Ann a trois enfants, ce qui signifie qu'elle a énormément de travail. Papa accorde beaucoup de temps à son épouse et il n'aime pas écrire. Mais je ne voudrais surtout pas que vous ayez une mauvaise impression de lui. Mon père m'aime toujours autant, seulement il a de nouvelles responsabilités.

— Je comprends, affirma John avec conviction. Un homme ne saurait avoir d'obligation envers un seul membre de sa famille.

— Parlez-moi de votre femme, le pressa Lanna, impatiente d'imaginer la créature qui avait eu le bonheur d'épouser cet homme étonnant.

— Katheryn et moi vivons sous le même toit. En dehors de ce fait, il n'y a pas grand-chose à ajouter.

Il haussa les épaules et Lanna se demanda si c'était à cause de sa femme que John avait toujours cette tristesse tapie au fond des yeux.

— Elle a ses occupations : son club, ses amies, les choses qu'elle aime. Moi, j'ai les miennes.

— Je vois, murmura Lanna, désolée d'avoir posé une pareille question.

— Katheryn s'est montrée une épouse loyale et une bonne mère. J'ai infiniment de respect pour elle, et ne peux lui reprocher que notre mariage ait mal tourné.

Lanna remarqua avec chagrin que John n'avait pas dit qu'il aimait sa femme. Elle avala une gorgée de café.

— Votre épouse me paraît remarquable ; j'aimerais faire sa connaissance, un jour.

Ce souhait spontané arracha une grimace à John Buchanan.

— Je ne pense pas que ce serait une bonne idée, dit-il, Katheryn interpréterait mal nos relations. Dans le passé, j'admets lui avoir donné l'occasion de se montrer jalouse, je n'ai jamais prétendu être un saint, au contraire...

Lanna préféra laisser tomber ce sujet, jugeant que John ne tenait pas à révéler sa vie en détail. Les deux amis finirent leur café et bavardèrent encore un moment avant de regagner l'appartement. Sur le pas de la porte, Lanna lui dit :

— Merci pour le repas et les fleurs. J'ai apprécié les deux !

— Le plaisir était pour moi, déclara John. J'aimerais vous revoir.

— J'aimerais également vous revoir, répondit Lanna.

Et elle était sincère. Dans cette marée humaine, elle venait de découvrir un ami.

Pendant que John traversait le hall et se dirigeait vers la porte d'entrée, Lanna sourit à sa voisine, une femme d'un certain âge qui travaillait la nuit. Elle venait de sortir de son appartement.

— Bonjour, madame Morgan.

— Je suis contente que vous soyez rentrée, Lanna, soupira sa voisine d'un air affairé. Vous n'auriez pas de la cannelle, par hasard ? Je viens de faire un gâteau, il est prêt à aller au four et il me manque de la cannelle. Le frère d'Art et sa femme viennent dîner ce soir, j'ai promis de faire une pâtisserie.

Lanna secoua la tête, riant au fond d'elle-même. Sa voisine était une femme adorable, à condition de ne pas la supporter trop longtemps.

— Je crois bien avoir de la cannelle. Voulez-vous entrer pendant que je vérifie ?

— Vous êtes mon sauveur, Lanna, déclara la petite dame brune en louchant vers les larges épaules de John qui s'éloignait dans le hall.

Ses petits yeux brillaient de curiosité.

— J'ai encore beaucoup à faire avant que mes invités arrivent. Au fait, qui est ce monsieur ?

Mme Morgan suivit Lanna dans la cuisine.

— Un parent ?

— Non, un ami.

Lanna attrapa le pot à épices et sortit un bâton de cannelle.

— Voici.

— Ça m'évitera de retourner à l'épicerie, j'aurais pu le demander à Art mais il regarde la télévision. Un match de base-ball ! C'est un ami ?

— Pas le genre d'ami que vous imaginez, madame Morgan, expliqua patiemment la jeune femme, c'est un véritable ami.

— Qu'est-ce qu'il fait ? Où l'avez-vous rencontré ? De nos jours, les filles doivent être prudentes.

— Il est veilleur de nuit sur un chantier, son camion était tombé en panne l'autre soir et j'ai pris ce monsieur dans ma voiture.

— Vous l'avez pris sans le connaître ? Il aurait pu vous dévaliser ou... pire ! Vous êtes infirmière et devez savoir que la virilité n'a rien à voir avec l'âge d'un homme.

— Nous sommes amis, c'est tout, madame Morgan, insista Lanna.

Quand cette femme avait une idée dans la tête il fallait une charge de dynamite pour la déloger. Aussi, plutôt que de discuter, Lanna préféra orienter la conversation sur le sujet initial.

— Les gâteaux aux pommes sont mes préférés. Combien mettez-vous de cannelle ?

Sylvia Morgan donna sa recette à Lanna tandis que cette dernière l'accompagnait dans le hall.

Dès que la jeune fille se retrouva seule, elle hocha tristement la tête ; quel dommage que sa voisine ne comprenne pas ! Elle et John avaient des affinités qui n'étaient pas fondées sur une attirance sexuelle. C'était exceptionnel, et Lanna ne permettrait pas à Mme Morgan d'abîmer son amitié par des allusions perfides.

CHAPITRE VIII

L'AMITIÉ ENTRE JOHN ET LANNA se renforça à chacune de leurs rencontres. Au cours de la semaine, John vint deux fois, et les deux amis allèrent au restaurant ; ensuite Lanna reconduisait John à son chantier. Par la suite, ils prirent l'habitude de manger à la maison, où Lanna préparait le repas. Parfois aussi, John arrivait le samedi pour passer l'après-midi : ces jours-là ils regardaient la télévision ou bavardaient. Jamais plus John n'aborda le sujet « famille », et Lanna pensa que son mariage était malheureux.

Durant l'été, Lanna travailla chez le pédiatre et n'eut pas l'occasion de se faire de nouvelles relations. Heureusement l'amitié de John l'empêchait de rester trop seule et de se lancer dans des aventures à l'issue incertaine. Le dernier samedi d'août, John proposa d'aller visiter le musée d'Anthropologie, spécialisé dans l'art primitif des tribus indiennes du sud-ouest.

En entrant dans la galerie des *kachinas*, Lanna chuchota :

— Je n'ai jamais compris pourquoi les musées étaient aussi silencieux. Tout le monde parle à voix basse.

— Peut-être, suggéra John avec le plus grand sérieux, les gens ont-ils peur de réveiller les esprits.

Lanna le scruta du regard. Mais il était déjà perdu dans la contemplation des objets exposés. Il se sentit observé et expliqua.

— Voilà l'une des plus prestigieuses collections de *kachinas* des Hopi et des Zuni.

Lanna s'avança pour admirer l'exposition de poupées sculptées dans le bois et incrustées de plumes, de coquillages, d'épines de cactus, de débris d'os et de turquoises. Il y en avait de toutes tailles, de toutes formes, toutes aussi grotesques les unes que les autres, avec des yeux énormes, des têtes rondes aux longs becs, ou aux groins armés de dents acérées. Formes mystérieuses et cauchemardesques.

— Ce sont les idoles représentant les dieux indiens ? chuchota Lanna.

— Ce sont des poupées, pas des idoles, rectifia John avec un sourire amusé, parce que ces poupées n'avaient rien à voir avec celles qu'avait pu connaître Lanna enfant. Les *kachinas* sont les images des dieux. Plus exactement, elles symbolisent les forces de la nature.

John montrait les masques l'un après l'autre.

— Elles sont fascinantes, avoua Lanna, un peu effrayée. A quoi servaient-elles ? Ce n'étaient sûrement pas des jouets.

— Si, d'une certaine manière ce sont des jouets, car on donne les *kachinas* à l'enfant, non pour qu'il s'en amuse mais pour qu'il apprenne à les connaître. Le mot *kachina* prête à confusion, car il fait référence à une poupée dépourvue de pouvoir. Dans les cérémonies, les danseurs qui portent les costumes correspondant aux poupées se nomment aussi *kachinas*.

Ces explications résonnaient étrangement aux oreilles de Lanna qui se sentait à la fois attirée et rebutée. John poursuivit ses commentaires :

— Les garçons navajos, entre sept et treize ans, reçoivent une initiation appelée la *Yeibichai*. Les enfants, revêtus d'un seul pagne, la tête recouverte d'une couverture sont conduits, de nuit, devant un feu avec l'ordre de ne pas regarder les « dieux ».

Lanna imagina la scène : la nuit noire, les flammes qui s'élèvent et une douzaine d'adolescents vêtus d'un pagne et la tête sous une couverture, attendant avec appréhension, leurs corps cuivrés brillant à la lumière du feu.

— Chaque enfant est conduit séparément devant la divinité femelle du blé pour avoir les épaules marquées d'un breuvage sacré. Un être portant un masque noir le fouette avec des joncs, en poussant des cris de fausset.

Lanna frissonna, imaginant l'effroi d'un enfant agressé

par un homme qu'il ne voit pas et dont il entend seulement les hurlements et reçoit les coups de fouet.

— A la fin de la cérémonie, les *kachinas* enlèvent leurs masques pour révéler leur identité à l'enfant. Souvent il s'agit de l'oncle du garçon, de son cousin, enfin, quelqu'un de connu. Alors l'initié prend un sac de pollen offert par le sorcier et le répand sur les masques enlevés et sur les hommes qui les ont portés.

John s'interrompit, le regard lointain.

— Psychologiquement, ce rite est intéressant ; en révélant leur identité, les *kachinas* prouvent aux enfants qu'ils ne sont pas des dieux mais des humains. Manière symbolique d'affirmer que le surnaturel réside en l'homme sous la forme du bien et du mal.

Lanna comprenait un peu mieux une cérémonie qui, a priori, lui semblait inhumaine. Elle était impressionnée par les connaissances de son compagnon.

— Vous avez déjà assisté à une initiation ? demanda-t-elle.

— Non, fit-il en secouant la tête, elles sont interdites aux Blancs.

— Alors comment êtes-vous tellement averti ?

— N'oubliez pas que j'ai vécu à côté d'une réserve de Navajos, un peuple unique.

— Vous admirez beaucoup les Navajos ?

— Oui, mais les Blancs sont les seuls hommes dans le monde à avoir anéanti les natifs de la terre sur laquelle ils se sont installés. En tant qu'Américain je m'interroge : que va-t-il se passer ? Pourquoi les exterminons-nous, sous prétexte de ne pas comprendre leur mode de vie ? Le système indien et le système occidental sont incompatibles. Par exemple, l'Indien ne conçoit pas la terre comme sa propriété ; le Blanc, lui, met des frontières.

— Oui, je crois que les Indiens ont le respect de la terre. Pourtant, de notre côté il y a un désir de lutter pour préserver notre environnement.

— En effet, on note un mouvement de retour à la terre et à une sorte de vie primitive, mais je ne suis pas d'accord. L'humanité ne progresse pas en retournant en arrière, insista John. Même les Navajos croient que la « Route de Vie » est unique. On ne peut y avancer que verticalement.

La visite avait conduit John et Lanna vers la sortie du musée ; John poussa la porte, les visiteurs s'éloignèrent en silence. Tandis qu'ils regagnaient le parking, où les attendait la voiture de Lanna, une main s'agrippa au bras de la jeune femme. Elle se retourna vivement et plongea son regard dans les yeux bordés de rouge, embrumés par l'alcool, d'un Indien. Il arborait une plume bleue dans ses cheveux gris hirsutes.

— Graines de cèdre, articula-t-il d'une voix pâteuse en tendant un collier à John. Vous acheter à dame ? Un dollar.

Lanna eut un mouvement de recul, fuyant l'haleine empestée de l'homme. Ses efforts pour rester debout rendaient le spectacle encore plus désolant.

— Non merci, refusa John.

— Pas cher, demi-dollar, insista l'Indien en présentant le bijou, artisanat authentique.

— Non, répéta John.

L'Indien titubant faisait des efforts pour identifier John.

— Moi te connaître ! fit-il.

— Je te reconnais, moi : Bobby-le-chien.

— Yeux-qui-rient, s'exclama l'Indien, mari de Sauge-Blanche.

Il poursuivit dans une langue incompréhensible, formée d'une association de sons gutturaux. John répondit dans le même dialecte. La conversation dura quelques minutes, puis John leva la main pour demander le silence.

— Tu parles avec dureté, Bobby, il y a trop longtemps...

— Toi rentrer chez toi, déclara Bobby-le-chien.

— Rentre plutôt chez toi, répliqua John en prenant la main de l'Indien entre les siennes.

— Où être maison ?

Les yeux injectés de sang de l'homme s'emplirent de larmes.

— Prends soin de toi, conseilla John en retirant ses mains.

Lanna aperçut un billet dans la paume de Bobby-le-chien et comprit que son ami lui avait donné de l'argent. John prit Lanna par le coude, et ils s'éloignèrent.

— Ça se termine toujours de la même manière, bougonna John : les Indiens finissent alcooliques, à vendre des colifichets dans la rue.

— Je comprends ce que vous voulez dire, soupira Lanna, et c'est encore pire si vous les connaissez.

— Oui, Bobby-le-chien est le symbole de la détresse navajo. Il y a trente ans, il travaillait comme figurant dans les westerns d'Hollywood ; il avait abandonné la « voie » de ses frères pour adopter le système blanc, et...

— Le succès terminé, devina Lanna, il s'est retrouvé sans rien.

— Exactement, c'est un problème général ; si l'on abandonne les croyances traditionnelles il faut les remplacer par d'autres. Si l'Indien ne prend chez le Blanc que la liberté, en laissant de côté les valeurs morales, plus rien ne le soutient ni ne le dirige.

Une ride profonde creusa le front de John Buchanan. En arrivant près de la voiture, Lanna l'interrogea :

— Sauge-Blanche, c'est le nom navajo de votre femme ?

— Oui.

Sa réponse abrupte n'avait été qu'une tentative pour cacher sa faiblesse. Les mains de John tremblaient lorsqu'il ouvrit la portière de la voiture.

— Tout va bien, John ? demanda Lanna.

Il la poussa presque sur le siège.

— Très bien, assura-t-il en refermant la portière.

Il s'assit au volant ; il transpirait abondamment. Il plongea la main dans sa poche et en sortit une boîte dans laquelle il prit une pilule. Il l'avala.

— Le cœur ?

— Tout va bien, répéta John, en s'appuyant contre le dossier ; il ferma les yeux.

Poussée par son instinct professionnel, Lanna lui saisit le poignet et compta les pulsations.

— Reposez-vous un moment.

— Je l'aimais tant, je l'aimais tant ! s'écria John.

— Bien sûr que vous l'aimiez, approuva Lanna d'une voix apaisante.

Mais elle était surprise, ayant toujours eu l'impression que John n'aimait pas son épouse. De toute évidence, il faisait allusion au passé et était bouleversé par ses souvenirs. La jeune fille jugea préférable d'abandonner le sujet.

Après quelques instants de répit, John reprit la parole.

— Savez-vous, Lanna, que vous êtes la seule personne à vous préoccuper de mon cœur ? Et cela, uniquement parce que nous sommes amis. Vous ne savez pas combien c'est rare !

— Je suis certaine que votre famille s'inquiète, répliqua Lanna : votre femme, vos fils...

— Vous croyez ? Je le souhaiterais. Je vous revois jeudi, à moins que vous n'ayez prévu autre chose ?
— Non. Jeudi, c'est parfait.

Le jeudi soir, Lanna prépara un dîner chez elle. John était d'humeur joyeuse ; pendant tout le repas, il ne cessa de rire et de plaisanter, comme s'il avait oublié sa bouleversante confidence du samedi.

Lorsque Lanna se leva de table pour débarrasser, il lui proposa :
— Je vous aide ?
— Non, je me débrouillerai.
Elle empila les assiettes et rassembla les couverts.
— Restez assis et lisez tranquillement votre journal.
Lanna baissa les yeux sur la tasse vide.
— Voulez-vous un peu plus de café ? Que diriez-vous d'un thé au sassafras ?
John regarda par-dessus le journal.
— Au sassafras ? demanda-t-il.
— Oui, au sassafras, c'est une boisson merveilleuse, insista-t-elle, amusée par sa réaction, c'est un reconstituant.
— Et vous êtes infirmière diplômée ! se moqua gentiment John.
— Nous avons toutes nos petites recettes miracles.
— D'accord pour le sassafras, approuva John en reprenant sa lecture.
En passant derrière la chaise de John pour se rendre à la cuisine, Lanna jeta un coup d'œil sur l'éditorial qu'il parcourait.
— Quelque chose d'intéressant ? interrogea John avec un regard oblique.
— L'article sur Faulkner et son procès avec l'hôpital. Le docteur Fairchild en parlait l'autre jour au téléphone.
Lanna se pencha pour parcourir le paragraphe en question.
— John ! mais vous travaillez pour la Faulkner Company !
— En effet, mais je ne vois pas pourquoi tout ce tapage. Les enquêtes ont été effectuées en présence de tous les membres de l'hôpital. Tout est absolument légal.
— Vous avez raison, reconnut Lanna, mais je trouve l'affaire douteuse.
— Uniquement pour des esprits douteux.

Lanna haussa les épaules, elle ne comprenait pas la confiance inconditionnelle de John pour son patron.

— D'après ce que j'ai entendu dire, Faulkner a fait main basse sur la ville. Il est devenu un personnage légendaire à Phoenix. Il circule des tas d'histoires à son sujet ; sur la manière dont il achète les terrains pour une bouchée de pain et les revend cent ou deux cents fois plus cher. Il ruine les propriétaires.

John renversa la tête en arrière et éclata de rire.

— Il n'a pas trompé âme qui vive. Il se contente de payer le prix demandé et attend le moment propice pour revendre avec bénéfice.

— Vous pensez qu'il n'a pas besoin de tricher pour gagner ? Je ne le voyais pas de cette façon. Je crois que certaines personnes sont nées sous une bonne étoile, et John Buchanan Faulkner en fait partie.

— Je n'en suis pas si sûr, grimaça John. J'ai entendu dire que c'était un homme seul.

— Vous avez peut-être raison, mais quand je croise une Cadillac, j'ai du mal à m'apitoyer sur les gens qui se trouvent à l'intérieur.

John replia vivement le journal et se leva pour suivre Lanna dans la cuisine. En passant, il remarqua des échantillons de papiers peints sur le bar.

— Qu'est-ce que c'est ? Vous envisagez de la décoration ?

— Oui, j'ai l'intention de retapisser la salle de bains, et j'ai décidé de m'offrir ce cadeau pour mon anniversaire !

John jeta un coup d'œil rapide sur les échantillons.

— C'est quand, votre anniversaire ? Vous n'en avez jamais parlé.

— Vendredi prochain. Je ne l'oublie pas ! Je vais avoir vingt-six ans, et il va bientôt falloir m'arrêter de compter !

— Quand vous aurez mon âge, il sera temps de ne plus compter ! Comment allez-vous célébrer le jour de votre naissance ?

— Les propositions sont ouvertes. Viendrez-vous dîner ? proposa Lanna.

— J'ai une meilleure idée : je vous emmène au restaurant.

— Nappe de dentelle blanche, bougies, champagne. Je ne m'attendais pas à un tel luxe, John.

Les flammes vacillantes faisaient briller les cheveux châtains de Lanna et scintiller les peignes dorés, de chaque côté de son visage. Elle souleva le verre que le maître d'hôtel venait de remplir de vin pétillant et porta un toast à son compagnon.

— Merci.

— C'est une soirée particulière, lui rappela-t-il de sa voix grave : nous célébrons votre anniversaire.

Lanna but une gorgée de champagne, les bulles légères lui chatouillèrent le nez, la faisant rire.

— Ce serait affreux si j'éternuais !

— De très mauvais goût.

John fit claquer sa langue de réprobation.

— Je suis certaine que le « maître » le prendrait de haut, chuchota Lanna en lorgnant le petit homme qui accompagnait un couple vers une table.

— Jamais il n'oserait, je serais bien capable de l'abattre pour avoir gâché notre soirée, menaça John.

Lanna reposa son verre sur la table et en caressa le pied fragile. Le liquide mousseux avait la même couleur ambrée que la robe de la jeune fille, dont le tissu léger moulait les formes.

— Je me sens comme ce champagne, déclara-t-elle. Cet endroit retiré est plus agréable qu'un restaurant bondé, il y règne une atmosphère élégante, une certaine intimité.

— Pourquoi croyez-vous que je l'aie choisi ? C'est ici que j'amène toutes mes petites amies !

John rit tout bas et se pencha vers sa compagne pour lui confier :

— Tous les hommes m'envient dans cette salle (ses yeux brillaient de malice), ils se demandent si vous êtes ma petite-fille ou ma maîtresse. N'entendez-vous pas ces dames se demander : « Que fait ce vieux dégoûtant avec une femme aussi attirante ? »

Les cheveux gris de John, épais et ondulés, luisaient sous l'éclairage des bougies. Il portait un costume sombre et une cravate et il se sentait parfaitement à l'aise.

— Vous êtes très élégant ce soir, John. Savez-vous que c'est la première fois que je vous vois habillé ? Vous êtes toujours en tenue de travail.

— Je n'ai pas été veilleur de nuit toute ma vie, répliqua-t-il un peu brusquement.

— Je me demande si l'on va nous servir bientôt, je ne veux pas que vous soyez en retard au chantier.

John se raidit sur sa chaise.

— Je ne vous l'avais pas dit ? Je ne travaille pas cette nuit, inutile de nous presser.

— Vous ne me l'aviez pas dit, répliqua Lanna, songeuse.

Le regard de John se fit plus aigu.

— Quelque chose ne va pas ?

— Non, je réfléchissais.

— A quoi ?

— Je pensais à votre famille avec laquelle vous n'êtes pas ce soir. Vous ne me parlez jamais de vos fils, je ne connais même pas leurs noms ! Est-ce qu'ils habitent à Phoenix ?

— Mon fils aîné seulement. Vous savez, il est difficile de décrire ses propres enfants. Mon fils cadet est remarquablement intelligent, avec d'énormes capacités, mais il ne semble avoir aucune ambition. Mon aîné... il me ressemble sur beaucoup de points, je crois. Je ne sais pas si je vous l'ai avoué, je n'ai jamais eu d'amie femme auparavant.

— La réciproque est vraie, déclara Lanna, se rendant compte qu'une fois de plus John avait changé de sujet.

— Cette soirée avec vous me donne plus de bonheur que je n'en ai eu de toute ma vie.

Cette confidence fit venir les larmes aux yeux de la jeune femme. John leva son verre.

— Assez de sentimentalisme, nous allons manger, boire et nous réjouir tout le reste de la soirée. Joyeux anniversaire, Lanna !

Les trois souhaits furent réalisés. Le verre de Lanna ne resta jamais vide, John le remplissait constamment malgré les protestations de la jeune femme. On leur servit un énorme steak juteux, accompagné de pointes d'asperges et de pommes de terre au four arrosées de beurre fondu. Le repas fut couronné par un vrai gâteau d'anniversaire avec vingt-six bougies. Mais le plus agréable fut la conversation entre les deux amis...

Légèrement grisée, Lanna eut du mal à descendre, lorsque John gara la voiture devant son immeuble. Elle fit un effort pour se tourner vers son compagnon et lui demander :

— Prendrez-vous un café à la maison ?

Il hésita avant d'accepter.

— Bien sûr.

Mais Lanna avait remarqué une note de lassitude dans sa voix.

— Fatigué ?

— Je me fais trop vieux pour faire la fête, plaisanta-t-il, en sortant de la voiture.

Lorsque Lanna descendit à son tour, elle titubait. L'air frais lui fit tourner la tête, elle s'appuya sur le bras de John qui lui avait saisi le coude.

— Eh bien, je suis un peu ivre, avoua-t-elle avec un petit rire.

Moqueur, il la guida vers la porte d'entrée. Sur le palier, Lanna s'arrêta pour fouiller au fond de son sac, à la recherche des clefs.

— Laissez-moi faire, proposa John en la voyant tâtonner devant la serrure.

— Avec joie.

Elle lui tendit la clef et s'appuya au mur pendant qu'il ouvrait. De l'autre côté du hall, une deuxième porte s'ouvrit sur Mme Morgan. Lanna la laissa traverser et attendit qu'elle ait disparu dans le bâtiment de la lingerie avant d'entrer chez elle. Sylvia Morgan s'était retournée un instant à l'angle du couloir.

— Elle cherchait à savoir si vous entriez chez moi, expliqua Lanna en précédant John dans le vestibule. Elle est persuadée que vous êtes mon vieil amant.

John se mit à rire mais son rire manquait de jovialité.

— Je ne suis pas surpris, c'est la conclusion que tirerait n'importe qui en nous voyant ensemble.

Il traversa la pièce pour s'affaler sur une chaise chromée devant la table.

— Mes vieux os me trahissent.

— J'aurai vite fait de chauffer un peu d'eau, promit Lanna en disparaissant dans la cuisine.

Comme elle tanguait sur ses talons, elle enleva ses chaussures. Le carrelage frais était agréable à ses pieds nus. Elle remplit la bouilloire et la posa sur la cuisinière.

— Savez-vous que j'ai commandé le papier peint de la salle de bains ? dit-elle à John en ouvrant le buffet. Je le recevrai la semaine prochaine. Vous m'aiderez à tapisser, samedi ?

Quelque chose tomba soudain sur le sol avec fracas.

— John ?

Lanna se retourna et regarda par-dessus le bar. La chaise de John était vide. Elle aperçut un corps prostré par terre.

— Mon Dieu, murmura-t-elle.

Des années de pratique professionnelle l'empêchèrent de paniquer, elle se précipita vers son ami et réussit à le retourner sur le dos. Aussitôt, elle desserra sa cravate et déboutonna le col de sa chemise, pour qu'il respire plus facilement. Les doigts de la jeune femme prirent ensuite le pouls. Par hasard, elle remarqua la boîte de pilules ouverte, et son contenu répandu sur le sol. Elle l'abandonna inconscient, le temps de se ruer vers le téléphone et de composer le numéro des urgences. La voix de Lanna était claire et ferme lorsqu'elle indiqua ses nom et adresse et réclama une ambulance, précisant même qu'il s'agissait d'une crise cardiaque.

Assurée que les secours arrivaient, elle revint à John, en proie à des pensées diverses. Son instinct professionnel la faisait se concentrer sur le malade, guettant les sirènes. Mais une autre partie de son cerveau l'accusait de ne pas s'être montrée assez vigilante pour déceler le malaise de son ami. John le lui avait probablement dissimulé pour ne pas lui gâcher son anniversaire. Des siècles s'écoulèrent avant que Lanna entendît la sirène de l'ambulance. Des portières claquèrent, des pas se précipitèrent dans le hall. Enfin on frappa à la porte. Lanna s'écria :

— C'est ouvert, dépêchez-vous !

Des infirmiers en blouse blanche se ruèrent à l'intérieur, équipés du matériel de réanimation. Ils écartèrent Lanna de John.

Un homme l'interrogeait déjà.

— Vous êtes de sa famille ?

— Non, c'est un ami.

Lanna s'appuya sur la table, chancelante.

— Son nom ?

— John Buchanan.

— Age ?

Elle eut un trou mais se ressaisit tout de suite.

— ... Soixante-trois ans.

— A-t-il déjà eu des problèmes cardiaques ? A-t-il eu des médicaments ?

— Oui, ses pilules étaient renversées, la posologie est indiquée sur la boîte.

L'ambulancier ramassa la boîte.

— Savez-vous s'il en a pris ?

— Non, je me trouvais dans la pièce à côté lorsqu'il est tombé.

Le deuxième infirmier intervint :

— On peut le transporter, je crois.

— S'il vous plaît, puis-je l'accompagner ? demanda Lanna.

— Bien sûr, répondirent les deux hommes en déposant le corps inanimé sur un chariot.

Lanna se précipita dans la cuisine pour récupérer ses chaussures, éteignit le gaz et saisit son sac au vol. Le chariot traversa le hall sous les yeux ébahis de Mme Morgan.

— Qu'est-ce qui s'est passé ? Une attaque ? hurla-t-elle à Lanna, qui ne prit pas la peine de répondre, uniquement préoccupée de suivre les ambulanciers.

— Je me doutais bien qu'il se passerait quelque chose..., un homme de cet âge !

Lanna préféra fermer son esprit à de telles insinuations et s'engouffra à l'arrière de l'ambulance. On claqua les portières, le véhicule démarra dans un hurlement de sirène après avoir allumé sa lumière rotative.

L'arrivée d'une urgence à l'hôpital était une scène familière pour Lanna, mais ici cette familiarité prenait une réalité étrange : les infirmières et internes devant la porte attendant que le chariot roule dans le corridor, les ordres chuchotés avec une autorité tranquille, l'odeur de désinfectant et d'antiseptique. L'ensemble prenait une allure de cauchemar.

— Nous avons besoin de renseignements, mademoiselle.

Une femme vêtue de blanc, avec un bonnet perché sur ses cheveux grisonnants lui interdit le passage en la retenant par le bras. Lanna suivit le chariot du regard, jusqu'à ce qu'il eut disparu derrière les panneaux battants.

— Oui, bien sûr.

Elle suivit la femme dans le petit bureau carré des admissions où on la fit asseoir sur une chaise au dossier raide. Lanna répéta ce qu'elle avait dit à l'ambulancier. L'interrogatoire commença :

— Savez-vous où vit M. Buchanan ? Son adresse ?

— Non.

— Son numéro de téléphone ?

Lanna soupira et se passa les doigts dans les cheveux.

— Attendez... John travaille à l'entreprise Falcon. Il est veilleur de nuit.

— Vous voyez, vous savez tout de même quelque chose ! déclara l'infirmière avec un sourire encourageant.

Le corridor de l'hôpital débordait d'activité ; des voix basses exprimaient une inquiétude que Lanna sentit rapidement. Une deuxième infirmière fit irruption dans le bureau, les effets de John à la main :

— C'est John Buchanan Faulkner !

Ce nom frappa Lanna comme une gifle. Elle protesta :

— Il doit y avoir une erreur.

La dame se retourna comme si elle la voyait pour la première fois, son regard gris acier signifiant qu'elle ne tolérerait aucune absurdité. L'infirmière des admissions présenta Lanna :

— Miss Marshall ; elle se trouvait avec la victime au moment où il a eu une attaque.

— C'est John Buchanan, répéta la jeune femme, il y a des mois que je le connais, il est veilleur de nuit. Je ne comprends pas d'où provient votre information !

— De son portefeuille, Miss Marshall. Je l'ai fouillé pour chercher des ordonnances et j'ai trouvé ses papiers d'identité.

Le regard de la femme en blanc balaya le joli visage de Lanna et la robe ambrée qui moulait son corps.

— Je comprends que vous ayez des raisons de dissimuler son identité.

Les joues de Lanna devinrent écarlates, mais elle se défendit :

— Vous vous trompez complètement, madame. Lorsque je l'ai connu, il s'appelait John Buchanan, c'est ce nom que je vous ai donné.

L'infirmière eut un sourire pincé et ne répondit pas directement à cette déclaration.

— Si vous vouliez prendre la peine de vous asseoir dans la salle d'attente, je vous informerai s'il y a des changements dans l'état de monsieur Faulkner.

— Je vous remercie.

Lanna se leva, sachant que sa présence était superflue. Près de l'entrée des urgences, elle gagna la salle vide, où commença pour elle la pénible attente.

CHAPITRE IX

LANNA ÉTAIT ASSISE SUR LA chaise recouverte de plastique, les épaules basses. Ses mains serraient une tasse de café froid qu'on lui avait apportée une heure plus tôt. Elle se redressa et lissa son épaisse chevelure châtain en soupirant. Puis elle chercha des yeux l'infirmière de garde et, à travers la vitre, l'interrogea en silence. La dame secoua la tête : rien à signaler, l'état de John n'avait pas évolué. John ou M. Faulkner, peu importait, Lanna s'inquiétait pour un ami. Elle se raccrochait au fait qu'il était vivant. En outre, il n'y avait aucun doute qu'ici il recevrait les meilleurs soins possibles.

La sonnerie du téléphone attira l'attention de Lanna sur l'infirmière. Rivée à sa chaise, elle chercha à saisir une partie de la conversation.

— Oui, docteur, nous avons pu joindre Mme Faulkner il y a deux heures, elle était dans son ranch de l'Arizona, elle viendra dans son avion privé.

Suivit un silence.

— Son fils ? Il était absent, nous lui avons laissé un message afin qu'il contacte l'hôpital dès son retour.

Nouveau silence.

— Oui, docteur, je m'en occuperai.

Aussitôt que l'infirmière eut reposé le récepteur, Lanna abandonna sa tasse de café sur la table, parmi les magazines éparpillés, et se précipita dans le box, les yeux brillants d'anxiété.

— Comment va John ? Qu'a dit le médecin ?

— Désolée, Miss Marshall, son état reste critique, répondit l'infirmière.

— Vous pouvez certainement être plus précise ! Est-ce qu'il est conscient ? A-t-on...

— Essayez de comprendre, Miss Marshall, il nous est interdit de donner des précisions tant que la famille est absente ; peut-être feriez-vous mieux de rentrer chez vous, vous n'êtes d'aucune utilité ici.

Lanna repoussa la proposition d'un mouvement de la tête.

— Non, j'attendrai !

Elle regagna sa chaise en plastique vert, accablée.

— Je t'en prie, mon Dieu, je t'en prie !

Lanna avait murmuré une prière, qui s'acheva dans un sanglot. Elle avala sa salive pour faire partir la boule dans sa gorge. Elle se voulait maîtresse de ses émotions. Pourtant elle aurait eu besoin de parler avec quelqu'un, de penser à autre chose qu'à l'état de santé de John. Etant infirmière, Lanna savait que les heures à venir étaient critiques. Elle leva la tête, essayant de se concentrer sur d'autres pensées.

Un couple entra. Lanna remarqua le contraste entre l'homme et la femme. Cette dernière, bien que proche de la soixantaine, avait conservé une silhouette élégante et jeune. Elle portait une jupe à la mode, vert pomme, une veste assortie et un chemisier de soie à fleurs. Ses cheveux châtain clair étaient coiffés avec une recherche présentant une apparente simplicité, contribuant à renforcer son élégance hautaine.

Par contraste, l'homme était réservé, ombre silencieuse de la nuit. Il avait une démarche féline, des mouvements souples, ses épaules étaient larges et son dos droit. Sa fierté évidente ne cherchait pas à impressionner, elle ne faisait que l'habiter. L'inconnu ne rivalisait pas avec sa compagne plus âgée, pour attirer l'attention, bien qu'il la dépassât de plus d'une tête. Ses vêtements étaient discrets, mais son pantalon marron et sa simple chemise beige ne parvenaient pas à dissimuler son corps mince et viril. Il y avait quelque chose d'implacable dans son profil d'oiseau de proie et ses traits anguleux. Ses cheveux noirs, épais et ondulés lui retombaient négligemment sur le front.

Derrière une indolence apparente, Lanna sentit que l'étranger était aux aguets, que son regard enregistrait tout. L'homme absorbait d'instinct odeurs et sons.

Lanna enfouit ces impressions dans son inconscient, sans y prêter attention sur l'instant. Elle reprit sa tasse de café sur la table et la porta à sa bouche ; la boisson était amère et froide. Bientôt des pensées triviales l'assaillirent : avait-elle éteint le gaz sous la bouilloire ? La porte était-elle fermée ? Ces questions prirent soudain une telle importance, que Lanna se précipita au téléphone pour appeler Sylvia Morgan. Entre-temps, la dame élégante s'était arrêtée devant le bureau.

— Je suis Katheryn Faulkner, je voudrais voir mon mari.

Son ton et son attitude indiquaient qu'elle n'avait pas l'habitude de demander des permissions. A l'écart, Hawk observait les réactions de l'infirmière, face à l'arrogance de Katheryn Faulkner.

— Un moment, je vous prie.

L'infirmière décrocha le téléphone et, à voix basse, communiqua les informations. A l'autre bout de la ligne on chuchota une réponse affirmative. La dame en blanc raccrocha le récepteur et sourit aimablement à Katheryn.

— Le docteur Sanderson désire vous voir personnellement, madame, si vous voulez bien vous asseoir...

L'infirmière n'eut pas le temps de terminer sa phrase, Katheryn avait déjà quitté le bureau, la réduisant au silence par son incorrection. Elle fit quelques pas. A son visage indifférent, on n'aurait jamais cru qu'elle était venue voir un mari malade. Mais Hawk, qui l'avait observée pendant le voyage, l'avait vue se ronger les ongles dans l'avion qui la transportait du ranch à Phoenix. Il s'émerveillait qu'elle éprouvât encore des sentiments pour l'homme qu'elle avait épousé. Hawk admirait l'adoration que Katheryn portait à son père, tout en jugeant sa fidélité ridicule. Avec les années, l'attirance que sa belle-mère exerçait sur lui n'avait fait qu'augmenter, dans le même temps où la haine de Katheryn s'enracinait. Hawk était la preuve vivante de l'infidélité de John Buchanan Faulkner, le rappel constant de son manque d'amour. L'étrange relation entre Katheryn et Hawk avait évolué ainsi. Katheryn connaissait l'attachement de son beau-fils et le traitait en bâtard. Elle se vengeait sur lui, n'ayant pu se venger sur son mari. Pour cette raison, elle lui avait demandé de piloter l'avion familial, pour se rendre aux côtés de John Buchanan. Cette requête n'avait pas été soufflée par la compassion : au contraire, Katheryn admettait Hawk à un moment de crise pour mieux l'exclure, car les règles de l'hôpital n'acceptaient auprès des malades que les seuls membres de la famille. John Buchanan n'avait jamais reconnu Hawk. Né dans une réserve navajo, Hawk ne possédait pas de certificat de naissance américain pour prouver son identité.

Conscient de tout cela, le jeune homme n'en avait pas moins accompagné sa belle-mère, il était même venu pour elle. Elle pouvait avoir besoin de lui.

Le glissement de l'ascenseur attira l'attention de l'Indien. Un homme grand, vêtu d'une blouse verte, et les cheveux gris s'avança. Il s'adressa aussitôt à Mme Faulkner sur un ton professionnel. Hawk s'effaça, jouant le rôle de simple accompagnateur.

— Madame Faulkner ?

Le docteur avait une voix polie, respectueuse même, exprimant une certaine inquiétude.

— Je suis le docteur Sanderson, je suis heureux que vous soyez arrivées.

— Comment va-t-il ?

Katheryn, la tête haute, refoulait ses larmes. Le médecin éluda la question.

— Notre unité de cardiologie est l'une des meilleures de l'Etat.

— Je veux voir mon mari, déclara Katheryn.

Le médecin regarda Hawk, s'attendant à ce qu'il intervienne, mais celui-ci resta silencieux.

— M. Faulkner est inconscient, mais bien entendu vous pouvez lui rendre une visite de quelques minutes. Si vous voulez m'accompagner...

Le docteur s'effaça pour permettre à Mme Faulkner de passer, puis interrogea Hawk du regard.

— Attendez-moi ici, Hawk, dit Katheryn.

Il inclina la tête en signe d'assentiment. Quelques secondes après que le docteur et sa belle-mère se furent dirigés vers l'ascenseur, Hawk remarqua un mouvement sur le côté. C'était la jeune femme qui attendait déjà, lorsqu'il était arrivé.

— Docteur ? appela-t-elle d'une voix basse mais ferme.

Le médecin hésita. Katheryn manifesta son impatience, ce qui ne fit qu'accroître l'embarras du praticien.

La curiosité de Hawk s'était éveillée.

Le médecin arrêta une femme entre deux âges :

— Infirmière ! Conduisez Mme Faulkner dans la salle des soins intensifs, je la rejoindrai directement.

Pendant qu'on accompagnait Katheryn le médecin s'approcha de Lanna.

— Comment va M. Faulkner ?

L'inconnue connaissait le nom de son père ! Les yeux de Hawk se rétrécirent : pourquoi cette jeune femme s'intéressait-elle à John Buchanan ?

— Nous faisons tout ce que nous pouvons, répéta le médecin avec patience.

Les yeux noisette s'enflammèrent de colère.

— Je suis infirmière, je veux connaître son état.

— Ses chances sont faibles, nous l'avons déjà tiré de deux attaques, ce sera un miracle s'il survit à la troisième.

Lanna devint livide, ses yeux s'agrandirent d'incrédulité, elle ouvrit la bouche mais ne put prononcer une parole. Alors Hawk s'avança.

— Qui est cette jeune fille ?

Il avait interrogé directement le médecin, tout en dévisageant la personne qui éprouvait une telle inquiétude pour son père.

Ses cheveux lisses comme du velours brun, décoiffés, augmentaient son charme. Ses traits réguliers, pris séparément, n'avaient rien de particulièrement frappant, mais l'ensemble — yeux noisette, pommettes hautes, bouche charnue — était harmonieux. Une robe sans prétention, couleur champagne, révélait un corps mince, mais galbé.

— Miss Marshall se trouvait avec M. Faulkner lorsqu'il a eu son attaque, expliqua le docteur Sanderson.

Hawk serra puis desserra les mâchoires, en proie à une rage soudaine. Elle n'était pas tant dirigée contre son père que contre l'humiliation que subirait Katheryn.

— Où était-ce ? aboya-t-il.

— Chez moi, avoua Lanna.

Hawk réussit à se contenir, il regarda le médecin puis la jeune femme.

— La presse est au courant ?

— Non, affirma Sanderson. L'hôpital a seulement fourni un bulletin de santé sur M. Faulkner.

— L'hôpital ne doit plus donner aucune information, vous entendez, docteur ?

Le ton de Hawk était calme mais menaçant.

— Parfait.

— Alors c'est bien. Y a-t-il un endroit où... Miss Marshall pourrait attendre ?

L'Indien avait foudroyé l'inconnue du regard, avant de prononcer son nom, mais celle-ci semblait indifférente à l'embarras de la situation et à ses conséquences sur la famille Faulkner.

Le docteur examina la requête de Hawk quelques instants avant de répondre.

— Le foyer du personnel, Miss Marshall n'y sera pas dérangée.

Il indiqua la salle de la main.

— Merci, fit Hawk en prenant Lanna par le coude.

Elle ne résista pas et se dirigea vers le foyer.

— Et si Mme Faulkner vous demande..., commença le médecin.

Hawk lâcha Lanna et revint sur ses pas.

— Dites-lui que je suis sorti un moment.

— Bien entendu, je vous confie Miss Marshall, termina Sanderson avec un sourire de soulagement.

En passant devant le bureau des admissions, Hawk coula un regard à travers ses cils noirs, vers la femme qui marchait à ses côtés. Elle tremblait et son visage était livide d'angoisse. Il était évident, même pour l'œil étranger de Hawk, que cette angoisse s'adressait à l'homme couché quelque part dans cet hôpital — peut-être en train de mourir.

Hawk atteignit la porte du foyer et l'ouvrit. Ce geste le rapprocha de sa compagne un instant et il sentit un parfum de santal. L'Indien s'irrita contre cette séduisante créature qui, de toute évidence, avait fait la fête avec son père. La jeune femme semblait perdue dans ses pensées, Hawk admira son sang-froid.

— Depuis quand connaissez-vous John Buchanan Faulkner ?

Cette question brutale surprit Lanna, et la choqua par son hostilité. Hawk se radoucit.

— Pourquoi ne vous asseyez-vous pas, Miss Marshall ?

— Non, je ne veux plus rester assise ! éclata Lanna.

— Depuis quand connaissez-vous John Buchanan ? répéta Hawk.

— Depuis juin (Lanna pressa la main sur son front avec un soupir), déjà plus de trois mois...

— Vous êtes infirmière, paraît-il ; comment l'avez-vous rencontré ?

— Un soir que je revenais de mon travail, son camion était en panne sur la chaussée et je l'ai pris dans ma voiture.

Lanna rejeta la tête en arrière, révélant la douce ligne de sa gorge. Elle éclata d'un rire incrédule.

— J'ignorais son nom jusqu'à ce soir, n'est-ce pas incroyable ?

— Il s'appelle John Buchanan Faulkner, déclara Hawk.

Le fait que son père ait caché son identité ne le surprenait guère : l'anonymat lui avait permis d'avoir une aventure avec une femme qui n'avait pas recherché sa condition sociale. Faulkner n'avait-il pas déjà pris comme maîtresse la mère de Hawk, une Navajo qui n'avait aucune idée de sa fortune ? Mais discuter des motivations de son père n'intéressait pas Hawk. Il voulait connaître les détails précis de la situation actuelle.

— J'aimerais savoir ce qui s'est passé au cours de cette soirée, Miss Marshall. Pourquoi cette attaque ?

Lanna baissa les yeux.

— C'était mon anniversaire, John m'avait invitée à dîner.

Champagne, repas aux chandelles... Hawk imagina la scène : son père en train de sourire et de plaisanter, assis à table en face de cette séduisante inconnue. Sa jeunesse et sa beauté avaient dû flatter sa virilité.

— Il n'a pas fait allusion à son malaise. J'imagine qu'il ne voulait pas gâcher cette soirée. Quant à moi, dit Lanna avec un air coupable, je n'ai rien remarqué. Après, nous sommes allés chez moi, je préparais du café et...

— Après quoi, Miss Marshall ? Je ne me soucie pas de vos activités sexuelles, je voudrais simplement savoir si John Buchanan était habillé à l'arrivée de l'ambulance, et s'il était au lit.

— Oui, il était habillé, et pas dans mon lit ! Je ne suis pas sa maîtresse, mais son amie, au sens le plus strict du terme. Pourquoi les gens sont-ils incapables de le croire ?

Lanna se détourna avec un sanglot.

Hawk ne répondit pas, il l'observa en silence. La jeune femme paraissait sincère, peut-être avait-il mal jugé sa relation avec son père. Mais pour l'instant peu lui importait, elle avait répondu aux deux questions fondamentales.

Hawk s'éloigna sans s'excuser, sans offrir de réconfort

à la jeune femme. Il ne souhaitait pas se montrer délibérément dur, l'idée de la consoler ne l'effleurait pas, c'est tout.

Comme il atteignait le bout du couloir, il vit entrer Chad.
Sa veste en poil de chameau cachait une taille épaissie
par l'abus du whisky. Il marchait avec une raideur acquise
dans une école militaire. Pas un seul de ses cheveux châtain doré ne dépassait et son visage bronzé était incroyablement beau. Ses yeux bruns brillèrent d'une lueur froide
en apercevant Hawk.

— Que fais-tu ici ?

Hawk s'éloigna du bureau pour échapper à la curiosité
de l'infirmière impressionnée par la prestance de Chad. Il
désirait que la conversation avec son demi-frère ne fût pas
entendue.

— Katheryn m'a demandé de la conduire ici en avion.

Cette information déconcerta Chad qui n'était pas au
courant du jeu cruel que sa mère jouait avec Hawk. Il
éprouva de la jalousie à le savoir inclus dans le cercle de
famille.

— Carol et Johnny sont-ils ici ?

Chad parcourut le hall du regard, à la recherche de sa
femme et de son fils.

— Non, M. et Mme Rawlins les amèneront en voiture.

— Comment va mon père ? Est-ce qu'il s'en sortira ?

Hawk se demanda si les vautours se posaient de pareilles
questions lorsqu'ils encerclaient une proie. Mais ces animaux, eux, jouaient un rôle vital même si parfois ils n'attendaient pas que la bête soit morte pour se repaître de
sa chair.

— Il est vivant mais il va mal, reconnut Hawk.

Les paupières mi-closes il étudia avec amusement les
efforts de son demi-frère pour se montrer inquiet.

— Où est-il ? Je ferais bien d'y aller, mère a peut-être
besoin de moi.

Hawk prévint le mouvement de Chad vers le bureau :

— Dans l'immédiat, il y a un problème à régler.

— Lequel ? demanda Chad en adoptant tout de suite un
ton de défi.

La bouche de Hawk s'étira d'un côté, en une grimace.

— Il semble que John Buchanan se trouvait chez une
amie lorsqu'il a eu une attaque.

La peau bronzée de Chad se marbra de rage, il serra les
dents.

— Le salaud ! siffla-t-il. Il ne pouvait pas mourir sans nous traîner dans la boue ? Bon sang, qu'allons-nous faire ?

Chad se passa nerveusement les doigts dans les cheveux. Il avait dit « nous ».

— Téléphoner au juge Garvey, conseilla Hawk. Il a obtenu quelques services de John Buchanan. Je suis certain que tu pourras le convaincre de certifier que son ami se trouvait avec lui quand il a eu un infarctus.

— Comment connais-tu Garvey ?

Chad observa son demi-frère, surpris et soupçonneux.

— J'ai entendu parler de lui, répondit Hawk, comme si cette précision n'avait aucune importance.

Chad s'avança vers le téléphone, puis s'arrêta.

— Et la femme ?

— Nous discuterons avec elle dès que ce problème sera réglé.

Après bien des détours, le juge Garvey accepta de témoigner pour préserver la réputation de son ami. Il fallut une demi-heure supplémentaire pour acheter le personnel de l'ambulance afin qu'il n'ébruitât pas la vérité. Pourtant, Hawk savait que l' « histoire » continuerait de circuler. En tout cas, le scandale ne serait pas imprimé. Hawk et Chad revinrent vers le bureau de l'infirmière.

— Maintenant il ne reste plus que la maîtresse, soupira Chad.

— Elle est ici..., commença Hawk, mais son frère lui coupa la parole.

— Ici ? A l'hôpital ?

— Oui, elle a accompagné John en ambulance, précisa Hawk sur un ton morne.

— Où est-elle en ce moment ? Bon Dieu, elle n'est pas avec lui ? Je ne veux pas que mère subisse pareille humiliation !

— Katheryn ignore jusqu'à son existence, mais je suis sûr qu'elle l'apprendra tôt ou tard. Le docteur Sanderson m'a autorisé à la conduire dans le foyer du personnel pour éviter que les journalistes l'interrogent.

— Qu'on la flanque dehors tout de suite ! aboya Chad.

— Elle semble décidée à rester jusqu'à ce qu'on lui ait donné des nouvelles de John ! De plus, elle soutient qu'ils sont de simples amis, ajouta Hawk en se rappelant les protestations véhémentes de la jeune infirmière.

114

— Amis ? John Buchanan Faulkner n'a qu'une façon de traiter les femmes, fit Chad.

Son regard avait condamné Hawk, le mettant dans la même catégorie ; sa femme Carol avait « connu » Hawk, au sens biblique du terme avant le mariage.

— En tout cas elle ne me semble pas du genre à se laisser acheter.

— Sale type, jura Chad, je n'ai jamais compris pourquoi les femmes se laissent avoir par lui, y compris ma mère. Si cette fille l'aime vraiment, nous pourrons la persuader de s'en aller. Je vais lui parler, montre-moi où elle est, ordonna-t-il.

Hawk s'exécuta, mais sans servilité et redescendit le couloir de l'hôpital vers la salle du personnel. Lorsqu'il ouvrit la porte, il vit Lanna qui contemplait la nuit par la fenêtre. En entendant du bruit elle se retourna avec un empressement qui se changea en froideur en reconnaissant Hawk.

Chad chuchota dans le dos de son demi-frère :

— Pour une fois, mon père a du goût !

Ce qui était une insulte directe à la mère de Hawk. Les yeux bleus de l'Indien flamboyèrent un instant, mais il s'abstint de répondre.

Lanna avait cru qu'un membre du personnel de l'hôpital lui apportait des nouvelles de John. Lorsque son regard croisa des yeux bleus insolents, elle se laissa envahir par une colère froide. Jamais elle n'aurait cru que ce diable d'homme aux cheveux de jais oserait revenir après les accusations qu'il avait portées contre elle. Pourtant elle aurait parié qu'il était du genre à tout se permettre.

Ses questions brutales mais franches lui avaient fait réaliser qu'il disait ce qu'une douzaine de personnes pensaient déjà tout bas. Lanna fut encore plus sur ses gardes en apercevant le deuxième homme. Pourtant, il était incroyablement beau — d'une beauté à couper le souffle — et portait des vêtements élégants et coûteux. Lorsqu'il traversa la pièce, Lanna vit qu'il souriait avec gentillesse ; ses yeux noisette étaient lumineux.

— Je suis Chad Faulkner, le fils de John Faulkner.

Cette amabilité, cette force tranquille, lui rappelaient John de bien des façons.

— Je suis venu dès que j'ai pu. Merci d'être restée avec mon père jusqu'à l'arrivée de sa famille, Miss...

Il s'interrompit, attendant que la jeune femme se présente.

— Lanna Marshall.

Lorsque Chad prit la main de Lanna entre les siennes, elle eut envie de pleurer de reconnaissance parce que son chagrin était enfin partagé.

— Co... Comment va-t-il ? Je n'ai aucune nouvelle.

— Etat stationnaire, répondit Chad sur un ton encourageant, vous savez qu'il est solide, c'est un bagarreur !

— Oui.

Le regard de Lanna glissa sur l'homme aux cheveux noirs qui observait en silence, l'air narquois.

— John et moi étions des amis.

Lanna avait précisé sa relation pour prévenir toute mauvaise impression.

— Oui, on m'a dit que vous étiez avec lui quand il a eu son attaque. Cela a dû être pénible.

Lanna éprouva la tentation de se blottir contre l'épaule de cet homme si compréhensif.

— Nous étions en train de célébrer mon anniversaire...

— Inutile de me raconter, l'interrompit Chad, votre anniversaire s'est mal passé à cause de ce qui est arrivé.

Lanna commença à se sentir indigne de tant de sollicitude. Elle se redressa, retira sa main et adressa à Chad un faible sourire pour le persuader que tout allait bien.

Pendant tout ce temps, elle avait eu conscience, en arrière-plan, de cet homme qui observait, distant et impénétrable.

— Lanna, puis-je vous demander un service ?

Chad laissa retomber sa main sur le côté et eut un sourire engageant, auquel on ne pouvait rien refuser. Il reprit :

— Une faveur, mais je ne voudrais pas que vous vous mépreniez.

— De quoi s'agit-il ?·

— Je préférerais que personne ne sache que mon père se trouvait chez vous au moment de l'accident. Quelque innocente qu'ait été votre amitié, une fois que les journaux se seront emparés de l'affaire... Je me refuse à voir ma famille blessée ou déshonorée par les insinuations malveillantes de la presse. Je veux vous protéger, vous et ma mère, mais pour cela il me faut votre aide.

— Que puis-je faire ?

— Je préférerais que vous rentriez chez vous. Hawk vous ramènera.

Devant l'air déçu de Lanna, il ajouta :

— Je promets de vous tenir au courant de la moindre évolution dans l'état de mon père.

— Oui, oui, je comprends, approuva Lanna.

— Merci, Lanna. (Chad eut un sourire désarmant de gentillesse.) Et je vous promets que votre nom ne sera jamais mentionné à côté de celui de John Buchanan.

— Vous êtes très aimable, monsieur Faulkner, murmurat-elle.

— Appelez-moi Chad. Je suis désolé, je ne peux m'attarder davantage, ma mère a peut-être besoin de moi.

— Naturellement, je ne veux pas vous retenir, assura Lanna avec un signe de tête.

Chad passa une main protectrice sur l'épaule de la jeune femme.

— Hawk veillera à ce que vous rentriez chez vous sans embarras. Je vous appelle dès que j'ai des nouvelles !

— Merci encore.

Lanna jeta un regard hostile à l'homme taciturne qui devait l'escorter jusqu'à son appartement. L'individu que Chad appelait Hawk lui renvoya un regard affable, si bien qu'il lui fut difficile de déterminer si cette course l'ennuyait.

Chad s'arrêta sur le pas de la porte pour dire quelque chose, mais Lanna n'entendit pas. L'individu nommé Hawk répondit brièvement, toujours aussi impénétrable. Il restait aux aguets, ne relâchant jamais son attention, même quand il semblait distrait. Lanna se sentit mal à l'aise lorsque Chad sortit de la salle et la laissa seule avec Hawk. Elle proposa :

— Je pourrais prendre un taxi.

L'homme eut un sourire ironique.

— Vous ne voudriez pas contrarier les plans de Chad, n'est-ce pas ? Il se ferait du souci pour vous, et ce n'est pas ce que vous souhaitez.

— Non.

Lanna se demanda pourquoi elle avait le sentiment qu'il s'était moqué d'elle.

CHAPITRE X

Dans les rues, la circulation s'était ralentie à cette heure tardive. Les réverbères projetaient rythmiquement leurs lumières sur la voiture. A chaque intersection, les feux passaient au vert avec une mystérieuse régularité.

Lanna étudiait l'homme assis au volant. L'éclairage électrique faisait luire ses épais cheveux, noirs comme de l'onyx. Son nez légèrement busqué à la naissance avait une arête rectiligne, ses pommettes étaient saillantes, accentuant les joues et les sillons creusés de chaque côté du nez jusqu'aux commissures des lèvres. Des lèvres fines mais non dépourvues d'humour. L'ensemble formait un visage dur, attirant, mais incitant à la méfiance.

C'étaient les yeux qui troublaient le plus Lanna : d'un bleu cobalt profond, contrastant avec la chevelure sombre et la peau tannée. Ces yeux qui faisaient pétiller l'humour et briller l'ironie, qui pouvaient se faire durs comme l'acier, ou tranquilles comme un miroir. Mais parfois aussi, parfaitement neutres. Si les yeux reflètent l'âme, cet homme n'avait pas d'âme.

Un marteau cognait dans la tête de Lanna, encore un peu étourdie par le champagne. Dans la voiture le silence était devenu insoutenable et Lanna eut envie de crier pour rompre la tension.

— Vous travaillez pour M. Faulkner ? demanda-t-elle.

L'homme cessa de surveiller la circulation et scruta le profil de sa compagne dans l'obscurité.

118

— Pas vraiment.

— Vous êtes un ami de la famille, alors ?

Pour Lanna il était l'un ou l'autre, puisqu'il avait de toute évidence la confiance de Chad.

— On pourrait dire ça.

Lanna s'impatienta, elle avait envie de parler, de ne plus penser à John et à l'hôpital. Pourquoi Chad ne l'avait-il pas ramenée chez elle ? Elle s'obstina à poursuivre la conversation.

— Chad vous a appelé Hawk, c'est votre prénom ou votre nom ?

— Mon nom.

— Quel est votre prénom ? continua Lanna.

— Jim, mais personne ne m'appelle ainsi.

— Simplement Hawk ?

— Simplement Hawk.

Il n'y avait rien de simple en lui. Au contraire, il possédait quelque chose qui échappait à la jeune femme, qui le rendait différent des autres.

Elle le fixa intensément. Hawk se tourna et croisa le regard de Lanna, en un défi silencieux. Elle détourna les yeux, s'efforçant de se concentrer sur le spectacle de la rue.

— Tournez à l'angle, ordonna-t-elle.

Son appartement se trouvait quatre blocs plus loin. Lanna regarda par la fenêtre en se caressant la bouche avec le pouce. La peur la submergea au souvenir de l'ambulance qui avait emprunté la même rue quelques heures plus tôt.

— Chad me rappelle énormément son père, remarqua-t-elle, songeuse.

— Oui, il sait parler aux femmes.

Le ton était trop sec pour que cette phrase soit un compliment. Hawk ralentit.

— C'est ici ?

— Oui.

Aussitôt que la voiture se fut arrêtée contre le trottoir, Lanna posa sa main sur la poignée de la portière. Hawk était déjà sur le trottoir. De toute évidence il exécutait les instructions de Chad à la lettre, en la raccompagnant jusqu'à sa porte. Il marcha aux côtés de la jeune femme sans la toucher et lui ouvrit la porte de l'immeuble. Il la suivit dans le hall. Pendant que Lanna cherchait ses clefs au fond de son sac, Mme Morgan émergea du couloir.

— De retour de l'hôpital ? Comment va-t-il ? J'ai vérifié si vous aviez éteint la cuisinière, mais vous aviez oublié de fermer la porte. Comment va votre ami ?

— Très bien, répondit Hawk devançant Lanna, je vous remercie.

Il se plaça entre Lanna et la voisine, signifiant qu'il mettait fin à la conversation. Puis, prenant les clefs des mains de la jeune femme, il ouvrit la porte et poussa Lanna à l'intérieur. La lumière était restée allumée au-dessus de la table. Lanna s'arrêta dans le living, bouleversée par le souvenir de John effondré par terre.

— Je vais demander à Mme Morgan si le téléphone n'a pas sonné avant que nous arrivions. Chad aurait pu appeler de l'hôpital.

— Non.

Hawk la saisit par le bras, l'empêchant de faire un pas.

— C'est moi qui vais téléphoner. Pourquoi ne prépareriez-vous pas du café ?

— Vous... vous restez ? s'inquiéta Lanna, les nerfs à fleur de peau.

Il la frôla et traversa la pièce pour se rendre dans la cuisine où était accroché le téléphone mural, sans répondre à la question. Lanna le suivit et s'approcha du bar. Elle prit le café, posa la bouilloire sur la cuisinière qu'elle alluma. Elle tenta de surprendre la conversation mais Hawk parlait trop doucement pour qu'elle entende.

En enfonçant la cuillère dans le café soluble, la main de Lanna tremblait si fort qu'elle répandit les granulés sur le formica.

— Vous feriez mieux de me laisser faire.

Hawk prit la cuillère et écarta fermement la jeune femme.

— Pourquoi n'iriez-vous pas vous reposer dans l'autre pièce ?

— Je ne peux pas.

Lanna tremblait de la tête aux pieds.

— L'hôpital ? Chad ?

— Aucune nouvelle.

Lanna s'agrippa au rebord du bar pour ne pas tomber et ferma les yeux.

— Vous avez mal à la tête ?

— Oui, répondit-elle avec un rire las.

Ce mot était bien faible pour désigner le martèlement qui lui labourait le crâne.

La bouilloire émit un sifflement aigu, Lanna sursauta. Hawk se glissa jusqu'à la cuisinière et mit fin au bruit strident. Lanna le regarda verser l'eau bouillante dans les tasses ; une mousse brune se forma à la surface. Avec un regard oblique qui semblait évaluer la jeune femme, Hawk sortit de la cuisine. Lanna le suivit, hésitante. Il posa une tasse sur la table du living, garda l'autre dans la main et s'assit sur le canapé vert. Il attendit que Lanna s'installe à son tour. Elle s'assit, les fesses serrées, pétrissant le fin tissu de sa robe étalée sur ses genoux. Cet homme qui la fixait sans un battement de paupières la mettait mal à l'aise.

— Enlevez vos chaussures, vous vous détendrez mieux, conseilla Hawk.

— Non.

Si elle se laissait aller, Lanna serait submergée par ses émotions, ce qu'elle redoutait.

Un instant plus tard, Hawk reposa sa tasse et s'agenouilla devant elle. Sans lui laisser le temps de protester, il lui prit le pied et le déchaussa. Il posa par terre le soulier à haut talon et massa la plante du pied à laquelle la cambrure artificielle avait donné une crampe. Lanna éprouva un soulagement immédiat et reposa son pied sur la moquette pour sentir le contact des poils épais. Hawk répéta l'opération avec l'autre pied. Penché vers la jeune femme, il était si proche qu'elle distinguait ses pores et les petites rides au coin des yeux. Leurs regards se croisèrent ; les narines frémissantes de l'homme rappelaient celles d'un animal sauvage. Il y avait quelque chose de primitif en cet être, une férocité dissimulée sous une façade civilisée. Hawk se releva et posa une main sur l'épaule de Lanna pour l'obliger à s'appuyer sur le dossier du canapé. Un frisson la parcourut, elle laissa sa tête rouler sur le coussin avec délice, libérant les muscles de son cou. Une vague de faiblesse la submergea ; elle ferma les yeux. Sa respiration ressemblait à un sanglot. Si elle s'abandonnait complètement, elle fondrait en larmes. Lorsqu'elle rouvrit les yeux, elle aperçut Hawk debout à côté d'elle.

— Vous n'avez pas besoin de rester, je me débrouillerai seule.

Hawk installa sa grande carcasse dans un fauteuil, près du canapé. Ses yeux exprimaient le doute.

— Vous risquez de ne pas entendre Chad appeler et il

vaut mieux ne l'appeler vous-même, ce qui pourrait éveiller des soupçons.

— Je vois, murmura Lanna. Vous êtes arrivé avec Mme Faulkner ?

— Oui.

Hawk étira ses longues jambes, ses yeux opaques étaient braqués sur Lanna.

— John m'a dit qu'elle n'habitait pas ici, mais dans un ranch dans le nord. C'est vous qui l'avez conduite à Phoenix ?

— Oui. Après l'appel de l'hôpital elle m'a demandé de piloter l'avion.

Hawk était donc pilote.

— Le ranch appartient à John ?

— Oui.

— Où habite-t-il ? Une fois il m'a parlé du nord ; des « Quatre Coins ».

Lanna s'étonnait de connaître si peu de détails sur John.

— Oui, mais il n'y vivait plus depuis plusieurs années, il se contentait d'y séjourner une ou deux fois pendant l'été.

Hawk semblait plus intéressé par son café que par la conversation. Quant à Lanna, elle désirait à la fois satisfaire sa curiosité et se changer les idées.

— Vous dirigez le ranch de John ?

— Non, cette tâche incombe à un type nommé Tom Rawlins.

— Vous vivez au ranch, pourtant, n'est-ce pas, Hawk ?

C'était étrange comme ce nom lui était venu naturellement.

— Oui, je... j'y habite.

L'hésitation était si imperceptible que Lanna aurait pu croire qu'elle l'avait imaginée.

— Et vous y travaillez ?

Une fine ride plissa le front de Lanna.

— Quelquefois. Buvez plutôt votre café avant qu'il ne refroidisse.

Le ton était ferme mais non impératif. Lanna prit entre ses deux mains la tasse qui se trouvait sur la table et but le liquide brûlant, qui la calma momentanément.

— Et vous, où travaillez-vous ? demanda Hawk quand elle eut bu une deuxième gorgée.

Lanna commença à parler d'elle, réalisant soudain que

122

Hawk avait changé de sujet. Peu lui importait, elle n'avait pas la force de reprendre la conversation précédente. Elle s'abandonna à l'évocation du passé : les endroits où elle s'était rendue avec John, les soirées paisibles passées en sa compagnie. En quelques mois, elle avait accumulé de bons souvenirs.

Lanna ne se rendit pas compte qu'elle pleurait jusqu'à ce qu'elle sentît une larme couler sur sa joue. Elle l'essuya d'un geste machinal.

— Je vous ennuie avec mes histoire, excusez-moi.

Elle reposa sa tasse sur la table, étonnée de l'avoir terminée. Hawk haussa les épaules avec indifférence.

— Vous aviez besoin de vous confier. Je vais me refaire du café.

Il se dirigea vers la cuisine.

— Vous n'appelez pas l'hôpital ?

Lanna se sentait frustrée de ne pas connaître le dénouement. Hawk continua à marcher vers la cuisine sans répondre. Avec une lenteur délibérée, il remit la bouilloire à chauffer et versa une cuillerée de café dans sa tasse. Persuadée qu'il feignait d'ignorer sa requête, Lanna fut soulevée d'une rage impuissante. Mais pendant que l'eau chauffait Hawk fit le numéro de l'hôpital. Lanna attendit anxieusement.

— Rien, déclara-t-il en revenant préparer son café.

— C'est impossible, éclata Lanna, la situation a évolué pendant tout ce temps, il y a eu des changements !

— Vous êtes infirmière : peut-être y a-t-il eu des changements, mais ils ne sont pas déterminants.

Lanna fut obligée de se ranger à sa logique. Elle se passa la main sur le front.

— Vous avez besoin de repos, observa Hawk. Pourquoi ne pas aller au lit ? Demain matin...

— Non !

Elle avait rejeté sa proposition d'un geste brusque, ce mouvement incontrôlé révélant son agitation.

— Je ne veux pas me coucher sans savoir, je ne dormirais pas. Vous ne pouvez comprendre, vous n'êtes pas assez proche de John.

— Je vous signale que ses amis et sa famille l'appellent John Buchanan, précisa Hawk, signifiant par là qu'elle ne connaissait pas vraiment Faulkner.

Il aborda un autre sujet.

— Où êtes-vous née ? Pas en Arizona, j'imagine ?

Lanna parla brièvement de son enfance dans le Colorado, de la mort de sa mère, et du mariage de son père alors qu'elle était étudiante. Mais il était difficile de se confier, Hawk n'était pas John !

Les yeux gonflés de larmes, Lanna examina son appartement : il commençait à ressembler à un « chez soi » depuis qu'elle avait fait la connaissance de John. Elle regarda ensuite Hawk, lointain, indifférent à sa douleur. Elle se leva, révoltée, fit quelques pas et se croisa les bras en un geste de détresse.

— Je me sens tellement faible en face de vous, et si honteuse de cette faiblesse !

Elle se frotta les coudes, et des larmes jaillirent de ses yeux, ruisselèrent sur ses joues. Elle serra les lèvres pour réprimer les sanglots qui lui secouaient les épaules. Elle baissa la tête, une mèche brune lui cacha le visage.

Une main lui toucha le bras ; elle essaya de se retirer, mais n'eut pas le courage d'aller jusqu'au bout et se retrouva plaquée contre un torse musclé. La force de l'homme la réconforta. Hawk serra la jeune femme contre lui, et elle mouilla sa chemise de larmes. Tout en sanglotant, elle luttait pour se dominer.

— Je parie que vous faites partie des types qui détestent voir les femmes pleurer, déclara-t-elle d'une voix tremblante.

— C'est plutôt le style de Chad, en effet, reconnut Hawk.

Le ton était plus amusé que critique.

— C'est tellement long...

Elle s'essuya le visage et baissa la tête.

— Je tente de me persuader que pas de nouvelles veut dire bonnes nouvelles...

A ce moment, la sonnerie du téléphone retentit. Lanna poussa un faible cri et se déroba à l'étreinte de Hawk.

— Je réponds.

Il avait posé sa main sur l'épaule de la jeune femme pour l'inciter à rester. Lanna n'eut pas la force de bouger, tandis que d'un pas élastique Hawk couvrait la distance qui le séparait du récepteur. Il se tourna vers elle et porta l'écouteur à son oreille. Lanna se tint immobile, à l'écoute, les muscles tendus. Ses réponses monosyllabiques ne lui apprirent rien. Elle scruta le visage de Hawk à la recherche d'une réaction, mais n'y lut rien. Lorsqu'il se retourna pour reposer l'appareil, Lanna retint son souffle.

— Où est le whisky ?

— Le whisky ? souffla-t-elle. Qu'est-ce que ça à voir... N'était-ce pas Chad ? Et qu'a-t-il dit ? Comment va John, son état s'est-il enfin stabilisé ?

Hawk ouvrit au hasard un placard du living, en sortit une bouteille de whisky à moitié pleine et un verre, sans répondre. Il s'approcha de Lanna. Le verre cogna contre la bouteille.

— C'est fini, dit-il crûment, il est mort à deux heures.

Lanna posa une main sur sa bouche pour étouffer un cri. Le sang s'était retiré de son visage, la tête lui tournait. Avant que ses genoux ne fléchissent complètement, Hawk l'entoura de son bras pour l'empêcher de tomber, et la conduisit vers une chaise. Lanna se laissa tomber comme une masse, figée par l'incrédulité. Hawk vint à elle et enleva le bouchon de la bouteille.

— Ce n'est pas vrai, il n'est pas mort !

La voix de Lanna était plus ténue qu'un fil.

— Buvez.

Hawk pressa le bord froid et lisse du verre contre les lèvres de la malheureuse pour la forcer à les entrouvrir. Elle respira l'odeur de l'alcool avant de sentir le liquide tiède dans sa bouche. Un instant, sa gorge fut comme anesthésiée, puis Lanna fut prise d'une toux spasmodique.

— Buvez un peu plus, ordonna Hawk.

La brûlure de l'alcool dissipa l'hébétude, faisant place à la douleur. Elle recommença à pleurer, enfouissant sa tête dans ses mains pour cacher ses larmes. Elle n'avait nullement conscience de l'homme, debout derrière le dossier de la chaise, en train de fixer le verre qu'il tenait. Soudain Lanna pleura toutes les larmes de son corps... Le monde ne lui avait jamais paru si solitaire et lugubre.

— Encore.

Une main basanée lui tendit à nouveau le verre de whisky. Dans un frisson, elle saisit le verre et le porta à ses lèvres. Cette fois elle s'attendait au goût de l'alcool, sa gorge se serra, mais elle ne toussa pas. Elle se pencha en arrière et fixa le plafond, laissant le whisky embrumer ses sens. Elle ferma les paupières, et fut parcourue par un immense frisson. Quelque chose bougea tout près. Lanna rouvrit les yeux et vit Hawk : penché sur elle, il ne tenait plus la bouteille ni le verre. Il glissa un bras sous le dos de la jeune femme.

— Qu'est-ce que vous faites ? demanda-t-elle dans une sorte de brouillard.

— Le lit, c'est tout ce dont vous avez besoin.

Il glissa l'autre bras sous ses genoux, la souleva et la porta dans sa chambre. Lanna ne protesta pas et s'agrippa à son cou pour se blottir contre son torse. Sa tête roula sur une épaule. Elle trouva un vague réconfort dans la force et la solidité de cet homme.

Dans la chambre, Hawk la remit debout, le temps d'éclairer. Lanna ne le quitta pas des yeux, titubante ; elle éprouvait le besoin qu'il la prenne par la main. Il revint vers elle et dégrafa sa robe. Elle ne fit aucune tentative pour l'aider ou l'en empêcher. Il fit glisser de ses épaules la robe qui s'étala autour de ses chevilles.

Ce geste plongea Lanna dans le passé, vers les souvenirs enfouis de son enfance ; une fois, elle s'était endormie dans la voiture de son père et il l'avait portée jusqu'à sa chambre où il l'avait déshabillée et mise au lit. Hawk lui enleva son soutien-gorge, puis son slip.

— Où est votre chemise de nuit ? s'enquit-il, impassible.

Lanna lui jeta un regard vide. Elle avait l'habitude de porter un pyjama : ne pouvait-il deviner que celui-ci se trouvait sous l'oreiller ? Hawk se retourna pour enlever le dessus de lit, souleva Lanna et la déposa sur le matelas moelleux. Il rabattit les draps sur elle avant de s'éloigner.

Un déclic d'interrupteur, et la chambre fut plongée dans l'obscurité. La porte du passé claqua dans la tête de la jeune femme, une vague de panique s'engouffra dans tout son être.

— Hawk ! appela-t-elle, poussée par une force incontrôlable.

Elle se redressa sur les coudes et distingua une silhouette dans l'encadrement de la porte.

— Oui ?

— Ne partez pas, ne me laissez pas !

Hawk revint vers le lit et baissa les yeux sur le pâle visage. Son regard glissa sur le renflement du drap, à l'endroit des seins.

— Dormez, dit-il.

— J'ai peur, avoua Lanna, je ne veux pas rester seule.

126

Il écouta ces paroles dans une immobilité de pierre, puis le matelas s'affaissa sous le poids de son genou.

— Poussez-vous, ordonna-t-il.

Lanna glissa de l'autre côté du lit, Hawk s'allongea à la place de la jeune femme et passa un bras sous elle. Elle eut un frisson de soulagement en retrouvant cette force virile. Elle s'agrippa à sa chemise pour sentir le souffle régulier qui soulevait la poitrine de Hawk. Enfin elle appuya son front contre la pommette saillante.

— Ça paraît déraisonnable, murmura Lanna, mais je me sens si vide à l'intérieur, c'est effrayant.

Elle avait parlé contre sa peau. Hawk bougea la tête sur l'oreiller et se tourna vers elle. Elle sentit des lèvres fermes sur les siennes. Une main lui caressa le creux des reins, une autre se glissa dans ses cheveux. Tout d'abord, le baiser ne fut qu'une bouche pressant une autre bouche mais très vite Lanna se sentit réchauffée par une flamme de vie. Lorsque les lèvres de l'homme explorèrent les siennes elle put répondre.

Des mains la caressèrent lentement, bouleversant sa chair à chaque touche. Les sens de la jeune femme, engourdis par la douleur, s'éveillèrent insensiblement. Sous ses doigts elle sentit les battement accélérés du cœur de son compagnon. Peu à peu, elle prit conscience d'un corps allongé, de grandes jambes musclées sous l'étoffe du pantalon, de hanches dures, du rempart à la fois souple et ferme du buste et des épaules — une virilité à l'état pur, puissante et rude. Petit à petit, le corps de Lanna s'emplit d'existence. Les ombres de la peur faisaient place aux feux du désir. Une sensation succédait à l'autre : une main se promenait sur sa hanche, son ventre, son sein, des dents jouaient avec ses mamelons.

Tout à coup on l'abandonna. Elle se retrouva seule au lit, perdue, à la dérive, souffrant d'une peine nouvelle. Ses oreilles tintaient frénétiquement. Désespérée de n'avoir étreint qu'un rêve, Lanna s'enfonça dans une souffrance obscure et vide.

— Non !

Son cri était beaucoup plus qu'une protestation. Le matelas s'affaissa de nouveau sous le poids d'un corps. Une forme masculine se moula contre elle. Des baisers la marquèrent au fer rouge, la transportant à des hauteurs vertigineuses. L'acte de procréation devenait une promesse de vie renouvelée. Lanna découvrait des horizons inconnus, glorieux, des extases lumineuses dont la beauté la transportait sur ses ailes d'or. Lorsqu'elle redescendit de ces sommets, Lanna était trop épuisée pour savoir où on l'avait emmenée. Elle voulait se reposer un instant, elle ne redoutait plus les cauchemars.

L'aube pointait lorsque Hawk se dégagea du corps endormi au creux de ses bras pour se glisser hors du lit. A la lumière des premiers rayons du jour, il contempla le visage apaisé, encadré par une cascade de cheveux bruns luisants. Il fut tenté de toucher la courbe généreuse des lèvres ; le désir s'éveilla à nouveau. Pourtant, il tira les draps sur la nudité du corps. Il tendit la main vers ses vêtements.

CHAPITRE XI

LANNA ÉMERGEA PROGRESSIVEment du sommeil. Elle était blottie dans un bien-être et une chaleur bienfaisants et appréhendait de perdre cette sensation, sûre que quelque chose de déplaisant l'attendrait lorsqu'elle ouvrirait les yeux.

Les rayons du soleil pénétrant dans la chambre éblouirent la jeune fille à travers ses paupières. Elle changea de place pour leur échapper et retrouver par le sommeil son rêve si agréable. Ce mouvement déclencha une douleur lancinante dans ses tempes.

— Pourquoi ai-je bu autant de champagne ? grogna-t-elle en repoussant les draps.

Cela la frappa comme un coup : John était mort. Elle s'assit sur le bord du lit, essayant de reconstituer les douloureux événements de la nuit, qui se succédaient en désordre dans son esprit. Les sensations les plus incertaines se situaient juste avant qu'elle ne se soit endormie. Lanna jeta un coup d'œil par-dessus son épaule sur le lit vide. Aurait-elle rêvé ? Hawk lui avait-il fait l'amour cette nuit ? Elle se rappelait vaguement lui avoir demandé de ne pas la laisser seule. Elle était presque sûre qu'il était resté, mais avait-il couché avec elle ?

Pourquoi sa mémoire était-elle donc si embrouillée ? Elle avait abusé du champagne, mais elle se souvenait aussi de tout le whisky que Hawk lui avait versé dans la gorge. Lanna frissonna, en réalisant soudain qu'elle était nue. Pourquoi son père ne lui avait-il pas mis son pyjama, hier soir lorsqu'il l'avait déshabillée pour la mettre au lit ? Mais non, ce n'était pas son père. C'était Hawk. Lanna se rappelait ; elle les avait confondus la veille. Alors Hawk lui avait peut-être fait l'amour, sinon pourquoi l'aurait-elle rêvé ? Mais pourquoi l'avait-elle laissé faire ? A moins qu'elle n'ait été trop ivre pour lui résister... Si seulement elle pouvait se débarrasser de ce martèlement dans le crâne, elle aurait les idées plus claires.

Un coup frappé à la porte résonna dans l'appartement. Il fallut plus d'une seconde à Lanna pour comprendre que ce n'étaient pas les battements dans sa tête qui s'amplifiaient. Il y avait quelqu'un à la porte, probablement Mme Morgan, songea-t-elle ; la voisine devait s'inquiéter et vouloir s'assurer que tout allait bien. Lanna posa une main sur son front désirant de toutes ses forces que sa voisine s'éloigne. Les coups à la porte se firent insistants.

Lanna glissa un regard vers le réveil sur la table de chevet, il était presque midi. Si elle n'ouvrait pas, sa voisine alerterait le propriétaire. Lanna attrapa sa robe de chambre au pied du lit et se leva en titubant. Elle eut quelques difficultés à trouver les emmanchures, puis réussit à enfiler le vêtement. On frappait toujours.

— J'arrive, lança-t-elle, excédée.

Elle noua sa ceinture et se précipita hors de la chambre. Lorsqu'elle ouvrit, ce n'était pas Mme Morgan qui se tenait derrière la porte. Lanna sursauta en reconnaissant Chad Faulkner. Ses yeux d'un brun lumineux glissèrent sur l'échancrure de la robe de chambre, balayèrent les cheveux emmêlés de la jeune femme.

— Bonjour, réussit-elle enfin à articuler.

Encore à demi inconsciente, elle repoussa une mèche de cheveux.

— Je m'éveille à peine...

— Je commençais à m'inquiéter, car vous ne répondiez pas.

Le jeune homme portait un costume sombre, dont la sobriété contrastait avec sa tenue sophistiquée de la veille.

Son sourire s'invitait.

— Puis-je entrer ?

— Oui..., bien entendu.

Elle s'écarta pour lui céder le passage et rajusta sa robe de chambre pour être plus présentable.

— Je... je suis désolée pour votre père.

— Je vous remercie.

Chad scruta avec inquiétude les traits tirés de la jeune femme.

— Comment vous sentez-vous ce matin ?

— Aussi mal que j'en ai l'air, probablement.

Lanna essaya de rire, mais cet effort réveilla la douleur dans sa tête.

— Même comme ça, vous êtes très attirante, Lanna, assura Chad. Je suppose que vous le savez.

Lanna était trop vulnérable pour accepter ce compliment en toute simplicité. Elle n'avait plus désiré d'homme depuis la rupture avec son amant. Sauf cette nuit, peut-être, en faisant l'amour avec Hawk. S'il lui avait fait l'amour. Elle jeta un regard oblique sur l'annulaire gauche de Chad ; il ne portait pas d'alliance.

— Merci d'avoir appelé cette nuit. Voulez-vous un café ?

Elle esquissa un pas en direction de la cuisine.

— Non, pas pour moi, mais, je vous en prie, faites-en une tasse pour vous. Je vous dois des excuses pour vous avoir réveillée ! Chad sourit : Je n'ai pas pensé une minute que vous pouviez être au lit.

— Je me suis couchée tard cette nuit.

En entrant dans la cuisine, Lanna aperçut la bouteille de whisky et le verre vide sur le bar. Chad qui l'avait suivie nota son regard.

— Vous avez passé un mauvais moment, n'est-ce pas ? J'espère que ça vous a facilité les choses, ajouta-t-il en faisant allusion au whisky.

— Ça m'a aidée à oublier, admit-elle.

Elle lissa une mèche de cheveux derrière son oreille, puis la laissa retomber.

— Je n'étais pas dans mon état normal, je n'ai même pas remercié Hawk de m'avoir tenu compagnie.

Soudain elle réalisa que l'attitude du jeune homme n'avait pas été dictée par la gentillesse.

— Oh, je sais pourquoi il est resté, assura Lanna en ajoutant de l'eau dans la bouilloire, et je comprends que vous ne vouliez pas que j'appelle l'hôpital, les gens auraient pu se faire des idées fausses.

— C'est une toute petite partie de la vérité ; en fait, je ne voulais pas que vous restiez seule.

Chad s'approcha de la jeune femme avec une expression

inquiète. L'intérêt qu'il manifestait était fort différent des manières distantes de Hawk.

— Je vous demande de me croire.

Un parfum d'eau de Cologne excita les sens de Lanna. Le regard de Chad lui faisait croire qu'elle était la seule femme dont il se souciait.

— Vous êtes très aimable de vous préoccuper de moi, monsieur Faulkner.

Lanna avait la gorge nouée. Elle posa la bouilloire sur la cuisinière, mais oublia d'allumer le gaz.

— Je suis sûre que vous avez une famille, un métier, des quantités de choses importantes à faire.

— Je vous considère comme une chose importante, Lanna. D'ailleurs, appelez-moi Chad. Vous étiez très proche de mon père ces derniers mois. J'espère que plus tard nous ferons plus ample connaissance.

Une vague de plaisir submergea Lanna. Peut-être ne serait-elle pas si seule, après tout.

— Je le souhaite aussi, avoua-t-elle simplement.

Chad ne semblait pas être homme à prononcer des paroles vides, et elle fut soulagée de le savoir libre.

— Je suis passé chez vous pour m'assurer que vous alliez bien et vous certifier que votre nom ne serait mentionné dans aucun article de presse. Officiellement, mon père a succombé à une attaque au cours d'une visite au juge Garvey, un ami intime de la famille, qui habite tout près d'ici, expliqua Chad.

Il sortit une carte de visite de la poche intérieure de sa veste.

— Ne vous laissez interviewer par personne, et si quelqu'un vous interroge appelez-moi immédiatement. Je m'en occuperai. Je ne veux pas que vous soyez victime de commentaires offensants.

Personne ne s'était jamais soucié de protéger sa réputation, excepté John. Elle avait toujours pensé que cette forme de galanterie appartenait à l'ancien temps. Au moment où Lanna tendit la main pour prendre la carte, Chad la saisit entre ses doigts. Cette vision était plaisante, Lanna ne détourna pas les yeux.

— Je ne veux pas vous voir blessée par quoi que ce soit, Lanna, c'est ce que mon père aurait souhaité.

Lorsque le jeune homme lui prit le menton, Lanna s'avança vers lui sans s'en rendre compte. Elle frémit au contact des lèvres chaudes qui l'embrassaient avec passion. A regret, Chad se redressa pour observer la réaction de la jeune femme. Il craignait de l'avoir froissée.

— Pardonnez-moi, s'excusa-t-il contre toute attente, je n'aurais pas dû. Je comprends pourquoi mon père vous trouvait irrésistible.

— Nous étions amis, rien de plus.

Lanna était désolée de voir Chad regretter le baiser qui lui avait à elle donné tant de plaisir.

— Oui, je me souviens, mais quand je vous touche... disons que ça n'éveille pas en moi des sentiments platoniques.

Lanna approuva en frissonnant. Cet homme la troublait et elle était heureuse de voir ce sentiment partagé. Avec son charme, Chad devait séduire toutes les femmes. Soudain dégrisée, Lanna se souvint qu'il était le fils de John Buchanan, et qu'il venait d'hériter d'une fortune qui le mettait hors de portée. Pourtant John ne s'était jamais soucié de savoir si elle était pauvre ou riche, si elle appartenait à la classe des travailleurs. Chad n'était-il pas fabriqué dans le même moule ? Elle supposait qu'il devait être l'aîné, puisque John avait dit que celui-ci lui ressemblait.

Chad s'éloigna de la jeune femme.

— J'aimerais vous tenir compagnie plus longtemps, mais j'ai tout un tas de choses à régler, déclara-t-il, désolé.

— Quand aura lieu l'enterrement ? Je souhaiterais assister aux funérailles... enfin, si je peux.

Elle lui avait demandé la permission, de peur que sa présence ne soulève des questions indiscrètes.

— Naturellement, vous le pouvez. Etant donné que mon père était une personnalité très connue, il y aura une grande cérémonie. Si quelqu'un vous interroge — ce dont je doute —, dites simplement que vous connaissez la famille, précisez que vous me connaissez.

— J'aurais trouvé injuste de ne pas assister aux obsèques de John, mais j'aurais compris que vous ne vouliez pas créer d'incident non plus, dit Lanna.

— Je sais : vous êtes la dernière personne à vouloir des histoires, je n'ai pas le moindre doute à ce sujet.

Il eut un air à la fois satisfait et approbateur qui se transforma bientôt en inquiétude.

— Tout ira bien, si je vous laisse maintenant ?

— Oui, promit-elle.

Chad hésitait encore.

— Pourrai-je vous appeler la semaine prochaine, lorsque les choses auront repris leur cours normal ?

Il souhaitait la revoir ; cette certitude fit briller les yeux de Lanna.

— Je vous en prie. Je suis à la maison presque tous les soirs, sauf lorsque je sors faire des courses.

— Alors je vous téléphonerai avant de passer.

Chad se dirigea vers la porte. Après son départ, Lanna sourit. Maintenant elle avait des raisons de croire au lendemain.

Elle regarda la bouilloire et s'aperçut qu'elle n'avait pas allumé le gaz.

La voiture louée, dernier modèle, conduite par Hawk, ralentit et prit l'allée encadrée par deux colonnes d'argile. De chaque côté de la surface d'asphalte, la terre brûlée par le soleil était soulignée par un jardin de figuiers de barbarie et de cactus. Le chemin obliqua devant une maison en adobe pleine de coins et de recoins, surmontée par un toit de tuiles rouges. Hawk gara la voiture devant l'allée de pierre qui menait à la porte principale. Il s'avança à longues enjambées vers la porte sur laquelle on avait accroché une petite couronne mortuaire noire. Il sonna et attendit qu'on lui ouvre. Pendant ce temps ses yeux bleus parcouraient le ciel et la chaîne de montagnes qui formait une tache sombre au loin. Il se retourna dès que la porte s'ouvrit. C'était Carol, sa mince silhouette était revêtue d'une robe coûteuse, noire. Elle esquissa un sourire de bienvenue.

— Entre, Hawk.

Elle ouvrit grand la porte et s'effaça. Ses cheveux blond doré avaient une coupe courte qui la rajeunissait. Comme toujours, ses yeux d'un vert lumineux cherchèrent ceux de Hawk. Il ignorait ce qu'elle voulait, peut-être le pardon, même après tout ce temps.

Il franchit le seuil et marcha sur les carreaux vernissés du hall, pendant que Carol fermait la porte derrière lui.

— Je vais à l'aéroport, je me suis arrêté pour vous informer que je rentrais au ranch.

Personne ne désirant sa présence, Hawk n'avait pas l'intention de s'attarder dans les parages.

134

— Tu ne viens pas à l'enterrement lundi ? insista Carol.

— Non.

— Mais...

Il ne la laissa pas terminer et déclara en levant un sourcil :

— Les enterrements sont votre façon de vous occuper des morts, pas la mienne.

— Qui est là, Carol ? demanda une voix d'homme.

Tom Rawlins apparut sous la voûte en mosaïque qui conduisait à un spacieux living. Il s'arrêta à la vue de Hawk, les narines frémissantes de colère. Au cours des années son visage, terriblement durci, était devenu celui d'un vieil homme.

— Qu'est-ce que tu fais ici, Hawk ?

— Je ne suis pas venu vous présenter mes condoléances, rassurez-vous !

L'ironie étira la bouche de Hawk, tandis qu'il poursuivait :

— Je venais seulement vous annoncer que je rentrais.

— Alors va-t'en, tout de suite.

Rawlins désigna la porte.

— Papa, s'il te plaît ! fit Carol sur un ton irrité.

— Pas d'ordres, Rawlins, ou je pourrais bien changer d'avis.

— Ça n'est pas le moment de se disputer, 'pa, déclara Carol qui voulait empêcher son père de faire un esclandre.

Il jeta un dernier regard à Hawk et tourna les talons. Hawk sentit ses muscles se tendre, il regarda Carol avec un calme feint. Depuis qu'elle l'avait « trahi », elle avait intercédé plusieurs fois auprès de son père.

— Je suis désolée, s'excusa-t-elle.

— Il y a longtemps que ça n'a plus aucune importance, Carol, répliqua Hawk.

Il la vit tressaillir. Elle ouvrit la bouche pour protester, mais fut interrompue par des bruits de pas. Hawk fixa le jeune garçon qui venait de foncer dans la pièce, le visage illuminé par un sourire. Le gamin était la fidèle réplique de John Buchanan — depuis les cheveux foncés jusqu'aux yeux bleus qui paraissaient rire.

Le garçon l'accueillit avec enthousiasme :

— Grand-papa Tom dit que tu rentres au ranch en avion. Tu m'emmènes ?

— Johnny ! dit Carol sur un ton réprobateur, tu sais qu'on

enterre ton grand-père lundi. Que diraient les gens si son petit-fils était absent ?

— 'Man, se plaignit le gamin de douze ans, je n'aurais plus l'occasion de monter le nouveau cheval que papa m'a acheté ! Après l'enterrement je retourne au collège.

— Parfois. je ne te comprends pas, Johnny Faulkner, fit Carol, tu préfères monter à cheval plutôt que montrer du respect à ton grand-père en assistant aux obsèques. Que penseraient les gens s'ils savaient ?

Hawk eut un sourire forcé, ses yeux s'agrandirent, moqueurs.

— C'est très important, Johnny, ce que les gens pensent, tu dois écouter ta mère, elle sait de quoi elle parle.

Carol eut un brusque mouvement de tête ; elle était devenue pâle. Hawk se demanda pourquoi il avait fait allusion à sa peur de l'opinion des autres — peut-être parce qu'elle en avait parlé la première, peut-être aussi parce qu'il ne voulait pas que Johnny ait l'esprit étroit et borné de ses parents et grands-parents.

— Mais toi, tu ne vas pas non plus à l'enterrement, Hawk, ιui rappela Johnny. J'ai entendu grand-père Tom le dire à mammie.

— La différence, petit, c'est que personne ne se préoccupera que j'y assiste ou non.

C'était la pure vérité. En outre, bien qu'il ne crût plus à l'existence de fantômes hantant les vivants, Hawk ne voyait aucune raison d'accompagner à sa dernière demeure un corps rempli de formol et couché dans une boîte.

— Pourquoi ? insista Johnny.

Hawk rit doucement et remarqua l'embarras de Carol.

— Je te ferai la réponse que John Buchanan m'a faite lorsque j'avais ton âge : quand tu seras assez vieux pour comprendre, on n'aura plus besoin de t'expliquer.

Hawk se retourna et mit la main sur la poignée de la porte au moment où retentissait la cloche de l'entrée. Il ouvrit et reconnut l'homme chauve ; c'était Benjamin Calder, l'un des avoués de Faulkner. Il semblait mal à l'aise.

— Je suis attendu.

Calder s'était adressé à Carol, qui s'était mise à côté de Hawk, une main possessive sur l'épaule de son fils Johnny.

— Oui, monsieur Calder, donnez-vous la peine d'entrer.

Hawk se dirigea vers une encoignure et se glissa dans

l'ombre d'une grosse fougère tandis que l'avoué entrait. Au moment où Hawk faisait mine de s'en aller un claquement de talons attira son attention. Il reconnut aussitôt le pas de Katheryn. Il n'avait plus revu sa belle-mère depuis la nuit à l'hôpital.

— Enfin, vous voilà, Ben.

Katheryn accueillit l'avoué avec impatience. Elle aussi était habillée de noir, mais ne semblait pas triste, seulement en colère. Elle ne remarqua pas Hawk, dissimulé dans l'ombre près de la porte.

— Que signifie cette absurdité ? Un autre testament ?

L'homme de loi pâlit sous l'attaque.

— Ce n'est pas « une absurdité », madame Faulkner, John Buchanan l'a rédigé il y a un mois.

— Qui est le principal bénéficiaire ? Dieu me garde, s'il a déshérité Chad en faveur de ce maudit bâtard, je jure de...

Elle s'interrompit brusquement en apercevant Hawk.

— Poursuivez, Katheryn.

Les lèvres de Hawk se retroussèrent en un sourire narquois ; ça devenait intéressant.

— Tu n'auras pas un sou !

La haine alluma une lueur jaune dans les yeux de Katheryn. Elle ressemblait à un puma qui défend son petit.

— Je t'en fais le serment. Cette Navajo qui t'as enfanté était une putain, je pourrais trouver une douzaine d'hommes aux yeux bleus comme les tiens. Ce sera la plus courte bataille à laquelle tu auras jamais assisté, mon cher Hawk.

— Maintenant que John Buchanan est mort, vous pouvez sortir tout ce que vous avez refoulé durant ces années, Katheryn.

Les menaces ne touchaient pas l'Indien. Personne ne pouvait lui faire de mal. L'avoué, cramoisi, s'efforçait d'avoir une contenance.

L'attitude de Hawk excita encore Katheryn.

— Rawlins aurait dû te tuer quand il t'a découvert, en train de violer sa fille.

Katheryn ignora la brève exclamation de Carol. Hawk vit Johnny qui écarquillait les yeux, ébahi. Le garçon devrait apprendre l'histoire tôt ou tard. Hawk regrettait seulement que ce fût dans ces circonstances.

— Tout le monde, poursuivit Katheryn, a remarqué la façon dont Carol se comporte avec toi. Elle a peur de te rencontrer, peur de ce que tu pourrais lui faire. Tu ne feras plus chanter personne.

L'avoué interrompit Katheryn :

— Excusez-moi, madame Faulkner, j'ignore de quel homme vous voulez parler... mais...

— Permettez-moi de me présenter, monsieur (Hawk s'avança, les yeux brillant d'une flamme dangereuse), je m'appelle James Blue Hawk.

L'avoué eut un geste vague et continua à fixer Mme Faulkner.

— Ce monsieur... je veux dire M. Hawk... n'est pas le principal bénéficiaire.

Il s'empressa de rassurer ce dernier :

— Vous héritez de la moitié du ranch et de l'argent liquide, l'autre moitié revient à M. Chad, mais...

— Mais quoi, Ben ? interrogea Katheryn sur un ton impatient, vindicatif même.

— L'essentiel de ce que possédait votre mari se trouve à Phœnix et il a tout laissé à une certaine... Miss Lanna Marshall.

Cette déclaration provoqua un silence de mort. Hawk rejeta la tête en arrière et partit d'un rire énorme qui résonna dans toute la pièce : il riait de lui, des autres et de John Buchanan, qui les avait tous eus !

Enfin Hawk se retira et gagna la porte d'entrée. Il l'ouvrit. A ce moment-là une voiture s'arrêta, Chad en sortit. En apercevant son demi-frère, ses traits s'altérèrent. Il marcha vers lui et demanda :

— Que fais-tu ici ?

Une lueur diabolique traversa les yeux de Hawk.

— Je partais, cher frère. Désolé de ne pas être là pour voir ta tête lorsque tu apprendras que tu fais partie des déshérités.

Un vent chaud et sec soufflait sur le cimetière, emportant la prière du pasteur loin de Lanna. Tête nue, elle se tenait à l'écart des personnes en deuil rassemblées autour de la fosse. Elle n'avait pas de robe noire et, bien que ce ne fût pas une tenue idéale pour un enterrement, elle portait un ensemble en jersey couleur café, qui mettait en valeur ses cheveux châtains soulevés par le vent.

Le ciel obscurci par la poussière était envahi par un

soleil brûlant. Il desséchait la terre aride et soulignait les particules de sable que le vent soulevait en rafales autour des silhouettes sombres.

Par-dessus les têtes, Lanna voyait clairement le luxueux cercueil, poli, recouvert de gerbes et de couronnes. La famille se tenait dans un silence grave. Lanna remarqua combien les traits de Chad étaient creusés par la mort de son père et la peine de ces jours derniers. Comme s'il avait senti le regard de la jeune femme, Chad leva les yeux dans sa direction. Les muscles de ses mâchoires se durcirent.

D'un côté, se tenait sa mère, la veuve de John. Sa silhouette noire, bien que fièrement dressée, semblait fragile, dissimulée sous un voile en crêpe noir. Lanna devina que Mme Faulkner appartenait à ces créatures qui jouent la note tragique avec le plus parfait naturel.

De l'autre côté se trouvait une autre femme en deuil, mais elle ne portait pas de voile et ses cheveux d'un blond doré étaient coiffés en chignon. Elle tenait par la main un jeune garçon vêtu d'un costume et d'une cravate foncés ; il ressemblait tellement à John que Lanna en déduisit que c'était son petit-fils.

Le regard de la jeune femme revint au cercueil. Sa gorge se serra à la pensée de l'ami qui y reposait. Ne pouvant entendre les paroles du pasteur, Lanna examina à nouveau la famille. Tout à coup, elle réalisa que Hawk était absent. Elle le chercha parmi les personnes présentes et ne le reconnut point. Pourquoi n'était-il pas venu ? Il lui avait pourtant semblé proche des Faulkner.

La foule commença à bouger autour de Lanna ; elle comprit que le service était terminé. D'ailleurs, les gens se retiraient en murmurant. Certains défilèrent devant la famille pour lui exprimer leur sympathie. Lanna hésita, elle aurait souhaité se joindre au dernier groupe mais douta au dernier moment que ce fût avisé. Elle s'attarda quelques minutes avant de se décider et s'éloigna, finalement.

Sa petite Volkswagen jurait parmi les Cadillac noires et les limousines. Lanna marcha entre les tombes en direction de sa voiture tout en cherchant les clefs dans son sac. Elle entendit des pas derrière elle, mais n'y prit pas garde jusqu'à ce qu'une main lui attrapât le bras et l'arrêtât. Elle se retourna en sursautant et écarta une mèche de cheveux qui lui barrait le visage. Chad ne dit pas un mot et croisa le regard de la jeune femme. De près, ses traits accusaient encore davantage son chagrin. Lanna aurait voulu dire quelque chose, prononcer des paroles de réconfort, de compréhension, tandis que la foule se dispersait. Il lui sembla que les circonstances exigeaient des commentaires peu personnels.

— C'était une cérémonie importante, dit-elle.

— Oui, le maire s'est dérangé, ainsi que d'autres représentants du gouvernement, le gouverneur et le sénateur, déclara Chad d'une voix neutre.

Il passa le bras autour de la taille de Lanna, délicatement.

— Venez, je vais vous présenter aux membres de la famille.

Pendant que deux messieurs offraient leurs condoléances à sa mère, Chad guida Lanna vers la jeune dame blonde et son fils.

— Ma femme Carol et notre fils Johnny.

La présentation laissa Lanna abasourdie ; elle tenta désespérément de ne pas manifester sa surprise et sourit.

— Voici Lanna Marshall.

— Comment allez-vous, Miss Marshall ?

L'épouse de Chad tendit sa main fine avec un sourire distant. Lanna baissa la tête en guise de réponse. Cette femme était belle, de cette beauté délicate des poupées en porcelaine de Chine. L'association des cheveux d'or pâle et des yeux verts était étonnante ; Lanna se sentait banale en comparaison. Ce lui fut plus facile de saluer le garçon.

— Tu ressembles à ton grand-père, John, murmura-t-elle.

— Ouais, tout le monde le dit.

Le gamin haussa les épaules et examina l'inconnue avec curiosité.

— Mère !

L'appel de Chad permit à la veuve de se libérer. Elle rejoignit le groupe.

— Je tiens à te présenter Lanna Marshall, expliqua Chad. Voici ma mère, Katheryn Faulkner.

— J'aurais préféré que nous fassions connaissance en d'autres circonstances, madame, dit Lanna en tendant la main.

Sous le voile épais elle distinguait mal le visage de la veuve mais elle sentit sa réserve, rien qu'à la froideur de ses doigts.

— Miss Marshall, j'ai appris que vous étiez très proche

de mon mari, répondit Katheryn Faulkner d'une voix étudiée.

— Oui, nous étions devenus de vrais bons amis.

Lanna s'était sentie le devoir de préciser ses relations, mais son explication fut accueillie fraîchement.

— Oui, bien sûr, répliqua Mme Faulkner avec une courtoisie distante. Voulez-vous m'excuser ? J'aimerais dire un mot au pasteur avant qu'il ne s'en aille.

— Certainement, souffla Lanna.

Déjà, la femme de John s'était éloignée pour aller chercher l'homme habillé de noir. Lanna fixa Chad, essayant de se persuader qu'il était bien le fils « marié » de John. Une question jaillit dans son esprit : où était l'autre fils ?

Elle regarda vers un groupe qui se tenait devant la fosse. La femme de Chad et son fils s'y trouvaient déjà, ainsi qu'un couple d'un certain âge. Confuse, Lanna interrogea Chad :

— Où est votre frère ?

La question le fit sursauter.

— Que savez-vous de lui ? demanda-t-il d'un ton méfiant.

Sa réaction fit froncer les sourcils à Lanna.

— Rien... John m'avait dit qu'il avait deux fils, mais... je n'ai pas remarqué son second fils parmi la famille.

Chad attendit avant de se prononcer, comme s'il réfléchissait à une justification.

— Peu de gens sont au courant, vous savez. John Buchanan a eu une histoire avec une femme. Je suis certain que vous comprendrez la susceptibilité de ma mère à ce sujet.

— Bien sûr, murmura Lanna, interloquée par la révélation que John eût un fils illégitime.

Mme Faulkner venait de les rejoindre. Elle jeta un regard en biais à son fils.

— Lui as-tu annoncé, Chad ?

— Non.

La réponse à voix basse du jeune homme donnait l'impression qu'il regrettait que sa mère lui eût posé cette question.

— M'annoncer quoi ? interrogea Lanna.

— C'est vous l'héritière, Miss Marshall.

Mme Faulkner avait semblé lui reprocher de ne pas être au courant.

— Quoi ? Il doit y avoir une erreur.

Elle fixa Chad, attendant désespérément qu'il démente.

— Ce n'est pas une erreur.

Le faible sourire du jeune homme semblait lui dire qu'elle aurait dû se réjouir de cette nouvelle.

— Vous recevrez le papier officiel du tribunal ces prochains jours. La famille a déjà été informée du contenu du testament de John Buchanan et de ses dernières volontés.

— Mais...

Lanna était trop abasourdie pour se rappeler ce qu'elle voulait dire.

— Pourquoi ne me donnez-vous pas les clefs de votre voiture ? Tom la ramènera chez vous, suggéra Chad. Montez avec nous. J'aurai ainsi l'occasion de vous expliquer de quoi il s'agit.

Lanna hésita, puis donna ses clefs à l'homme qui s'approchait.

CHAPITRE XII

LA SUITE DES ÉVÉNEMENTS PLUS ou moins importants avait eu raison de la santé de Lanna : d'abord la mort de John, la découverte que Chad était marié, que le fils absent était illégitime, et enfin que John lui avait légué sa fortune. Trois jours après l'enterrement, Lanna attrapait une grippe.

Elle fut malade pendant deux semaines et, dans l'impossibilité de travailler, quitta rarement son appartement, ce qui ne l'empêcha pas d'être happée dans un tourbillon d'activités. Le téléphone ne cessa de sonner. Les journalistes voulaient entendre son histoire avec John Buchanan Faulkner et se renseigner sur l'héritage. Il fallut mettre son numéro sur la liste des abonnés absents pour que la sonnerie cessât de retentir.

Pourtant, la maladie de Lanna ne gêna en rien le règlement de la succession Faulkner. Tout cela dépassait d'ailleurs la compréhension de la jeune femme. Chad lui traduisait le jargon juridique en langage compréhensible.

Elle ne s'habituait pas à sa nouvelle condition d'héritière. Elle passa son appartement en revue et songea à de nouvelles couleurs et à un autre style pour le redécorer, avant de réaliser qu'elle pouvait désormais s'offrir une maison. Elle retournerait à l'université et passerait de nouveaux examens... mais non, elle était riche, elle n'aurait plus besoin de travailler ! Alors, elle amènerait sa Volkswagen au garage et y ferait installer l'air conditionné ; mais ne pouvait-elle pas s'acheter une Rolls Royce ?

Et puis, il y avait la famille Faulkner. Tout d'abord, Lanna s'était attendue à du ressentiment à son égard, attitude bien compréhensible. Contre toute attente, la femme de Chad, Carol, s'était montrée d'une courtoisie amicale, et Lanna ne put se plaindre de l'attitude de Katheryn Faulkner, bien que cette dernière fût plus distante. Par la suite, Chad devint la seule personne avec qui Lanna restât en contact. Mais, comme elle était sensible à son charme, Lanna se méfiait de lui plus que de tous les autres membres du clan.

Elle caressa l'accoudoir en velours de Gênes et s'appuya contre le dossier en laissant aller sa tête. Par la vitre de la voiture, elle contempla le ciel bleu, dégagé du brouillard qui recouvrait habituellement la ville. Elle tourna la tête et regarda Chad qui conduisait. En l'observant, Lanna s'interrogea sur sa proposition : il l'avait invitée à venir se reposer un mois dans le ranch que sa famille possédait au nord de l'Arizona. L'éloignement de Phoenix promettait, assurait-il, la tranquillité et la paix impossibles dans la cité.

Lanna fixa un point droit devant elle. L'offre était généreuse. Elle y voyait la certitude qu'on la considérait comme une amie des Faulkner.

— Pourquoi a-t-il fait ça ?

Elle venait de poser à Chad la question qu'elle n'avait cessé de se poser. Elle précisa :

— Pourquoi John Buchanan a-t-il fait de moi sa principale héritière ? N'avez-vous aucune animosité contre moi ?

Chad hésita avant de répondre et risqua un regard vers la jeune femme.

— Si, lorsque j'ai appris la nouvelle. Je n'ai pas eu le temps d'y penser par la suite. D'ailleurs, je ne suis pas tout à fait pauvre : de son vivant, mon père m'avait transféré bon nombre des actions et intérêts de sa compagnie. Il a versé des fonds importants à ma mère et à mon fils Johnny. Il a distribué ses richesses au lieu de les accumuler jusqu'à sa mort.

— Vous voulez dire que vous avez déjà reçu votre part ?

Lanna souhaitait des éclaircissements qui lui ôteraient son sentiment de culpabilité.

— Dans un sens oui, reconnut Chad ; d'ailleurs, vous et moi sommes associés dans plusieurs affaires.

144

— J'ai beaucoup à apprendre sur le monde du business.

Elle ferma les yeux, submergée par une vague de lassitude.

— Vous apprendrez vite.

Elle remarqua la sécheresse du commentaire et s'en étonna. Elle rouvrit les paupières pour regarder Chad, mais il était occupé à surveiller la circulation.

— Après votre maladie, vous avez besoin de repos et de calme, loin de toute cette publicité.

— Du calme et du repos, quels mots merveilleux ! soupira Lanna.

— Je resterai seulement quelques jours au ranch, mais mère et Carol seront là pour vous tenir compagnie après mon départ. Je vous retrouverai pour les week-ends.

— Ce sera bizarre de ne plus vous avoir près de moi.

Elle venait de parler à haute voix, sans le vouloir. Lorsque les yeux de Chad cherchèrent les siens, elle n'eut pourtant pas le courage de se détourner.

— Il est préférable que nous soyons séparés quelque temps, Lanna.

Le message silencieux de ses yeux transmit ce que Chad ne pouvait dire. Bien qu'il fût marié, l'attirance de Lanna pour le fils de John n'avait pas diminué ; ils avaient été souvent ensemble au cours des dernières semaines. Mais Lanna redoutait une aventure avec un homme marié. Elle supposait que Chad partageait sa crainte. Cependant l'attirance physique qui régnait entre eux constituait une tentation permanente.

— Oui, certainement, reconnut Lanna sur un ton délibérément désinvolte. Je me suis trop souvent appuyée sur votre épaule.

Tendrement, Chad lui prit la main.

— Vous pouvez vous appuyer sur mon épaule, Lanna.

Il glissa ses doigts entre ceux de sa compagne. Ils venaient d'arriver à l'aérodrome de Sky Harbor. Un petit avion était garé sur une piste en ciment. On distinguait sur le côté une tête de faucon ; Lanna reconnut immédiatement l'emblème : le même que celui qui se trouvait sur le camion de John.

— C'est votre avion ? demanda-t-elle.

— Oui.

Chad l'avait vu également et cherchait une place pour se

garer. Tout à coup, il fronça les sourcils, son attention ayant été attirée par quelqu'un près d'un bureau.

— Qu'est-ce qu'il fiche ici ? grogna-t-il entre ses dents.

Lanna suivit son regard et découvrit l'homme appuyé contre le mur du bâtiment. Il portait une chemise rouge vif, un Stetson marron lui retombait sur le front, cachant ses cheveux noir de jais. Il n'y avait pas à s'y méprendre, c'était Hawk.

Un frisson parcourut Lanna à la vue de cette silhouette virile et déliée. Le souvenir d'avoir été serrée dans ces bras puissants perdait sa qualité de rêve. Le cœur de Lanna se mit à battre furieusement. Comment pouvait-elle être attirée par deux hommes aussi différents que Chad et Hawk ?

Hawk quitta le bâtiment au moment où Chad sortait de la voiture. Il sourit en notant l'irritation que son frère manifestait à le trouver là. Il continua de sourire jusqu'à ce qu'il voie Lanna descendre de la limousine, aidée par Chad. Il darda sur elle ses yeux bleu électrique, à la recherche de changements. Il en trouva d'infimes : le pantalon vert et le chemisier à fleurs devaient porter la marque d'un grand couturier. La coiffure était la même, mais elle était due cette fois-ci à un professionnel. Lanna croisa le regard de l'Indien, celui-ci remarqua qu'elle rougissait.

— Où est Jake Sanchez ? demanda Chad. J'avais cru comprendre qu'il nous attendrait.

La remarque glaciale de Chad toucha Hawk. Il regarda son frère.

— Il est resté au ranch ; c'est moi qui suis venu à sa place.

— Pourquoi ?

Hawk eut un sourire désinvolte. La pression atmosphérique chuta de plusieurs degrés.

— Tu sais bien que je n'aurais manqué ce rendez-vous pour rien au monde, Chad.

La réponse avait été faite d'une voix douce, c'était une moquerie — une épine de cactus dans les naseaux d'un taureau, comme disaient les cow-boys.

Insensible à la rage de Chad, Hawk laissa son regard glisser sur Lanna en face de lui. Ses sens se souvenaient vivement de la jeune femme. Un effluve de bois de santal lui chatouilla les narines : il se demanda si Lanna se parfumait la saignée du bras et le lobe des oreilles.

— Que ressent-on quand on devient une héritière, Miss Marshall ?

Hawk traquait les émotions sur le visage de la jeune femme. Les traits de celle-ci exprimaient force et orgueil, deux qualités qui provoquèrent l'admiration de l'Indien. Elle sourit, ne montrant aucune appréhension à s'aventurer hors de son territoire.

— Tout a été trop rapide, je n'ai pas encore eu le temps d'y penser, avoua-t-elle.

Elle tourna la tête vers Chad. Hawk remarqua le regard de celui-ci, et sa main sur la taille de la jeune femme. La jalousie le saisit. Bon Dieu, il avait possédé des femmes auparavant et n'avait jamais été bouleversé lorsque d'autres hommes les touchaient !

— Ne vous avais-je pas dit que John Buchanan récompenserait votre amitié à sa manière ?

La question de Hawk était franchement hostile. Il vit Lanna se raidir, et nota avec une admiration grandissante l'habileté avec laquelle elle cacha le choc causé par cette déclaration.

— De quoi parle-t-il ? demanda Chad en fronçant les sourcils.

— D'une discussion que nous avons eue ensemble, répondit-elle avec un haussement d'épaules pour en diminuer l'importance.

— Les bagages sont dans le coffre de la voiture, déclara Chad.

Il marcha vers la voiture en séparant des autres la clef du coffre attachée au porte-clefs. Hawk ouvrit le chemin jusqu'à l'avion. Il portait les valises de Lanna. Celle-ci marchait aux côtés de Chad, une mallette à la main.

Elle sentait la tension qui régnait entre elle et Chad : Hawk en était la cause. Elle présumait que les deux hommes étaient proches si l'on considérait les événements survenus depuis la mort de John. L'hostilité à peine déguisée des jeunes gens l'avait surprise. Toutefois, elle doutait que Hawk ait révélé à Chad qu'elle avait couché avec lui ; pourquoi l'aurait-il fait ? Elle n'était pas elle-même cette nuit-là. Hawk le savait assurément. Le souvenir de cette nuit d'amour l'assaillit soudain avec une telle force qu'elle se demanda comment il avait pu s'estomper jusque-là.

Lanna s'écarta pour observer Hawk placer les bagages dans la soute du petit avion. Il se retourna pour prendre la mallette des mains de la jeune femme, et remarqua alors son air peu rassuré. Il eut un sourire amusé.

— Avez-vous déjà volé, Miss Marshall ?

On aurait dit qu'il se moquait d'elle.

— Seulement dans de gros appareils, jamais dans un avion privé.

— Nous allons survoler un pays sauvage et magnifique, je vous conseille de vous installer à côté de moi, la vision sera meilleure que depuis le hublot du passager.

Apparemment, l'invitation était à peine courtoise, mais Lanna comprit que c'était une réponse à son besoin de se trouver seule avec lui. Elle hésita, observant la réaction de Chad, dont elle ne voulait pas éveiller les soupçons.

— Cela vous ennuie-t-il ? dit-elle en lui demandant son accord. Je ne suis jamais montée dans la cabine d'un avion, ce serait une expérience, cette vue aérienne du pays. Lanna voulait donner l'impression d'être uniquement préoccupée par la nouveauté de l'événement.

Chad scruta le visage de la jeune femme et parut satisfait de ce qu'il y avait lu.

— Ça ne me dérange pas du tout, sourit-il, j'ai des dossiers à examiner, je les étudierai pendant le vol, ainsi je serai libre de vous faire visiter le ranch, ensuite.

— Magnifique !

Lanna lui retourna son sourire ; elle se sentait horriblement hypocrite.

Elle monta dans l'avion et attacha sa ceinture de sécurité, tout en examinant les nombreux cadrans et aiguilles du tableau de bord. Hawk la rejoignit et glissa sa longue carcasse sur le siège du pilote. Il rejeta son Stetson en arrière et passa une main dans ses épais cheveux noirs.

— Vous êtes attachée ?

Il jeta sur Lanna un regard de côté, le temps qu'elle lui réponde par une affirmation.

— Alors tenez-vous bien droite et jouissez de la promenade.

Lanna serra étroitement ses mains sur ses cuisses pendant que Hawk vérifiait instruments et commandes. Un soleil éblouissant frappait la carlingue, transformant l'intérieur de l'avion en une fournaise. On suffoquait de chaleur. L'air entrait seulement par la vitre ouverte de Hawk, et il était brûlant. Le moteur gauche se mit à tourner dans un bruit assourdissant. Hawk brancha la radio et demanda les instructions à la tour de contrôle. Les explications n'avaient aucun sens pour Lanna. Lorsqu'on eut donné l'autorisation de décoller, Hawk se tourna vers Chad assis derrière lui.

— On va rouler, annonça-t-il.

Les moteurs tournèrent à la puissance maximum, l'avion s'élança sur la piste et prit de la vitesse. Lorsqu'il quitta le sol, une bouffée d'air plus frais s'engouffra par les ouvertures. Lanna y offrit son visage en feu et prit une profonde inspiration. A l'horizon, des pics déchiquetés profilaient leurs formes menaçantes.

— Les montagnes de la Superstition, annonça Hawk.

Ses lunettes de soleil reflétaient l'image de la jeune femme. Elle se détourna et regarda par la fenêtre. L'avion survolait les dangereuses montagnes. Dessous s'étendait un labyrinthe de masses arides et de sommets escarpés, sillonnés par des canyons qui conserveraient à tout jamais le secret de l'or perdu.

L'appareil prit la direction du nord. Le soleil se refléta sur une étendue d'eau : un lac au beau milieu des montagnes sauvages et désertiques, véritable ironie dans cette terre brûlée. L'avion semblait à peine avancer, mais Lanna distinguait son ombre sur l'enchevêtrement des rocs à pic et des terres plates désolées.

— Vous connaissez le Vieil Ouest ? demanda Hawk.

Lanna se détourna de la vitre pour lui répondre.

— Vaguement.

Derrière les verres sombres, elle ne distinguait pas les yeux de Hawk, mais elle savait qu'il la regardait.

— Un peu plus haut, le bassin Tonto. Nous montons vers la cordillère Mogollon, qui se trouve à peine à deux cents milles.

Lanna regarda dans la direction indiquée et découvrit un escarpement qui marquait presque dramatiquement la fin d'un haut plateau. Les parois blanches s'assombrissaient de gris et de beige, selon que le rocher était plus ou moins exposé à la lumière.

Le sommet était couronné par une forêt de sapins, parsemée de peupliers et d'érables. Lanna distinguait même les voies tracées par la civilisation ; pourtant rien ne pourrait jamais dompter cette terre sauvage.

— Spectaculaire ! plaisanta-t-elle, tandis que l'ombre de

l'avion escaladait les versants et glissait sur le sommet des arbres.

N'entendant pas de réponse, elle se tourna vers Hawk. Il était de face, mais elle n'aurait su dire s'il l'observait ou s'il regardait l'horizon.

— Oui, reconnut-il sur un ton neutre.

Puis, changeant de sujet :

— Vous avez déjà découvert combien Chad est parfait pour réconforter les femmes éplorées, n'est-il pas vrai ?

En entendant cette remarque acide, Lanna jeta un œil derrière elle, sur Chad. Il était penché sur ses papiers, son attaché-case posé sur les genoux.

— Ne vous tracassez pas, dit Hawk, qui avait lu dans les pensées de sa passagère : il n'entend pas, sauf si vous vous mettez à crier.

— Chad m'a été d'un grand secours, répliqua-t-elle en prenant soin de ne pas hausser la voix.

— Je l'aurais parié !

La réponse de Hawk était pleine de mépris. Cependant, la conversation tournait autour d'un sujet que Lanna avait à cœur d'élucider.

— Cette fameuse nuit..., commença-t-elle.

— Si vous vous inquiétez au sujet de ce que je pourrais dire, l'interrompit Hawk, vous n'avez aucune raison, Chad est le seul à se vanter de ses conquêtes.

— Je n'insinuais pas que vous répandriez la nouvelle, seulement je n'étais pas dans mon état normal.

Elle voulait justifier sa conduite, mais Hawk ne la laissa pas finir :

— Nous avons satisfait un désir réciproque. Laissez tomber tout ça.

Pour bien montrer que le sujet était épuisé, le pilote attira de nouveau l'attention de la jeune femme sur le paysage.

— Nous allons survoler la limite sud du ranch.

Au lieu d'être soulagée et rassurée, Lanna éprouva une pointe de désillusion. Elle ne s'attendait pas à ce que Hawk traitât l'événement avec une telle désinvolture. Les pentes couvertes de forêts cédèrent la place à une longue vallée qui allait en s'élargissant. L'avion amorça la descente. Les bâtiments du ranch surgirent, nichés dans un bosquet d'arbres, non loin de la piste d'atterrissage.

Dès qu'il eut touché le sol, Hawk conduisit l'appareil

vers un hangar en tôle près duquel était garé un fourgon. Carol attendait devant la voiture. La svelte jeune femme blonde agita la main lorsque l'avion s'arrêta dans le hangar. Un cow-boy se précipita pour placer des cales devant les roues. Les moteurs cessèrent de tourner.

La boucle de la ceinture de sécurité de Lanna résistait malgré ses efforts pour l'ôter ; Hawk s'en aperçut et la libéra. Ses mains effleurèrent la taille de la jeune femme mais cela suffit à lui serrer l'estomac. Hawk ne remarqua pas sa réaction, ou fit semblant de ne pas la remarquer. Lorsque Lanna sortit de la cabine, Chad l'attendait dehors. Hawk les rejoignit, il avait enlevé ses lunettes de soleil et remis son Stetson poussiéreux. Ses yeux bleus remarquèrent à peine Lanna, tandis qu'il ouvrait la soute à bagages pour décharger. Le cow-boy s'approcha pour l'aider et empêcha Chad de porter sa valise.

Carol s'était avancée pour accueillir les passagers.

— Avez-vous fait bon voyage ?

— Bien sûr.

Chad se pencha pour embrasser sa femme sur la joue :

— C'est la première fois que Lanna montait à bord d'un avion particulier.

— Comment vous sentez-vous ?

Carol tourna vers la voyageuse un visage souriant. Elle était d'une nature affable, bien que Lanna décelât parfois comme un avertissement dans ses yeux verts. Le mariage de Chad et de Carol ne semblait pas malheureux, mais il lui manquait quelque chose.

— Beaucoup mieux, merci, déclara Lanna.

Elle ne quittait pas des yeux Hawk en train d'entasser les bagages dans le fourgon.

— Il doit vous tarder d'arriver au ranch pour vous reposer. Tu conduis, Chad ?

— Oui. Lanna, asseyez-vous à côté de moi.

— Non, je monte derrière, insista Lanna, peu désireuse d'usurper la place de Carol. Carol s'assiéra à côté de vous.

— Non, je vous en prie, intervint la jeune femme blonde en riant, comment surveillerais-je la conduite de Chad si je ne suis pas derrière lui ?

Contre son gré, Lanna s'installa sur le siège avant, pendant que Carol s'asseyait à l'arrière. Chad se glissa au volant. A ce moment, Hawk traversa la piste devant la voiture et se dirigea vers l'avion arrêté, sans un regard. Chad gagna la route qui conduisait au ranch.

— Vous aimerez la maison, Lanna, elle est vieille, mais faite pour durer des générations, déclara Carol.

Lorsque Chad s'arrêta devant une imposante demeure, Lanna comprit ce que Carol avait voulu dire. La maison, construite en pierre et en grosses poutres apparentes, révélait une structure solide, qui s'harmonisait parfaitement avec l'entourage rustique.

Chad descendit et fit le tour de la voiture pour ouvrir la portière de Lanna et aida ensuite Carol à sortir. La jeune femme montra le chemin jusqu'à une entrée couverte. Lanna hésita.

— Et nos bagages ? demanda-t-elle à Chad.

— Un domestique s'en chargera, l'assura-t-il en glissant sa main sous le coude de Lanna.

Il la guida vers une lourde porte en chêne. Grâce aux murs épais, l'intérieur de la maison était frais. La première chose que Lanna remarqua, en entrant dans le hall pavé de briques, fut le changement de température.

Les murs blancs contribuaient à l'impression d'espace, ainsi que des passages voûtés conduisant aux chambres et au vestibule. La pièce était meublée sobrement ; une tenture navajo éclaboussait le mur de ses couleurs, une table en noyer luisant supportait un vase rempli de fleurs séchées. L'atmosphère était celle d'un mélange de nature et de culture indiennes.

— Katheryn, cria Carol, Chad est arrivé avec Lanna !

La jeune femme blonde emprunta l'arcade de gauche. Chad pressa sa main contre le coude de Lanna, lui signifiant qu'elle pouvait suivre.

Une immense cheminée en pierres rousses trônait dans la salle de séjour. Un piano à queue était placé près de la porte vitrée qui donnait sur une véranda. Alignées sur des étagères de bois, d'étranges pièces de poterie indienne ajoutaient à l'élégance du lieu ; à côté, des sculptures en bronze représentaient différentes formes de la vie. Une silhouette apparut, attirant l'attention de Lanna. Katheryn l'accueillait avec un sourire distant. Lanna n'était pas tout à fait sûre que la femme de John crût qu'elle et son défunt mari n'avaient été que de simples amis. La présence de Katheryn la mit mal à l'aise.

152

— J'espère que vous avez fait bon voyage. **Voulez-vous un café, un thé ?** s'enquit Katheryn.

— Non, je n'ai besoin de rien, merci, dit **Lanna**.

Elle avait conscience de sa situation délicate : l'amie de John dans la maison de sa veuve...

— Je prendrais bien du café, mère, dit Chad.

Carol proposa :

— Je te le prépare, mon chéri.

— Asseyez-vous, Lanna, dit Chad en avançant un fauteuil canné.

— Désirez-vous que je vous montre votre chambre ? proposa Katheryn en voyant Lanna hésiter. Vous voulez probablement vous rafraîchir après le voyage.

— Oui, merci infiniment, s'empressa de dire Lanna.

Katheryn passa sous une nouvelle voûte et emprunta un long corridor. Les deux femmes traversèrent un enchevêtrement de halls et de pièces. Lanna songea qu'elle se serait perdue toute seule. A la fin, Mme Faulkner s'arrêta devant une porte et l'ouvrit.

— Voici la principale chambre d'amis, elle a une salle de bains particulière et donne sur la véranda, expliqua-t-elle en entrant dans la pièce. J'espère que vous serez satisfaite.

— C'est magnifique ! s'exclama Lanna.

La chambre était aussi grande que son appartement de Phoenix. Outre l'imposant mobilier il y avait une bergère, un secrétaire et une chaise assortis.

— J'espère que vous ne voyez pas d'objection à ma venue. Je suis certaine que recevoir des invités quand vous êtes en deuil...

— Je ne vois aucune objection à votre visite, déclara Katheryn, Chad m'a expliqué que vous aviez besoin de repos. Je suis heureuse que vous pensiez le trouver ici.

Cette confirmation de bienvenue ne réconforta pas Lanna pour autant. Un bruit attira l'attention de Katheryn ; elle se tourna vers le hall. Hawk se tenait dans l'embrasure de la porte, la mallette de Lanna sous le bras.

— Apporte donc les autres bagages de Miss Marshall, Hawk, ordonna Mme Faulkner.

Elle avait parlé au jeune homme comme à un domestique. Il serra les lèvres mais exécuta l'ordre et se glissa sans bruit au milieu de la pièce.

— J'envoie quelqu'un pour vous aider à vous installer, proposa Katheryn.

— Non, je n'en ai pas besoin, refusa gentiment Lanna.

— Comme vous voudrez.

L'air hautain avec lequel Katheryn se rangea à cette décision rendit Lanna encore plus mal à l'aise. Lorsque Mme Faulkner eut quitté la pièce, la jeune femme fut envahie de doutes. Elle n'eut pas le temps de s'y abandonner ; Hawk lui rappela sa présence en lui demandant :

— Où est-ce que je mets cette valise ?

— N'importe où, près du lit, répondit-elle avec irritation.

Hawk posa les bagages à côté du lit et se tourna vers Lanna.

— Ne vous laissez pas abuser par cette femme.

— Comment ?

— On ne vous désire pas plus que moi dans cette maison, assura-t-il.

Lanna voulut protester, puis songea qu'à part Chad personne ne l'avait vraiment accueillie. Cependant elle ne pouvait blâmer Katheryn pour sa réserve.

— Je vous ai déjà expliqué que John Buchanan faisait partie des hommes qui « prennent », poursuivit Hawk, mais c'était un amateur à côté de Chad. Chad ne donne jamais rien à personne, il vous prendra tout ce dont vous avez hérité.

— Ce n'est pas vrai !

— Vous aurez été avertie.

Il haussa les épaules pour signifier qu'il lui importait peu d'être cru ou non.

— J'espère que vous vous en souviendrez la prochaine fois que vous signerez un document.

L'Indien porta la main à son chapeau et inclina la tête, mais sa courtoisie n'était que moquerie. Lanna poussa un soupir indigné. Hawk avait déjà disparu. Comme elle ne savait comment se venger, elle claqua la porte et enfonça ses ongles dans ses paumes. Hawk avait semé le doute dans son esprit, et elle lui en voulait.

CHAPITRE XIII

— **B**ONJOUR.

Carol était seule à table, lorsque Lanna entra dans la salle à manger baignée de soleil.

— Je croyais être la dernière à me lever ce matin, vous n'avez pas l'air tout à fait éveillée.

— Je ne sais pas, reconnut Lanna en se versant un verre de jus d'oranges. J'étais plus lasse que je n'aurais cru.

— Je suis ravie de ne pas déjeuner seule. Chad travaille dans le bureau et Katheryn répond à des lettres de condoléances, expliqua Carol. Roseanne, notre domestique, fait des omelettes espagnoles délicieuses, voulez-vous que je vous en fasse préparer une ?

— Non, du café et une brioche suffiront, je surveille ma ligne.

Lanna enviait la silhouette de la blonde jeune femme dont l'assiette était pleine d'omelette, de hachis et de gâteau au moka. Lanna choisit un muffin à l'airelle.

— Chad vous a-t-il précisé combien de temps il travaillerait ? J'espérais qu'il me montrerait le ranch aujourd'hui.

— Il n'a rien dit.

Carol se concentra sur son assiette, soudain très intéressée par ce qu'elle mangeait.

— Je suis certaine qu'il vous le fera visiter si vous en exprimez le désir.

Quelque chose dans la voix de Carol fit supposer à Lanna qu'elle était jalouse.

— Peut-être vaut-il mieux ne rien lui demander, décida

Lanna en attaquant son muffin pour dissimuler son irritation. Je l'ai suffisamment monopolisé.

— Oh ! ça n'a pas dérangé Chad, se récria Carol avec empressement.

— Mais vous, si, éclata Lanna. Pourquoi ne désireriez-vous pas passer quelque temps avec votre mari alors qu'il n'est ici que pour quelques jours ? C'est naturel !

— Je reconnais que je ne suis pas avec Chad aussi souvent que les autres épouses avec leurs maris, mais il y a des raisons, dit Carol, Chad sait que je comprends. Au cours des quelques moments passés en sa compagnie, vous avez dû découvrir quel homme merveilleux il est. Il s'est montré un compagnon admirable, même si...

Carol s'interrompit pour avaler une bouchée d'omelette onctueuse.

La curiosité souffla à Lanna de demander :

— Même si... quoi ?

— Même si je ne peux plus lui donner d'enfants, avoua Carol avec une petite voix. (Elle fit un effort méritoire pour sourire.) Il a affirmé que ce n'était pas grave. Nous avons Johnny. C'est un petit garçon en bonne santé, et heureux ; mais je sais que Chad souhaitait d'autres enfants... Toutefois, après trois fausses couches, le médecin a insisté pour que je ne tente plus rien...

— Je comprends, murmura Lanna.

— Chad comprend aussi, c'est ce qui le rend si merveilleux.

La joie anima les traits de Carol, si tristes un instant plus tôt.

— Vous savez, je ne verrais aucun inconvénient à ce qu'il vous fasse visiter le ranch, s'il considère que c'est son devoir.

— Je ne veux pas qu'il me montre tout le domaine, précisa Lanna. Je n'avais pas réalisé son immensité jusqu'à ce que Hawk m'en indique les limites en avion. J'avais seulement le projet de visiter les environs immédiats. Si Chad est occupé, je peux m'adresser à quelqu'un d'autre...

— Mon père est allé en ville aujourd'hui, mais Hawk pourrait s'en charger. Il connaît l'endroit comme sa poche.

Lanna ne trouvait pas la suggestion à son goût.

— Je préférerais n'aller nulle part avec lui.

Cette réplique éveilla la méfiance de Carol.

— Je n'aurais pas cru que vous seriez du genre à avoir des préjugés. Visiblement, je me suis trompée !

— Des préjugés ? Je n'ai aucun préjugé, protesta Lanna, mais il se trouve que Hawk me déplaît.

— Beaucoup de personnes méprisent Hawk parce qu'il est à moitié navajo. Je ne sais pourquoi j'ai cru que vous seriez différente.

— Je ne savais pas qu'il avait du sang indien, je ne le soupçonnais même pas.

Lanna s'appuya au dossier de sa chaise pour réfléchir sur cette information. Elle regarda Carol, qui l'observait avec attention.

— Sincèrement, vous ignorez qui est Hawk ? reprit Carol. John Buchanan ne vous a jamais rien dit sur lui ?

— John ? Non. Pourquoi l'aurait-il fait ?

— Hawk est son fils.

— Vous n'êtes pas sérieuse !

Lanna se mit à fixer Carol, puis détourna les yeux, comprenant que la jeune femme disait la vérité. Elle se demandait pourquoi Hawk et Chad ne lui avaient rien dit.

— Oui. La mère de Hawk était navajo. Elle fut la maîtresse de John Buchanan pendant des années. A l'époque, je n'étais qu'une petite fille, et j'ignore les détails, je ne sais que ce que j'ai entendu.

Carol médita sur ses paroles et poursuivit :

— La mère de Hawk a péri dans une tempête de neige, je crois. John Buchanan n'a pas voulu abandonner l'enfant à ses parents, de crainte qu'il ne soit élevé comme un Navajo. Il l'a ramené au ranch. Bien entendu il respectait trop Katheryn pour lui demander d'élever le petit garçon.

— Katheryn était au courant ? demanda Lanna.

— Oui. D'après ce que j'ai compris, tout le monde savait que John avait une maîtresse indienne. Le ranch est un vrai village. Mais si je me souviens bien, personne n'a jamais fait aucune allusion devant Katheryn. On prétendait que Hawk était orphelin. Katheryn aussi.

— Mais qui s'est occupé de lui ?

— John Buchanan a demandé à mes parents de l'élever. John et mon père étaient très proches, il s'est donc adressé naturellement à lui. Hawk vivait avec nous. Lui et moi avons été élevés comme frère et sœur.

— Que s'est-il passé entre Chad et Hawk ? On dirait qu'ils ne s'aiment pas.

— C'est normal, étant donné les circonstances. Non seulement Hawk est un fils illégitime, mais c'est un métis !

— Je comprendrais une certaine animosité, une rivalité même. Mais un tel manque de confiance... Une telle haine... il y a bien une raison !

— Il y en a une, soupira Carol en repoussant son assiette à moitié pleine. Moi.

— Vous ?

— Oui. Souvenez-vous, je vous ai dit que Hawk et moi avions été élevés comme frère et sœur. Il était mon « grand frère », j'étais sa « petite sœur », je le croyais, en tout cas. Mais l'été de mes dix-huit ans, j'ai découvert que Hawk souhaitait m'épouser. Il était amoureux de moi.

Carol s'interrompit et prit entre ses mains sa tasse de café refroidi.

— Chad a toujours été mon chevalier à l'armure étincelante, je ne rêvais que de lui.

— Et vous avez repoussé Hawk ?

— Oui. Il n'a pas compris et a blâmé Chad. Il y a eu une terrible bagarre, Chad a battu son frère, ce qui n'a fait qu'empirer les choses.

La courbe des lèvres de Carol n'était plus qu'une ligne fine.

— J'ai essayé de persuader Hawk que j'étais désolée, mais il n'a rien voulu entendre. Je crois qu'il a pensé que je ne voulais pas être sa femme parce qu'il était métis.

— Il s'est senti trompé de tous côtés, et j'ai participé à cette tromperie, réalisa soudain Lanna. J'ai hérité de ce qui lui revenait de droit. John lui a-t-il laissé quelque chose dans son testament ?

— John Buchanan lui a laissé la moitié du ranch. Mais je veux être honnête, Lanna. J'affirme que Hawk a plus de droits que vous.

— Oui.

Lanna était de l'avis de Carol mais ne savait trop que faire. Etait-ce sa faute ? Dieu seul savait qu'elle n'avait jamais souhaité recevoir la fortune de John. Pourquoi la lui avait-il donnée, au lieu de la transmettre à son héritier naturel ? Tout cela était déconcertant et Lanna ne savait plus ce qui était bien et juste. Il s'était passé trop de choses, et elle était lasse, aussi bien moralement que physiquement. Chad lui avait proposé de se reposer au ranch.

Elle était là depuis seulement un jour et se sentait encore plus mal qu'à Phoenix.

Carol repoussa sa chaise.

— J'ai commencé une lettre à Johnny, hier. Je veux la terminer pour pouvoir l'envoyer.

Carol se dirigea vers la porte, et se retourna.

— Lanna, je ne voudrais pas que mes paroles vous aient blessée.

— Vous ne m'avez pas blessée, assura Lanna.

— Parfait, parce que j'aimerais que nous devenions amies, ajouta Carol en souriant.

— Je le souhaite aussi, approuva Lanna.

— A très bientôt.

Carol fit un geste délicat de la main et disparut sous la porte voûtée. Lanna se versa une nouvelle tasse de café chaud et beurra son muffin. L'appétit l'avait quittée. Des pas approchèrent de la salle à manger. Lanna reconnut la démarche alerte de Chad. Elle leva les yeux lorsqu'il entra.

— Bonjour, je viens de voir Carol, elle m'a dit que vous étiez ici.

Il saisit la cafetière en argent et se servit du café.

— J'ai décidé de vous tenir compagnie pour le café.

— Vous en avez fini avec vos papiers ? demanda Lanna.

— Pour la plus grande partie, oui.

Chad avança une chaise et s'assit à côté de la jeune femme. Ses yeux fauves la passèrent au crible.

— Avez-vous bien dormi cette nuit ? Vous avez l'air fatiguée. Vous êtes belle, mais fatiguée.

— Flatteur ! se moqua Lanna, en ce moment je dors comme une souche.

— Vous avez besoin de sommeil.

Il but une gorgée de café puis baissa les yeux sur le muffin que Lanna avait à peine grignoté.

— C'est tout ce que vous prenez comme petit déjeuner ?

— Vous parlez comme un médecin, dit-elle. Au fait, je voulais vous demander de me faire faire un tour dans le ranch.

— Pour quelle raison ?

Chad avait eu un sourire intrigué. Visiblement, cette proposition l'amusait.

— Juste pour avoir une idée. Je pensais qu'il serait intéressant de voir comment marche le ranch.

— Il marche pratiquement tout seul, Rawlins s'en occupe

depuis des années. La routine, c'est fastidieux, je ne crois pas que cela présente le moindre intérêt pour vous.

Chad reposa sa tasse, mettant ainsi fin à la conversation. Lanna poursuivit cependant :

— Je pourrais explorer les environs du pays, il y a deux ans que je ne suis pas montée à cheval, ce serait amusant !

— C'est faisable. Je demanderai à un cow-boy de seller deux chevaux, nous ferons la promenade après le déjeuner. Qu'en dites-vous ?

— Parfait, applaudit Lanna.

Chad pencha la tête de côté et fixa la jeune femme avec curiosité.

— Des tracas ? Vous avez quelque chose à me dire ?

Elle hésita et toucha sa tasse.

— J'ai appris que Hawk était le fils de John.

— Son bâtard, vous voulez dire, lança Chad.

Aussitôt il détourna les yeux pour maîtriser son accès de colère.

— Désolé, mais c'est tout ce qu'il est, de nom et de comportement.

— Il semble intelligent, commença Lanna.

— Intelligent ? Cultivé, c'est tout. John Buchanan a payé pour qu'il étudie dans les meilleures universités de l'est, et que s'est-il passé ? Hawk a abandonné avant d'avoir obtenu ses diplômes. Tout cet argent tombé à l'eau ! C'est là ce que vous appelez être intelligent ?

— Je ne sais pas.

— Ne vous inquiétez pas pour lui, Lanna, vous perdez votre temps. John Buchanan souhaitait intéresser Hawk à ses affaires mais lui, tout ce qu'il souhaite, c'est d'avoir des vêtements sur le dos et une bonne selle !

— Je vois, murmura Lanna.

— Je l'espère.

Ses beaux traits se radoucirent et il retrouva son sourire enjôleur.

— Voulez-vous encore vous promener cet après-midi ? Je promets de ne plus vous faire de sermons.

Lanna lui rendit son sourire.

— J'en serais ravie.

Au cours de la soirée, Lanna se rappela chaque minute passée à cheval, l'après-midi. Finalement toute la famille

160

Faulkner s'était jointe à elle et à Chad. L'expérience avait été joyeuse, pleine de gaieté, de rires et remplie de l'excitation des choses nouvelles. Mais les muscles de la jeune femme, inaccoutumés à de pareils exercices, lui faisaient mal au moindre mouvement. Même l'apaisante mélodie de Brahms que Katheryn joua au piano ne put faire oublier à Lanna ses douleurs. Dès que la dernière note s'évanouit dans le silence du salon, elle obligea ses muscles récalcitrants à fonctionner et se leva. Son mouvement alerta immédiatement Chad.

— Je vais prendre deux comprimés d'aspirine et me plonger dans un bain pendant au moins une heure. Ensuite, je crois que je m'effondrerai sur le lit !

Lanna s'efforça de rire devant son triste état.

— Serez-vous capable de regagner votre chambre ? la taquina Chad. Sinon, je vous aiderai.

— Je me débrouillerai, assura brièvement Lanna.

— Nous n'aurions pas dû rester aussi longtemps en selle, lança Carol. J'espère que vous vous sentirez mieux demain matin.

— Je l'espère aussi, bonne nuit.

Lanna s'était adressée à tous, et ils lui répondirent en chœur. Déjà les doigts de Katheryn s'étaient glissés sur les touches du piano. Lorsque Lanna s'en alla, elle attaquait un nouveau morceau.

Une fois dans sa chambre, Lanna s'empressa de remplir la baignoire d'une eau très chaude dans laquelle elle versa quelques gouttes d'huile parfumée. Elle se déshabilla et entra dans le bain, s'allongeant de tout son long, pour se reposer les épaules. Elle ferma les yeux de plaisir et laissa le bain chasser les raideurs de ses muscles. L'eau avait refroidi lorsqu'elle trouva la force de se savonner et de se rincer. Elle frotta sa peau frissonnante avec une épaisse serviette rugueuse ce qui la réchauffa vite. Ensuite elle se glissa dans sa robe de chambre en satin argenté et retourna dans la chambre. Le bain avait déplacé la douleur, la localisant à quelques points précis. Lanna se sentait revigorée.

Les Faulkner étaient toujours dans le salon, et elle entendait les accents de la sonate jouée par Katheryn, qui montaient jusqu'à sa chambre par la porte de la véranda entrouverte. Elle alla la fermer avant que les insectes soient attirés par la lumière. Sa main s'attarda sur la poignée de la porte ; une bouffée d'air frais et parfumé s'engouffrait par l'entrebâillement. Dehors, la beauté paisible de la nuit était une invite.

Elle alla flâner sur la véranda. Le carrelage avait conservé la chaleur du jour, sensation agréable sous ses pieds nus. Elle s'approcha de la balustrade, posa la main sur une grosse poutre qui supportait le toit en pente, pour contempler le ciel. Les étoiles scintillaient comme du cristal et apparaissaient si proches qu'il aurait suffi de tendre le bras pour les toucher.

Un oiseau nocturne appela dans les arbres de la pelouse qui entourait la maison. Son chant se confondit avec les accents du piano.

Dans l'ombre des branches, une flamme d'allumette brilla et décrivit un arc lumineux avant de s'éteindre, ne laissant qu'un point rouge incandescent. Lanna réalisa qu'il y avait quelqu'un dehors et que la lueur persistante était celle d'une cigarette.

Le point se déplaça. Une silhouette d'homme surgit et s'avança. Lanna reconnut Hawk, à son allure souple et à sa façon de se déplacer, sans hâte. Elle avala sa salive en se demandant pourquoi sa gorge était soudain si serrée.

Lorsque le jeune homme s'arrêta tout près d'elle, la clarté des étoiles éclaira ses traits anguleux. La nuit assombrissait ses yeux bleus. Son regard fixe effraya Lanna.

— Que faites-vous ici ? demanda-t-elle d'une voix tremblante où perçait l'accusation.

— J'écoutais la musique.

Hawk s'appuya nonchalamment contre une colonne et tira sur sa cigarette.

— Katheryn faisait des études pour devenir concertiste avant de rencontrer John Buchanan. Elle a abandonné après son mariage. Le saviez-vous ?

— Non, je l'ignorais, avoua Lanna, sur la défensive.

Le silence s'installa, dominé par les notes du piano. Lanna fixait un point devant elle, consciente que Hawk étudiait son profil.

— Vous savez, n'est-ce pas ? demanda-t-il, songeur.

— Non, franchement, je ne savais pas que Katheryn avait étudié le piano avec l'intention de faire une carrière.

— Ça n'est pas ce que je voulais dire : quelqu'un vous a dit qui j'étais.

— Que vous êtes le fils de John ? Oui, je suis au courant.

162

Inutile de nier. Le regard de Lanna errait sur l'horizon, évitant de se poser sur Hawk.

— Carol vous a raconté.

— Comment avez-vous deviné ?

— Simple logique.

Il aspira une bouffée et souffla la fumée qui s'éleva dans la nuit.

— Je savais que Chad ne dirait rien, ni Katheryn. Rawlins est absent... Il reste Carol !

— En effet.

Malgré tout, Lanna n'avait pas bien suivi le raisonnement.

— Pourquoi Chad ne pouvait-il rien révéler ?

— S'il avait dû vous avouer quelque chose, il l'aurait fait plus tôt. Peut-être s'imaginait-il que vous ne découvririez rien.

La bouche de Hawk s'étira en une ligne amère.

— Je lui ai posé des questions à votre sujet, avoua-t-elle.

Hawk ricana :

— Je suis sûr qu'il vous a donné son opinion sur mon caractère !

— Vous ne l'épargnez pas non plus lorsque vous donnez votre opinion sur lui, rappela sèchement Lanna.

Mais il n'écoutait pas, la tête penchée dans l'attitude de celui qui est absorbé par ses pensées.

— Entendez-vous ?

Il planta son regard aigu sur la jeune femme et sourit.

— J'étais certain qu'elle la jouerait.

Lanna comprit qu'il faisait allusion à la *Valse de Vienne* au piano.

Hawk jeta sa cigarette et l'écrasa sous le talon de sa botte. Avant que Lanna ait deviné son intention, la main gauche du jeune homme se posa sur sa taille, l'autre main lui emprisonna le poignet. Il l'entraîna dans une valse. Il dansait avec élégance. Lanna trébucha sur le rebord en pierre de la véranda. Hawk posa une main dans son dos pour la retenir et l'y laissa. Ce n'était pas seulement la musique romantique et la clarté des étoiles qui bouleversaient Lanna. A travers le fin tissu de sa robe de chambre, elle sentait les puissantes cuisses contre les siennes. Le bout de ses seins se dressa en effleurant la chemise en coton bleu foncé qui recouvrait la solide poitrine.

Lanna relança la conversation pour cacher son émoi :

— Comment saviez-vous que Katheryn jouerait ce morceau ?

— C'est mon préféré, et elle le sait.

Hawk étudia le visage de sa compagne à travers ses paupières à demi fermées.

— Chaque fois qu'elle me croit dehors, elle le joue rien que pour moi, pour me rappeler que je suis dehors.

Lanna chercha de l'amertume dans ces paroles mais n'en trouva point.

— Ça vous dérange ?

Les pas de plus en plus allongés des danseurs traçaient un carré invisible sur le carrelage de la véranda.

— Peu importent les raisons pour lesquelles elle joue. J'aime ce morceau. Vous êtes déçue ?

— Pourquoi le serais-je ? interrogea Lanna en fronçant les sourcils.

— Je pensais que vous vous attendiez à me voir boire de l'eau-de-vie et danser au rythme des tambours, au lieu de valser au clair de lune avec une belle femme, en la serrant dans mes bras avec ivresse.

Ces mots à peine murmurés s'inscrivirent dans le corps de Lanna en lettres de feu. Le cœur lui battait contre les côtes, aussi sauvagement que les tam-tams auxquels Hawk venait de faire allusion. Elle essaya de calmer sa respiration. Les danseurs s'arrêtèrent. La gorge de Lanna se serra comme un étau, lorsqu'elle sentit des mains lui prendre la taille, par-derrière. Elle avait déjà trop laissé paraître son émoi et décida de se reprendre alors qu'il en était encore temps. Elle sentait les cuisses dures, le corps tiède de l'homme embraser le sien, déjà fiévreux. Lanna se savait menacée par ses propres désirs.

— Vous êtes surprise par la manière dont je m'exprime ?

Il s'était moqué d'elle gentiment.

— Non, je sais que vous êtes instruit, répliqua-t-elle sur la défensive.

— Instruit, oui. J'ai été élevé dans la langue anglaise. Pourtant, la langue du peuple navajo est plus imaginative et cependant plus exacte.

Il ôta une main de la taille de Lanna et la leva vers le ciel, en direction du nord.

— Vous voyez l'étoile polaire et la Grande Ourse ?

— Oui.

Lanna ne pouvait se concentrer sur les étoiles, car ses cheveux frôlaient la mâchoire de Hawk. Son haleine sentait bon le tabac.

— Les Navajos appellent le nord : *nahookos*. Littéralement il faut le traduire par « tout objet qui accomplit une révolution autour de... » Ça se réfère à la révolution du Chariot autour de l'étoile polaire. Un Navajo ne dit jamais : « je possède », il emploie un verbe différent selon l'objet ; si ce qu'il tient est long comme un bâton, en tas comme du foin, ou vivant comme une femme...

Lanna bougea légèrement. Elle songeait déjà à diriger la conversation sur un autre thème.

— Pourquoi n'avez-vous pas assisté aux obsèques de John ?

Les cils sombres de Hawk cachèrent un instant ses yeux bleus. Bien qu'en apparence son expression n'ait pas changé, Lanna perçut son attitude ironique. Il laissa sa main sur la taille de la jeune femme, mais n'essaya pas de réduire la distance qui les séparait.

— Je ne m'intéresse pas aux morts, seulement aux vivants.

Il leva le bras et caressa les cheveux châtins le long de la tempe.

— Vous plaisantez ? protesta Lanna.

Elle essaya d'ignorer la caresse.

— John était votre père.

— Biologique, oui. Il a assumé mon éducation sur le plan matériel, ainsi les Navajos ne peuvent prétendre qu'il m'a « volé »... Peut-être n'y suis-je pas allé parce que l'aversion des Navajos pour la mort est gravée trop profondément dans mon subconscient. La vérité, c'est que... (Hawk s'arrêta avec un sourire ambigu.) Je suis trop blanc pour être un Indien et trop indien pour être vraiment un Blanc. J'apprécie le confort du monde occidental — la musique classique, le cognac, les lits moelleux, les conversations stimulantes intellectuellement, et les jolies femmes. Mais j'ai besoin d'espace, de terres vastes et de liberté.

— Pourquoi avez-vous abandonné l'université avant d'avoir obtenu votre diplôme ?

En parlant, Lanna sentit vibrer sa gorge. La main de Hawk lui caressa doucement le menton et la joue.

— Vous savez ça aussi ? J'ai abandonné parce que je m'ennuyais.

Il glissa une mèche de longs cheveux derrière l'oreille

de la jeune femme et lui découvrit les épaules et la nuque, qu'il caressa. Sous ses doigts, la gorge de Lanna se mit à battre. Il y avait une telle maîtrise dans ses gestes qu'elle se sentit impuissante à lui résister. D'ailleurs, ce n'était pas exactement une sensation de peur qu'elle ressentait maintenant.

— Pourquoi être revenu ici, sachant ce qu'ils éprouvent pour vous ?

— Cette terre est ma maison. Pourquoi les laisserais-je me chasser ?

Hawk avait parlé avec plus de logique que d'amertume.

— En outre, si je n'étais pas là, la famille éclaterait. Ils ont besoin de moi, le bouc émissaire indispensable sur lequel ils projettent leur haine.

Hawk entrouvrit le décolleté de la robe de chambre et pencha la tête pour poser ses lèvres à la base du cou, là où le sang battait si fort. Lanna le repoussa mais déjà elle ne résistait plus que faiblement. Lorsqu'il ouvrit un peu plus le vêtement pour découvrir complètement les épaules, elle tressaillit et sut que ses défenses étaient complètement effondrées.

— Vous sentez le propre, murmura-t-il contre sa gorge.

— Je viens de prendre un bain.

Elle perçut du désir dans sa voix et fut troublée de ce qui lui arrivait sans crier gare. Sa tête roula sur le côté, ce qui donna à Hawk une entière liberté. Il ouvrit la robe de chambre. Les seins de la jeune femme se gonflèrent sous ses paumes. Ses lèvres glissèrent sur le lobe délicat de l'oreille qu'il mordilla. Lanna tourna la tête et chercha la bouche qui la rendait folle. Un fleuve de feu lui coula dans les veines lorsqu'elle la trouva et succomba à sa mâle domination. Sous le tissu, des mains glissèrent dans son dos, écrasant ses seins contre un torse musclé.

On frappa à la véranda. Tout d'abord, Lanna crut que c'était son cœur qui tambourinait contre ses côtes. Une voix d'homme disait son nom.

Hawk redressa la tête, ses yeux brûlaient de colère.

— Il vous cherche, dit-il, dans deux minutes il sera ici.

Lanna comprit que ce « il » désignait Chad. Elle se glaça à la pensée qu'il pouvait découvrir Hawk. Hawk avait lu dans ses pensées.

166

— J'imagine que vous ne souhaitez pas que je reste ici, conclut-il en refermant la robe de chambre.

— Hawk...

— Installez-vous sur cette chaise longue.

D'un signe de tête, il indiqua un transat près du mur. Il noua la ceinture de la robe de chambre et ajouta sans une trace d'émotion :

— Dites-lui que vous vous étiez endormie sur la chaise longue.

— Mais vous...

— Il ne me verra pas, assura-t-il en s'éclipsant sans bruit.

Il s'enfonça dans l'ombre de la maison et disparut dans la nuit.

Une porte s'ouvrit et se referma. Lanna entendit une nouvelle fois prononcer son nom et se hâta vers le transat. Ses pieds nus ne faisaient pas de bruit sur le carrelage. Elle venait à peine de s'allonger lorsque la porte qui séparait la véranda de sa chambre s'ouvrit.

— Lanna ?

Ebloui par la lumière de la chambre, Chad ne la distingua pas tout d'abord dans l'ombre.

— Oui, je suis là.

Elle posa les pieds par terre, comme si elle était sur le point de se lever et passa une main dans ses cheveux ébouriffés.

— Vous m'appeliez ? J'ai dû m'assoupir.

— Nous nous demandions où vous aviez disparu. (Il eut vite fait d'être tout près de la jeune femme.) Carol s'est arrêtée devant votre chambre pour s'assurer que tout allait bien, avant de se coucher, mais vous n'y étiez pas. Et vous n'avez pas répondu quand elle a appelé. Nous avons eu peur, je croyais que vous deviez vous « effondrer sur votre lit » !

— Je suis sortie prendre l'air, la nuit est si belle ! dit-elle avec un rien de défi.

Le regard de Chad plongea dans la nuit et aperçut les étoiles qui scintillaient au-dessus du toit de la véranda.

— Elle est belle, je n'y avais pas pensé (et il prit la main de la jeune femme entre les siennes) ; voulez-vous faire une promenade ?

— Non, je suis lasse, et puis je n'ai pas de chaussures. J'espère que cela ne vous ennuie pas.

Elle se redressa sur la chaise ; feindre la fatigue n'était pas difficile.

— Cette fois, je vais au lit.

Chad lui barra le passage.

— Ne vous promenez plus sans prévenir, Lanna.

Elle n'aima ni le ton de sa voix ni son attitude possessive.

— Chad, j'ai à peine franchi le seuil de ma porte et ne pensais pas qu'il me fallait une autorisation.

— Bien sûr que non, c'est seulement que... je m'inquiétais, dit Chad sur un ton apaisant.

— Que pourrait-il m'arriver ?

Elle eut un petit rire et s'éclipsa.

— Bonne nuit, Chad.

Il se retourna pour la regarder.

— Bonne nuit, Lanna.

En refermant la porte de la véranda, elle suivit Chad du regard, en train de scruter les ombres de la nuit. Elle tira les tentures pour que l'obscurité soit totale. Puis elle jeta un coup d'œil sur le lit et posa un doigt sur sa bouche là où elle sentait encore l'empreinte du baiser de Hawk.

CHAPITRE XIV

LANNA TRAVERSA SA CHAMBRE en soupirant. Elle défit la ceinture de sa robe de chambre. Derrière, elle entendit un bruit sec. Elle se retourna et vit onduler les tentures de la fenêtre qui donnait sur la véranda. Aurait-elle mal fermé ? Elle s'approcha en resserrant sa robe de chambre sur sa poitrine.

Hawk se dégagea des plis du rideau, son Stetson à la main. Il s'arrêta pour regarder Lanna de la tête aux pieds.

— Vous pouvez m'ordonner de partir, déclara-t-il.

Lanna s'avança vers lui.

— Pourquoi êtes-vous revenu ?

— Parce que je vous désire et crois que vous me désirez.

Il fit un pas vers elle. Pour Lanna, ça n'était pas si simple. Elle s'écarta, les doigts serrés sur l'échancrure de sa robe de chambre.

— Je déteste faire des choses derrière le dos des gens.

Le chapeau de Hawk vola sur le lit. Il posa les mains sur les épaules de la jeune fille, puis, tête penchée, frotta sa joue contre les cheveux châtains.

— J'aime ça.

Le contact avec ce corps viril fit trembler Lanna d'un désir violent. Elle protesta.

— Vous ne comprenez pas.

Hawk la fit pivoter, glissa une main dans sa chevelure et lui renversa la tête. Lanna s'agrippa aux bras puissants car ses genoux se dérobaient sous elle. Elle admira ce visage cuivré que des siècles de suprématie avaient marqué de noblesse et de fière arrogance. Les cheveux d'un noir bleuté, souples et épais, bouclaient sur la nuque. Mais c'étaient les yeux qui l'ensorcelaient, pareils à des saphirs sombres.

— Vous pensez trop, Lanna, contentez-vous de sentir, déclara Hawk.

Il lui donna un baiser qui lui ôta le souffle et l'envie de résister. Elle se colla contre lui, les lèvres entrouvertes sous sa langue avide.

Soudain il laissa retomber ses bras et se détacha de sa compagne. Malgré sa stupéfaction, Lanna ne protesta pas jusqu'au moment où il s'éloigna.

— Où allez-vous, Hawk ?

Il lui jeta un regard par-dessus son épaule, mais ne s'arrêta pas.

— Fermer la porte à clef et éteindre les lumières. Je ne veux pas que quelqu'un se demande pourquoi vous veillez, et vienne faire un tour.

Le verrou tiré fit un bruit sec, suivi par le bruit plus doux de l'interrupteur. La chambre se trouva plongée dans une obscurité totale. Les rideaux tirés arrêtaient toute lumière : il faisait un noir d'encre. Il y eut un froissement de tissu mais Lanna n'aurait pu dire d'où il provenait. Désorientée par cette nuit soudaine, elle resta à la place où Hawk l'avait abandonnée. Une légère panique l'envahit.

— Hawk ? chuchota-t-elle.

Elle sursauta lorsque des doigts lui agrippèrent le bras.

— Je suis là, fit-il.

— Je ne vois rien, répondit-elle en se tournant vers la voix.

Sa main toucha une poitrine nue. Lanna poussa un gémissement de plaisir et bascula vers le jeune homme. Un bras lui entoura la taille, doux mais ferme. Ensuite, Hawk la souleva, la pressa contre son torse. Lanna lui passa un bras autour du cou et glissa les doigts dans ses épais cheveux. Dans la nuit, elle ne distinguait pas son profil anguleux, mais l'image de l'Indien était vivante dans sa mémoire. Lorsque, sûr de lui, il la porta vers le lit, les seins ronds de Lanna effleurèrent son torse musclé. Il la déposa sur le couvre-lit et s'allongea à côté d'elle. Il passa une jambe sur les siennes, l'immobilisant. Il l'embrassa avec passion en frottant sa bouche contre les lèvres pleines. Cette étreinte bouleversa Lanna. Elle glissa ses mains sur

170

le dos puissant, essayant de rapprocher l'homme. Le plaisir de le sentir si proche la déchirait.

Mais le plaisir ne faisait que commencer et augmenter à chaque étreinte. Il saisit un sein dans sa paume, traça avec le pouce, des petits cercles autour du mamelon qui se durcit. Lorsqu'il le prit entre ses lèvres, Lanna gémit une nouvelle fois. Hawk le mordilla tendrement. Lanna s'abandonnait à ses sens. Elle se serra contre Hawk pour être en contact plus étroit avec le corps de celui qu'elle savait être un merveilleux amant.

Peu à peu, elle cessa de résister à la tension qui montait du plus profond d'elle-même. Elle frotta son visage sur la peau au mâle parfum. Elle crut qu'elle allait mourir de désir.

Soudain, Hawk s'écrasa sur elle et l'écartela sous lui. Lorsqu'il la pénétra enfin, elle poussa un petit cri de soulagement. Aussitôt, elle fut envahie par des sensations inconnues, submergée par une lame de fond. L'ardeur s'intensifia, l'emportant de plus en plus haut, jusqu'au point où elle franchit la barrière des nuages, pour déboucher dans la clarté lumineuse du soleil.

Les mains qui avaient guidé les hanches de Lanna relâchèrent leur étreinte et retombèrent sur le matelas. Le corps endolori de la jeune femme fut soulagé d'un poids. Lorsque Hawk posa sa bouche sur ses lèvres encore palpitantes, elle sentit des gouttes de transpiration sous son nez et sur son menton. Elle perçut aussi les tressaillements qui l'agitaient après les spasmes de l'orgasme.

La bouche de l'Indien lui caressa la joue.

— C'était comme ça la première fois, tu te rappelles ?

— Ça ressemblait à un rêve, murmura Lanna presque à regret, seulement ce n'était pas un rêve.

— Non, pas même un rêve de peyotl.

Hawk se souleva sur les avant-bras, et s'allongea tout près de sa compagne. Lanna se tourna pour lui faire face et suivit les contours de son visage du bout des doigts. Il affirma sa possession en silence en posant une main sur sa hanche, pour maintenir le contact physique entre eux, elle glissa sa main sur son cou et dans les cheveux noirs qui s'enroulèrent autour de ses doigts sur la nuque.

— Tu as besoin de te faire couper les cheveux.

C'était là une constatation stupide mais Lanna ne pouvait exprimer son admiration craintive par des mots appropriés.

— Ça me protège du soleil, répliqua Hawk.

Il glissa un bras autour des épaules de la jeune femme qui se nicha contre lui. Lorsqu'elle essaya de poser sa jambe droite sur les genoux de Hawk, un muscle douloureux lui fit pousser un cri de protestation.

— Je t'ai fait mal ? s'inquiéta Hawk.

— Non.

Lanna se plaça dans la position désirée et expliqua, après avoir posé sa tête au creux de l'épaule de son amant :

— Je suis montée à cheval ce matin.

— Maintenant tu as des courbatures, dit Hawk, en riant dans les cheveux châtains. Tu as besoin d'un bon massage.

— Malheureusement, la seule masseuse que je connaisse se trouve à Phoenix.

— Aurais-tu une huile dans la salle de bains ?

— Oui. Pourquoi ?

Elle renversa la tête pour essayer de distinguer Hawk dans l'obscurité. Il se libéra de l'étreinte de son amie. Elle sentit les ressorts du matelas remonter lorsqu'il sauta du lit.

— J'ai suffisamment massé de chevaux qui avaient des crampes, et ils ne se sont jamais plaints ! Je serai bien capable de soulager une bête à deux pattes comme toi !

Lanna s'appuya sur un coude et distingua une ombre qui se déplaçait vers la salle de bains. Elle entendit ouvrir la porte. Un instant plus tard, elle perçut un bruit d'interrupteur. Un carré lumineux se découpa sur le sol de la chambre. Elle se protégea les yeux pour ne pas être éblouie. Ensuite elle identifia un tintement de flacons. En sortant de la salle de bains, Hawk n'éteignit pas la lumière et Lanna put le voir nu. Ce qu'elle découvrit lui coupa le souffle. Hawk avait un corps long et mince tout en muscles. Sa peau cuivrée dégageait une virilité incroyable.

— Nous ferions mieux de prendre des précautions, au cas où l'huile se renverserait.

Lanna rabattit le couvre-lit, puis s'allongea sur le drap. La lumière de la salle de bains l'éclairait. Elle sentit les yeux de Hawk qui la dévoraient et fut étonnée de ne pas ressentir la moindre gêne.

— Mets-toi sur le ventre, ordonna-t-il.

— Pourquoi ?

— D'habitude, on a mal au derrière après être monté à cheval.

Le rose aux joues, la jeune femme se mit à plat ventre et enfouit son visage dans ses bras. Cette position la rendait légèrement nerveuse, elle essaya de se relaxer, mais ses muscles se crispèrent lorsqu'elle sentit le matelas s'enfoncer sous le poids de Hawk.

Il commença par les pieds, étendit l'huile sous la plante, la voûte et massa doucement mais fermement, en séparant les orteils. La sensation était trop agréable pour que Lanna ne s'abandonne pas à ce contact apaisant. Il lui massa la cheville et le mollet. Lorsque ses doigts atteignirent, à l'intérieur des cuisses, la zone la plus douloureuse, Lanna défaillit sous les caresses qui lui procuraient un étrange mélange de plaisir et de douleur.

— Détends-toi, gronda gentiment Hawk.

— C'est facile à dire, souffla-t-elle.

Mais elle cessa de résister aux mains qui parvenaient à détendre ses muscles endoloris.

— Tu es ambitieux, Hawk ?

— As-tu le projet de me réformer ?

Il recommença l'opération sur la deuxième jambe, en remontant du pied vers la cuisse, comme pour la première.

— Non.

Lanna sourit dans ses bras repliés et ferma les yeux pour savourer le plaisir.

— Je ne te souhaite pas différent de ce que tu es. Simplement, Chad y a fait allusion et je... me demandais si c'était vrai.

— Douterais-tu de lui ? Ce serait un pas dans la bonne direction. Si, par ambition, tu entends le désir de puissance et la richesse, alors je ne suis pas ambitieux.

L'Indien se mit à cheval sur les jambes de Lanna et commença à lui masser les fesses. Ses attouchements étaient à la fois apaisants et stimulants, impersonnels et pourtant intimes. Lanna essaya de retenir son cœur qui s'emballait.

— Dieu, que c'est bon ! murmura-t-elle lorsque les pouces de Hawk remontèrent le long de sa colonne vertébrale jusqu'à la base du cou.

Elle reprit :

— Je pense que Chad se sent menacé par toi. Probablement parce que tu es intelligent et cultivé, fort capable de mener l'entreprise Faulkner.

— Chad est un travailleur persévérant, mais peu doué. Il lui faut un plan pour agir ; si quelque chose ne marche pas, il perd ses moyens. Mais si tu as envie de parler, Lanna, choisis un autre sujet de conversation.

Il lui tapota les épaules avec la tranche de la main. Lanna renonça à parler. Lorsqu'il eut fini, Hawk se redressa sur les genoux en disant.

— Retourne-toi !

Lanna se mit sur le dos et se trouva face à lui. Il versa de l'huile sur les muscles crispés au-dessus du genou. Dans cette posture, la jeune femme pouvait contempler les lignes sinueuses des épaules et des bras. La lumière de la salle de bains éclairait d'une chaude lueur l'or cuivré de sa peau et faisait briller ses cheveux noirs. Poussée par le désir, Lanna réagit au contact du jeune homme. Instinctivement elle bougea ses hanches, en une invitation silencieuse. Elle aurait pu contrôler le feu intérieur si elle n'avait pas remarqué que Hawk commençait à y répondre.

— Hawk...

Elle posa la main bronzée sur son sein et attira Hawk à elle.

Il fut inutile d'en dire davantage. La bouche de Hawk s'écrasa sur la sienne. Dans une passion réciproque le ventre de l'homme se plaqua contre les hanches de la femme. Le plaisir emporta leurs corps jusqu'au sommet de l'amour d'où ils retombèrent exténués.

Epuisée, Lanna s'endormit dans les bras de son amant.

Comme la fois précédente, Hawk se glissa hors de la chambre dès les premières lueurs de l'aube. Le soleil était haut lorsque Lanna trouva le lit vide en s'éveillant. Elle essaya de maîtriser sa déception, sachant qu'il devait en être ainsi.

Sous l'ombre des arbres, Lanna flâna en direction des écuries. Les oiseaux chantaient sur les branches. Leurs joyeux trilles s'accordaient avec la bonne humeur de la jeune femme qui musardait en les écoutant.

Vêtue d'un jean, de bottes neuves et d'un chemisier de soie crème, elle portait un chapeau plat de style plus argentin que cow-boy, dont la lanière pendait sous son menton.

Lorsqu'elle sortit de la frondaison pour se retrouver dans la cour du ranch, Lanna entendit des voix. Elle regarda dans leur direction, espérant que Hawk s'y trouverait. Mais le trio était constitué par Chad, sa mère et Tom Rawlins. Ils marchaient vers la maison.

Lanna s'écarta brusquement et emprunta un chemin qui allait directement aux écuries. Elle n'avait pas revu les Faulkner depuis le petit déjeuner. Les trois personnes semblaient très absorbées par leur conversation et Lanna souhaita passer inaperçue.

— Lanna !

Chad venait de l'appeler ; elle se retourna et lui fit signe de la main.

— Bonjour ! lança-t-elle en poursuivant son chemin.

— Attendez !

Le jeune homme ne se contentait pas d'une simple salutation et courait derrière elle. Elle s'arrêta en entendant crisser les bottes sur les gravillons et attendit. Comme elle était de bonne humeur, elle n'eut aucun mal à sourire, bien qu'elle ne souhaitât pas cette rencontre. « Chad est divinement beau », songea-t-elle, lorsqu'il fut près d'elle. Il lui adressa un sourire contrit.

— Où alliez-vous ?

— Aux écuries ; j'avais l'intention de faire une promenade à cheval.

Avec un peu de chance, elle espérait y rencontrer Hawk.

— J'en ai informé Carol, ajouta-t-elle pour prévenir tout reproche.

— Mais c'est l'heure du repas, protesta Chad.

— J'ai dormi très tard aujourd'hui et comme j'ai pris un petit déjeuner impressionnant, j'ai décidé de sauter le repas de midi.

Le matin, Lanna s'était en effet senti un appétit d'ogre en se mettant à table.

— Vous semblez moins fatiguée aujourd'hui, remarqua Chad avec un regard admiratif. Vos joues ont plus de couleur. Le repos vous réussit, j'en suis heureux.

— Absolument, approuva Lanna avec un large sourire.

— C'est pour cette raison que vous avez décidé de monter à cheval? Si vous attendiez après le déjeuner, je pourrais vous accompagner. Au fait, comment vont les muscles ?

175

Le regard de Chad glissa sur les hanches rondes de Lanna, soulignées par le pantalon.

— Juste un peu raides, reconnut la jeune femme, je pensais qu'en montant ce matin ils s'assoupliraient un peu. Merci de me proposer de m'accompagner, mais je ne m'attends pas à ce que vous me prêtiez assistance tout le temps. Je peux me débrouiller seule.

— L'idée de vous savoir seule me déplaît, c'est très facile de se perdre dans cette région, expliqua Chad avec une grimace. A cette période de l'année il y a beaucoup de travail au ranch. Je serais très ennuyé de devoir envoyer une patrouille de cow-boys à votre recherche.

— Je n'avais pas songé à cela.

Lanna se mordilla les lèvres ; elle reconnaissait la logique des arguments.

— Rentrez à la maison, vous prendrez un thé glacé pendant que je déjeunerai.

Chad posa une main sur le bras de Lanna, persuadé qu'elle allait accepter sa proposition.

— Je préfère me promener. Il fait trop beau pour rester enfermée.

Elle se tourna et désigna d'un geste ample les plaisirs qu'offrait la journée ensoleillée. Elle remarqua alors une silhouette solitaire qui marchait en direction du ranch.

— Qui est-ce ?

Chad suivit le regard de la jeune femme.

— On dirait un Indien, déclara-t-il avec une note de mépris. Il vient probablement mendier. L'imbécile aurait mieux fait d'aller ailleurs. Rawlins aura vite fait de le renvoyer chez lui.

Au fur et à mesure que la silhouette se rapprochait, Lanna avait l'impression de le reconnaître.

— J'ai déjà vu cet homme, souffla-t-elle.

— Vous le connaissez ? s'étonna Chad. Comment connaîtriez-vous un Indien ?

Lanna examina la couverture crasseuse et déchirée qui recouvrait les épaules voûtées. La même plume maigre était plantée dans les cheveux poivre et sel. La différence majeure venait du fait que la dernière fois qu'elle avait aperçu cet homme, il était ivre. Aujourd'hui, il marchait droit.

— Je l'ai rencontré avec votre père.

— Où?

L'aigreur de la question surprit Lanna.

— Devant un musée. Est-ce important ?

Elle fronça les sourcils en voyant la grimace que Chad s'efforçait de dissimuler. Entre-temps, Katheryn et Tom Rawlins avaient rejoint Chad. Leur attention fut également attirée par l'Indien.

— Non, pas du tout, assura Chad.

Lanna se retourna. L'Indien les avait vus et redressait les épaules, s'efforçant de prendre un air digne. Il était sale, sa peau avait une teinte jaunâtre, mais il était à jeun cette fois. En regardant le petit groupe ses yeux noirs brillèrent.

— Hello, Bobby-le-chien !

Lanna l'avait salué par son nom. Elle lui sourit. Il la fixa avec étonnement.

— Je vous connais ?

Il ne parlait plus le jargon d'un Indien inculte.

— Je ne pense pas que vous vous souveniez de moi, répondit Lanna. Mais je vous ai rencontré il y a un mois, vous teniez un collier de graines de cèdre et vous insistiez pour que John, John Faulkner me l'achète.

— C'est possible, reconnut l'Indien en se redressant de toute sa hauteur. Justement, je venais voir John Faulkner.

— Il est mort, annonça Chad avec une franchise plutôt brutale.

Les yeux noirs perdirent leur lueur d'espoir. Lanna remarqua que l'Indien s'affaissait sous le poids de la nouvelle. Il paraissait perdu et désorienté.

Lanna lui offrit sa sympathie :

— Désolée, Bobby-le-chien.

— Blanche-Sauge aura été là pour prendre Yeux-qui-rient par la main et le conduire dans l'au-delà. Je sais ça, dit tristement l'Indien.

A ces mots, Katheryn suffoqua de rage. Lanna se retourna et lui jeta un coup d'œil rapide, mais Katheryn s'éloignait déjà.

— Il m'avait dit de retourner chez moi, poursuivit Bobby-le-chien à l'adresse de Lanna.

L'Indien leva vers Chad son visage fatigué et plein de rides.

— J'ai parcouru un long chemin pour revoir mon vieil ami, ajouta-t-il.

— Vous n'arrivez pas de Phoenix à pied ?

L'expression de l'homme changea, il prit un air bouffon.

— Je suis venu à cheval sur mon pouce.

Il mima ces paroles en glissant la main entre ses jambes. Ce spectacle glaça Lanna : une caricature grotesque.

— Je suis ridicule, pas vrai ?

Bobby-le-chien éclata de rire, découvrant une rangée de dents saines, mais jaunies par le manque de soin.

— C'est rigolo de chevaucher son pouce !

— Très rigolo.

Lanna sourit et réalisa que l'Indien devait souvent se prendre comme sujet de plaisanterie pour en tirer quelque aumône.

L'homme prit un air malheureux, suppliant.

— Je meurs de faim, n'y aurait-il pas à manger pour un vieil ami de John ? Peut-être un endroit pour dormir ? La terre est dure, froide, et ma couverture trouée.

Cette requête s'adressait à Chad. Lanna se tourna vers le jeune homme, ses yeux noisette intercédant en faveur de Bobby-le-chien. Mais Chad avait une expression rassurante.

— Je me souviens. Mon père te connaissait, Bobby-le-chien, dit-il, Tom Rawlins te conduira dans le dortoir des cow-boys. Tu y trouveras de la nourriture et un bon lit. Tu es le bienvenu, tu peux rester aussi longtemps que tu voudras.

La plume cassée de l'Indien plongea en avant lorsque celui-ci inclina la tête en remerciement de l'invitation.

— Merci, tu es un bon fils. Ton père serait fier de toi, tu n'as pas oublié un vieil ami !

— Tom !

Chad fit signe au contremaître de s'approcher.

— Emmène-le, et veille à ce qu'il ait quelque chose à manger.

L'ordre n'enchanta pas Rawlins, mais il s'exécuta. Lorsque les deux hommes s'éloignèrent, Lanna vit Bobby-le-chien s'incliner devant le petit homme sec.

— Je suis heureuse que vous lui ayez proposé de rester, Chad.

— Oui. Ne tournait-il pas dans des films à Hollywood ? J'ai vaguement entendu mon père prononcer son nom.

178

— C'est lui, en effet.

— Voulez-vous m'excuser ? Je vais voir si Tom lui a trouvé des vêtements propres et préparé un bain. Il en a besoin, il pue à dix mètres.

Avec un sourire vague, Chad suivit le contremaître et l'Indien. Sa sollicitude réchauffait Lanna. C'était bien là Chad ! Lanna s'apprêtait à partir lorsqu'elle aperçut Hawk qui traversait là cour du ranch pour venir à sa rencontre. Lanna ressentit intensément la haine réciproque qui opposait les deux frères.

Hawk interrogea la jeune femme d'un regard aigu.

— N'est-ce pas Bobby-le-chien ?

— Si. Vous le connaissez donc ?

Lanna était surprise que Hawk l'ait identifié alors que Chad n'en avait qu'un souvenir vague.

— Je l'ai rencontré à plusieurs reprises.

Hawk fronça les sourcils en examinant les trois hommes qui s'éloignaient.

— Où l'emmènent-ils ?

— Manger, expliqua Lanna, Chad lui a dit de rester aussi longtemps qu'il voudrait.

— Il n'a aucun endroit où aller, les wigwams de ses parents lui sont interdits, il les déshonore par son trafic d'alcool volé.

La bouche de Hawk s'étira en une ligne amère.

— C'est difficile à croire. Chad a permis à l'Indien de rester !...

— Chad est bon et généreux, répliqua Lanna, il m'a beaucoup aidée.

— Parce qu'il avait tout à y gagner, rétorqua Hawk avec un sourire fugitif. Je crois que nous ferions mieux de choisir un sujet sur lequel nous soyons d'accord. Comment vous sentez-vous ce matin ?

— Bien.

— Où alliez-vous ?

— Tout d'abord, j'avais l'intention de monter à cheval. (Lanna hésita puis jeta un œil sur la maison, derrière les arbres.) Je ferais mieux d'aller voir Katheryn. Bobby-le-chien a prononcé des paroles qui l'ont bouleversée.

Hawk se retourna et jeta un regard railleur sur la demeure.

— Vous feriez bien d'y aller, en effet.

Lanna pivota sur ses talons et revint sur ses pas. En ouvrant la porte d'entrée elle entendit la voix aiguë de Katheryn dans le living. Elle ne correspondait pas à l'image que Katheryn avait toujours donnée d'elle : celle d'une femme raffinée et calme. La curiosité de Lanna s'éveilla. Elle referma doucement la porte en prenant garde à ne faire aucun bruit.

— J'aurais dû le tuer ! Je jure que j'aurais dû le tuer, hurlait Katheryn, c'était déjà assez terrible à l'hôpital, Carol ; lorsque John Buchanan m'a tendu la main, j'ai cru que c'était à *moi* qu'il la tendait ! Mon Dieu, j'ai pensé qu'enfin, *enfin*, il me revenait ! Mais c'est son nom qu'il a murmuré. *Le nom de cette chienne !* Et maintenant, cet Indien répugnant qui se montre !

— C'est fini, Katheryn, dit Carol d'une voix apaisante.

— Non, ce n'est pas fini !

Comprenant que les deux femmes allaient se douter que leur conversation pouvait être surprise, Lanna marcha sur la pointe des pieds vers la porte. Elle l'ouvrit puis la referma avec fracas. Elle en avait suffisamment entendu pour savoir que Katheryn était jalouse de la liaison de son mari avec la mère de Hawk. Et cette jalousie persistait au-delà du tombeau.

Lanna marcha vers l'arcade en défaisant la bride de son chapeau, qu'elle ôta.

— Je croyais que vous deviez monter à cheval, remarqua Carol.

— J'ai décidé d'attendre après le repas. Chad a promis de m'accompagner.

La jeune femme se laissa tomber dans un fauteuil.

— Quelque chose ne va pas? demanda-t-elle à l'adresse de Carol et de Katheryn.

Madame Faulkner répondit :

— J'ai la migraine ; trop de soleil, sans doute. (Sa voix était aussi crispée que son maintien.) J'ai été stupide de ne pas mettre de chapeau pour sortir ce matin.

Lanna souhaita ne jamais avoir posé la question. Ce

180

faisant, elle avait forcé Katheryn à mentir. Elle quitta le fauteuil dans lequel elle venait de s'asseoir à l'instant, en s'excusant.

— Je vais voir s'il reste une tasse de café.

La conversation qu'elle avait interrompue ne fut pas reprise. Mais les pensées de Lanna allaient vers ce qu'elle venait d'entendre. Elle était désolée pour Katheryn. Sa vie avait été empoisonnée par une jalousie qui se nourrissait d'elle-même.

CHAPITRE XV

LE REGARD DE HAWK ABANDONNA le jeu de poker et se posa dans le coin de la pièce, où deux vieux cow-boys étaient assis à côté de Bobby-le-chien. L'Indien les gratifiait de ses histoires hollywoodiennes — les films dans lesquels il avait tourné, les stars qu'il avait connues. Il avait bien essayé de vendre tout ce qu'il avait sur lui pour un verre de whisky, mais pour le moment il n'était pas soûl.

— Tu as vraiment tourné les films que tu prétends avec John Wayne ?

Bill Short observait l'Indien, sceptique.

— Il me réclamait tout le temps, assura Bobby-le-chien.

Il n'avait plus sa couverture rose crasseuse ni sa plume. A la place de sa chemise et de son pantalon troué il portait une chemise neuve à carreaux et un jean. Ces vêtements accentuaient encore sa maigreur.

— Les seuls Indiens que j'aie remarqués étaient tous morts !

— J'y étais ! s'écria Bobby avec un sourire radieux qui découvrit toutes ses dents. Je mourais toujours, j'étais sans cesse étalé dans la poussière.

Il éclata de rire, ainsi que ses auditeurs.

— A toi de jouer, Hawk, annonça le Mexicain Sanchez, ramenant l'attention sur le poker.

— Dan a fait une surenchère.

Hawk regarda son jeu étalé dans sa main ; il n'avait qu'une paire de quatre et la septième carte était sortie. Dan l'avait battu avec ses deux dames.

Il jeta son jeu et se leva brusquement.

— Je suis dedans.

Il avait un désir pressant de s'en aller, mais marcha nonchalamment vers la porte. Dehors, il s'arrêta, le temps que ses yeux s'habituent à l'obscurité. Tout de suite, son regard fut attiré par les lumières de la maison qui scintillaient au travers des arbres. Il fit un pas vers la maison et s'arrêta en entendant une voix jaillir de l'obscurité, toute proche.

— La fumée te dérange ?

Luther avait posé cette question avec trop de désinvolture.

— Je suis sorti prendre l'air moi aussi, ça m'encrasse les poumons, cette fumée.

Hawk fut profondément irrité. Pourquoi n'avait-il pas remarqué la présence de Luther ? C'était à cause de Lanna : son image le hantait avec ses yeux noisette et la beauté paisible de ses traits.

Hawk se retourna avec une décontraction apparente vers l'homme assis sur une chaise. Avec l'âge, Luther s'était épaissi, ses cheveux étaient devenus gris. Malgré toutes les paroles échangées au cours des années, Hawk et le vieux cow-boy restaient en froid. Luther et Bill Short avaient aidé Rawlins à tabasser Hawk. Il n'avait pas oublié.

— J'avais besoin d'air, en effet, répondit Hawk.

Il s'avança et alla s'adosser au rebord de la fenêtre. Luther fit un effort pour se redresser sur son siège. L'âge ankylosait le vieil homme après une rude journée de travail.

— Tu devrais prendre ta retraite, Luther, tu te fais vieux pour ce boulot.

C'était une constatation, ce n'était pas l'intérêt qui faisait parler Hawk ainsi.

— La retraite ? Bon sang ! Je resterai cow-boy jusqu'à ce que je meure ou devienne infirme ! Et si je suis infirme, eh bien..., vous n'aurez qu'à m'attacher à la selle.

L'impatience gagna Hawk, mais il ne le montra pas. Des éclats de rire résonnaient à l'intérieur. La présence de l'Indien Bobby-le-chien était également un sujet qui préoc-

183

cupait Hawk. Chad avait une raison pour le garder ; Lanna avait beau penser qu'il s'agissait là d'un acte de bienveillance, Hawk n'en croyait rien.

Luther toussa et se détourna pour cracher.

— Au fait, ce Bobby-le-chien, il a essayé de me vendre sa lunette. On regarde dedans et il apparaît une femme nue.

Il ricana.

— L'amie de Chad, elle a une bien jolie figure, ça peut donner des idées à un homme, ça !

— Je ne la connais pas bien, Chad ne paraît pas très disposé à la montrer.

Cette simple allusion à Lanna avait énervé Hawk. Il jeta un regard furibond sur la maison.

— Madame n'est pas au piano ce soir, remarqua Luther. Elle a une façon de jouer qui touche le cœur de l'homme.

— C'est une pianiste de talent, reconnut Hawk.

— Elle t'avait envoûté l'autre nuit, il faisait presque jour quand tu es rentré.

— M'espionnerais-tu, Luther ?

Hawk avait relevé froidement la provocation, mais ses yeux ressemblaient à des pointes acérées. Le cow-boy hésita puis fit la moue. Il hocha la tête :

— Non, je sais bien que tu ne veux pas recevoir de conseils de moi. Mais, petit, tu vas t'attirer des ennuis. Tu en as déjà eu ta part, retire-toi, petit, il est encore temps.

— Je ne comprends pas de quoi tu parles. Tu es fatigué, Luther, l'heure de te coucher est passée. Pourquoi ne pas te retirer pour dormir ? suggéra Hawk avec une feinte décontraction.

— Non. Je ne dors pas bien ; en vieillissant le corps n'a pas besoin d'autant de sommeil.

Hawk pesta en silence.

— Moi, je vais dormir, annonça-t-il. Bonne nuit, Luther.

— Bonne nuit.

Le lendemain, le soleil était presque couché lorsque Hawk rentra au ranch à cheval. En nage, fatigué et sale, il n'avait pas fermé l'œil de la nuit. Il s'était retourné dans sa couchette en songeant aux plaisirs qu'il avait partagés dans un autre lit la nuit précédente. Bon Dieu, il avait besoin d'une douche, de quelque chose de propre, de doux sur sa peau, comme Lanna. Hawk serra férocement les mâchoires.

D'une brusque traction sur les rênes, il arrêta sa monture en face de l'écurie. Puis, sautant des étriers, il la conduisit à l'intérieur pour la desseller. Près du bâtiment il entendit un chant monotone. Il s'arrêta, poussé par la curiosité, attacha le cheval et se faufila à travers les planches. Lorsqu'il eut atteint l'angle de la bâtisse il aperçut Bobby-le-chien qui se balançait en chantant, face au soleil couchant. Hawk s'immobilisa et écouta, les sourcils froncés par l'effort pour comprendre les paroles qui lui permettraient de reconnaître le chant. Mais les sons gutturaux lui parvenaient indistincts.

— Que chantes-tu ? Je ne connais pas cette mélodie, fit Hawk.

Bobby-le-chien considéra une telle ignorance avec mépris.

— *Flaming Arrows*, 1949.

Cette précision fit secouer la tête de Hawk, mais son amusement s'évanouit en apercevant la fiole de whisky dans la main de l'Indien.

— Où as-tu trouvé ce whisky ?

Hawk croyait que tout le monde avait bien compris qu'il ne fallait pas donner de l'alcool au vieux bonhomme.

— Je l'ai gagné, précisa Bobby, offensé que l'on puisse croire qu'il avait mendié. La magie contre la bouteille.

Les coins de la bouche de Hawk s'affaissèrent. La magie, c'était certainement cette image de femme nue que l'Indien avait essayé de refiler aux cow-boys la nuit dernière. Quelqu'un s'était laissé avoir.

— Qui t'a échangé la fiole contre la magie ? demanda Hawk.

L'Indien fronça les sourcils pour essayer de se souvenir.

— Celle-qui-a-deux-visages.

Cette description convenait à beaucoup de personnes du ranch.

— Elle m'a donné du bon whisky.

Bobby but une gorgée et poussa un grognement de satisfaction.

— Elle ?

En réfléchissant, Hawk songea que cela ne voulait rien dire, car la langue navajo ne distinguait pas les pronoms

185

masculins des pronoms féminins. Hawk s'enquit toutefois :

— Etait-ce un homme ou une femme ?

Mais Bobby-le-chien ne répondit pas, il contempla à nouveau le disque solaire en chantant sa mélopée incompréhensible.

Hawk se retourna en secouant la tête, fataliste. Il décida que peu lui importait de savoir qui avait fourni le whisky à Bobby. D'une façon ou d'une autre il s'en serait procuré. C'était l'unique moyen pour le vieil homme de retrouver sa gloire perdue.

— Vous ai-je dit que Johnny avait obtenu une excellente note à son test de mathématiques, Katheryn ? demanda Carol. J'ai reçu sa lettre aujourd'hui, il était très fier.

— Non, tu n'y as pas fait allusion. Il faudra que je pense à lui envoyer une récompense, déclara Katheryn avec une générosité de bonne grand-mère.

— Johnny travaille bien à l'école, comme son père.

Cette fois, Carol s'adressait à Lanna. Les deux jeunes femmes étaient assises sur le canapé ; Carol faisait de la tapisserie et Lanna feuilletait un magazine.

— Chad est extrêmement intelligent, personne ne l'ignore.

Lanna fit une tentative désespérée pour s'intéresser à la conversation. Mais elle ne l'attirait pas plus que le magazine. Elle posa une main sur sa bouche pour étouffer un bâillement.

— Je vous ennuie avec Johnny ! s'excusa Carol.

— Pas du tout, insista Lanna, je suis fatiguée. J'ai mal dormi la nuit dernière.

Elle s'était tournée et retournée dans son lit, s'éveillant au moindre bruit en pensant que c'était Hawk. Tout le jour elle s'était sentie fatiguée et déprimée, signe qu'elle n'avait pas encore récupéré ses forces après sa maladie.

— Vous devriez vous coucher de bonne heure, suggéra Katheryn.

— Je crois que vous avez raison, soupira la jeune femme.

Elle reposa le magazine et se leva.

— Bonne nuit.

— Voulez-vous prendre un lait chaud ? Un chocolat ? offrit encore Katheryn.

Lanna refusa. Cependant, elle hésita avant de s'en aller et se tourna vers son hôtesse.

— Auriez-vous du thé au sassafras ? C'est ma panacée.

Katheryn hésita légèrement avant de répondre.

— Je crois que nous en avons, je vais demander à Roseanne qu'elle en monte une tasse dans votre chambre.

Lanna suivit le corridor qui conduisait à sa chambre. Dès qu'elle entra, elle aperçut automatiquement la porte-fenêtre vitrée de la véranda. Elle s'arrêta puis traversa la pièce pour tirer les rideaux. Elle posa une main hésitante sur la tenture et plongea son regard dans la nuit obscure. Des lumières brillaient à travers les arbres. Lanna rabattit l'espagnolette et tira les lourds rideaux. Un quart d'heure après, elle s'était mis de la crème sur le visage, brossé les dents et avait enfilé son pyjama en soie.

Lanna tira le dessus de lit. On frappa un coup léger à la porte. Carol annonça d'une voix claire :

— Service dans les chambres !

Lanna sourit.

— Entrez.

Elle avait rabattu le couvre-lit et tapotait le traversin, lorsque la porte s'ouvrit. Carol posa une tasse en porcelaine de Chine sur la table de chevet.

— Merci de vous être dérangée.

Elle prit la tasse et respira le parfum alléchant du liquide brûlant.

— Je ne me suis pas dérangée, protesta Carol. Est-ce que vous vous sentez mieux ? Ce serait terrible si vous rechutiez, alors que vous êtes venue vous reposer.

— Je suis seulement fatiguée, précisa Lanna en buvant une gorgée de thé. Il n'a pas le même goût que le mien, remarqua-t-elle. J'aime bien. Savez-vous ce qu'il y a dedans ?

— Non, c'est Katheryn qui l'a préparé ; Roseanne est déjà couchée. C'est pourquoi j'ai proposé de vous le monter.

Lanna but une nouvelle gorgée et reposa la tasse dans la soucoupe.

— Vous êtes lasse, je ne veux pas vous retenir davantage, déclara Carol en se dirigeant vers la porte. Bonne nuit.

— Bonne nuit.

Avec grâce Lanna s'assit sur le lit et alluma la petite lampe de chevet.

— Pourriez-vous éteindre le plafonnier, Carol ?

— Bien sûr.

Carol ouvrit la porte, étendit le bras vers l'interrupteur et referma la porte.

Lanna reprit la tasse en souhaitant que l'infusion la fasse dormir. Elle n'avait pas envie de passer une deuxième nuit blanche. Elle bâilla, finit son thé, se glissa dans les draps et éteignit la lampe.

Quelques minutes plus tard, pelotonnée sur son oreiller, elle eut légèrement envie de vomir, mais cela ne dura pas et la jeune fille s'endormit.

Presque aussitôt, elle se mit à rêver. Hawk était dans son lit, ses yeux rayonnaient d'un bleu intense, électrique. Ses cheveux étaient noirs, ils irradiaient une telle lumière que Lanna fut éblouie. Sous ses paupières closes, les couleurs explosaient. Son cœur battait si fort qu'elle avait la sensation qu'il se trouvait en dehors de son corps. Elle leva les yeux vers Hawk ; il tenait son cœur dans la main. Elle le supplia de le lui rendre, mais il se contenta de sourire de son sourire énigmatique habituel et s'en alla. Chad se trouvait là et il promit de lui offrir un cœur neuf. Tout à coup son visage se déforma, parcouru de vagues comme dans les miroirs des foires.

Lanna rêva ensuite d'un défilé : d'abord Hawk, puis Chad, suivi de Carol et de Katheryn, qui faisait une scène de jalousie à John. John venait la voir avec des billets de cent dollars dans les poches et insistait pour qu'elle les prenne. Ensuite venait le vieil Indien navajo, agitant sa chemise rose sale et croassant comme un corbeau. Lanna avait de la peine à respirer. Son cœur s'en était allé.

Elle tenta de sortir du rêve, mais ses jambes ne voulaient pas bouger. Il y avait des couleurs, beaucoup de couleurs, aveuglantes. Lanna tourbillonnait à l'intérieur d'un kaléidoscope dont les dessins et motifs avaient été spécialement conçus pour elle : bleu améthyste, orange, rose fuchsia, rouge, vert émeraude. Des pierres précieuses l'entouraient. Toute la nuit elle bascula entre cauchemars et rêves merveilleux.

Lorsqu'elle s'éveilla au matin, elle éprouva une pointe de regret. Elle ne voulait pas abandonner cette splendeur. Après s'être levée, elle se sentit reposée mais un peu apathique. Lorsqu'elle entra dans la salle à manger, Katheryn était à table, seule. Elle sourit avec gentillesse.

— Vous êtes matinale. Comment vous portez-vous aujourd'hui ?

Lanna lui rendit son sourire.

— Mieux.

— Désirez-vous un jus d'orange ou de raisin ? Il y a les deux.

Mme Faulkner repoussa sa chaise cannée et s'approcha du buffet, sur lequel était disposé le petit déjeuner.

— Ne vous dérangez pas, s'écria Lanna.

— Asseyez-vous, insista Katheryn, de toute manière j'allais me servir une tasse de café.

Lanna but une gorgée de jus d'orange.

— Où est Carol ? Au lit ?

— Non, je crois qu'elle prépare les bagages de Chad.

Katheryn ajouta un morceau de sucre dans son café.

— Chad s'en va ?

— Oui, il est obligé de prendre l'avion pour Phoenix, il ne peut pas abandonner le bureau plus longtemps.

La cuillère tinta contre la porcelaine, tandis que Katheryn remuait son café.

— Il est dans le bureau en train de classer ses papiers, vous pouvez aller le saluer avant son départ.

— Oui, fit Lanna sans finir son petit déjeuner.

Elle quitta la salle à manger, traversa en hâte le long couloir, passa sous une arcade qui aboutissait devant une double porte en acajou sculpté. Lanna frappa deux coups.

— Entrez, dit Chad.

Lanna tourna la poignée en cuivre repoussé. Le bureau était une pièce très masculine, marquée par la personnalité de John. Lanna la retrouva tout de suite dans la couverture navajo qui ornait le mur et les *kachinas* alignées sur le manteau de la cheminée. John avait toujours été un fervent de la culture navajo. Au milieu de la pièce trônait un imposant bureau de chêne encadré par un canapé et un fauteuil de cuir.

Chad était assis derrière le bureau ancien sur lequel étaient étalés de nombreux dossiers. Lorsque Lanna entra, un sourire éclaira les traits réguliers du jeune homme.

— Bonjour, Chad. Katheryn m'apprend que vous partez ce matin.

Lanna traversa la pièce et vint se planter devant le bureau.

— J'avais décidé de partir cet après-midi, mais Carol

189

m'a demandé de passer dire bonjour à Johnny, au collège. Elle lui envoie quelques livres et Roseanne lui a confectionné ses gâteaux préférés. Je suis chargé de remettre à mon fils ce « paquet-tendresse ».

Chad prit plusieurs documents et les glissa dans son attaché-case.

— Carol se rattrape de n'avoir pas vu son fils la semaine dernière.

— Carol est fière de son fils.

— Fière ? C'est un euphémisme ! rectifia Chad. Elle est folle de lui, elle ne vit que pour cet enfant, parfois je m'inquiète, elle a fait de lui le centre de sa vie. Elle lui écrit quatre à cinq fois par semaine. Souvent je me dis qu'elle s'occupe mieux de son fils que de...

Chad s'interrompit, l'air chagrin.

— Excusez-moi, Lanna.

La jeune femme pencha la tête de côté, ses cheveux châtains et brillants dansèrent sur ses épaules.

— C'est une histoire ancienne. Les maris se plaignent que leurs femmes les négligent.

Chad ferma son attaché-case d'un air déterminé.

— Carol n'est pas parfaite, mais moi non plus !

— Vous êtes plus proche de la perfection qu'elle !

Lanna le taquinait pour briser la tension qui s'était établie soudain entre eux.

Chad contourna son bureau, vint se placer devant Lanna et posa les mains sur ses épaules. Il la fixa d'un regard intense, comme s'il voulait la persuader de son absolue sincérité. Malgré tout, une pensée fugitive traversa l'esprit de Lanna : Hawk n'accordait aucun crédit à son demi-frère.

— Carol est une bonne épouse et une bonne mère, déclara Chad avec emphase. Je veux que vous le sachiez, ce n'est pas parce qu'il me manque quelque chose que je...

Il s'interrompit à nouveau.

— J'aurais préféré que vous ne soyez pas venue me dire au revoir, chuchota-t-il. Si mère et Carol étaient ici, ce serait plus facile, Lanna.

Le ton à lui seul suffisait à tout expliquer. Chad pressa plus fort les épaules de Lanna. Elle plongea son regard dans les yeux bruns pailletés d'or. Leur lumière l'hypnotisait. Elle se rendit compte combien le charme de Chad était dangereux. Dangereux parce que cet homme pouvait affirmer en même temps le respect qu'il portait à son épouse et faire la cour à une autre femme.

Chad attira Lanna contre lui. Elle renversa la tête en arrière. Les lèvres de l'homme étaient chaudes sur les siennes ; il l'embrassa comme quelqu'un qui a de l'expérience. Ses bras se refermèrent autour d'elle. Mais Lanna resta de marbre ; rien à voir avec l'émoi que Hawk faisait naître en elle. Elle essaya de se retirer, regrettant déjà le baiser.

A ce moment, la porte s'ouvrit. Lanna était toujours dans les bras de Chad, leurs lèvres à peine séparées. Cette intrusion leur fit tourner la tête. Les yeux de Lanna s'agrandirent de dépit en apercevant Hawk planté dans l'embrasure de la porte. Son regard était d'un bleu si froid qu'il glaça la jeune femme. Chad desserra son étreinte, mais garda un bras protecteur autour des épaules de Lanna.

— L'avion sera prêt à décoller dans un quart d'heure. Jake te conduira à Phoenix.

Hawk eut un sourire à donner la chair de poule.

— Désolé de vous avoir dérangés.

Il referma la porte. Lanna baissa la tête, devinant ce que Hawk avait imaginé et se demandant comment elle pourrait s'expliquer. Elle n'avait même pas cherché à quitter les bras de Chad.

— Lanna, commença celui-ci, je n'aurais jamais dû me permettre ce baiser. Ce n'était que Hawk, mais ça aurait pu être...

Il lui prit le menton.

— Je regrette, mais je ne peux surmonter les sentiments que j'éprouve...

Lanna s'arracha enfin à son étreinte.

— Ne dites rien, je vous en prie, Chad.

— Je sais, je n'ai aucun droit de parler ainsi.

Il la rattrapa par le bras.

— Je n'ai pas le droit d'éprouver ce que j'éprouve, mais ça ne change rien à la situation.

— Je vous crois, Chad.

Le croyait-elle vraiment ? N'avait-il pas agi ainsi pour la séparer de Hawk ?

— Ça ne se reproduira plus, assura Lanna.

— Je ne vous reproche pas vos sentiments, ma chérie.

Il essaya de la prendre à nouveau dans ses bras, mais elle résista.

— Non, dit-elle en se dégageant avec fermeté.

Chad cria son nom, mais elle ignora son appel et se précipita hors de la pièce. Elle ne fuyait pas Chad, mais courait après Hawk.

Dehors, le soleil l'aveugla. Elle se protégea les yeux jusqu'à ce qu'elle ait atteint l'ombre des arbres, sur la pelouse. Dans la cour du ranch, elle s'arrêta pour scruter les environs, mais n'aperçut pas la moindre trace de Hawk. Près d'un bâtiment, un cow-boy déchargeait un camion.

— Savez-vous où je pourrais trouver Hawk ? demanda-t-elle essoufflée, lorsqu'elle arriva devant le camion. L'homme tourna la tête, Lanna lut une question dans son regard, mais elle ne se soucia guère de ce qu'il pensait.

— L'avez-vous aperçu ? insista-t-elle.

— Je l'ai vu se rendre aux écuries, il y a à peine une minute.

Il fit un geste pour indiquer la direction.

— Merci, fit Lanna en se dirigeant vers les écuries.

Elle se glissa à travers l'étroit passage sous lequel une porte était entrouverte. L'intérieur sentait le fauve et la poussière. Hawk tirait un cheval par la longe.

Le temps que Lanna eût traversé l'allée en ciment, il avait attaché la corde à un anneau rivé dans le mur. Une selle et une couverture gisaient par terre, à quelques pas. Hawk ne leva même pas les yeux sur Lanna lorsqu'elle se fut approchée. Son visage avait une rigidité de masque.

— Hawk, je veux vous expliquer ce à quoi vous venez d'assister, commença-t-elle.

— Pourquoi ? (Il passa l'étrille sur la robe du cheval, pour en ôter la poussière, puis dit :) Ça ne me regarde pas.

L'indifférence de sa voix avertit Lanna que la tâche ne serait pas facile.

— La vérité n'a rien à voir avec les apparences, protesta-t-elle.

Elle aurait bien aimé qu'il la regarde pendant qu'elle parlait, mais Hawk s'absorbait dans sa tâche.

— Je suis sûr que vous êtes seulement amis !

— Ça n'est pas ce que j'essaie de vous dire. Oui, nous sommes amis, en effet : Chad s'est montré très bon à mon égard, il m'a aidée.

Ce n'étaient pas du tout les paroles que Lanna voulait dire.

— Vous étiez simplement en train de le remercier pour tout ce qu'il a fait, dit Hawk sur un ton neutre.

Il suspendit l'étrille à un clou et ramassa la couverture de selle.

— Je ne l'embrassais pas pour le remercier, protesta Lanna. (Le profil sévère de Hawk rendait l'entreprise ardue.) Vous pourriez au moins me regarder, lorsque je m'adresse à vous !

Il lui fit face, une main posée sur le plaid rayé.

— Qu'alliez-vous me dire ?

— J'allais vous dire, répondit Lanna d'une voix étranglée, que Chad est un bel homme, raffiné et plein de charme. Je doute que vous soyez capable d'apprécier ce que je vais vous révéler, mais sachez qu'une femme est toujours flattée lorsqu'un homme s'intéresse à elle.

— S'il vous flatte suffisamment, vous vous retrouverez dans son lit !

Il souleva la selle et la jeta sur le dos du cheval.

— De plus, Carol adore le goût du péché. Vous pourrez faire ménage à trois.

— Allez au diable, Hawk ! Vous déformez ce que je vous dis et vous aggravez les choses. J'essaie de faire entrer dans votre tête de mule que j'ai embrassé Chad par simple curiosité.

— Un concours de baisers ? fit-il en tordant la bouche.

Mais cette boutade manquait d'humour. Il accrocha les étriers et se pencha pour boucler la sangle, sous le ventre de l'animal. Hawk n'avait pas posé la question à laquelle Lanna s'attendait.

— Ça vous intéresse de savoir comment j'ai trouvé le baiser ?

— Pas particulièrement.

Une fois la sangle en place, Hawk passa devant Lanna pour prendre le harnais.

— Je me sentais à demi morte dans ses bras, avoua Lanna d'une voix sourde, presque humble.

— Terrible.

Hawk fixa le mors dans la bouche du cheval ; le métal tinta contre ses dents.

— C'est tout ce que vous trouvez à dire ?

Lanna eut un air incrédule.

— Nous avons tous des ennuis, fit Hawk en enlevant la longe, mais je ne me mêle jamais des affaires des autres.

Lanna le regarda rassembler les rênes et tirer l'animal.

— Où allez-vous ?

— Vérifier des clôtures.

— Attendez !

Elle posa une main sur son bras.

— Je vais avec vous, laissez-moi seller un cheval.

Hawk s'arrêta et regarda la main de la jeune femme sur son bras. Elle semblait blanche et fragile sur le jaune de sa manche. Lorsqu'il leva lentement les yeux, ils étaient opaques, totalement dépourvus d'expression.

— Je monte seul, annonça-t-il.

Lanna refusa de comprendre l'allusion.

— Je vous accompagne.

— Ce serait une bien mauvaise idée que de vous montrer en ma compagnie.

— Je m'en moque. Ne le comprenez-vous pas ? Peu m'importe ce que vous êtes. Je viens.

Lanna avait mis son amour-propre de côté et affrontait Hawk avec détermination.

— Je monte à cheval seul, je le veux ainsi.

Il bougea le bras pour échapper à l'étreinte de la jeune femme.

— Vous n'avez donc jamais besoin de personne, Hawk ? interrogea Lanna, égarée.

— Pour quoi faire ? lâcha-t-il avec un regard sombre.

— Cessez de me regarder comme un...

Elle s'interrompit pour chercher le mot. Hawk le dit à sa place.

— Comme un sale métèque ! Avec quelle partie de moi avez-vous l'intention de monter : le Navajo ou le Blanc ? siffla-t-il d'un ton de défi.

Elle ne comprit pas son attaque, mais tout à coup il lui empoigna les cheveux. Sans tenir compte de son cri de douleur il lui embrassa les lèvres, sans pitié, la mordant férocement au point qu'elle sentit un goût de sang dans la bouche. Il la laissa aussi rapidement qu'il l'avait prise et la repoussa avec une telle violence qu'elle perdit l'équilibre. Instinctivement, elle porta la main à sa bouche meurtrie.

— Fichez le camp ! (Les yeux de l'Indien brillaient d'une rage à peine contenue.) En vous dépêchant, vous verrez Chad avant son départ et pourrez pleurer sur son épaule.

Lanna essuya les larmes qui roulaient sur ses joues.

— Vous n'êtes pas libre, Hawk. Vous vous êtes condamné à une vie de solitude. Vous ne serez pas libre tant que vous ne laisserez personne vous aimer et que vous ne lui rendrez pas son amour. Il vous faudra faire confiance aux autres, avoir besoin d'eux pour vivre vraiment.

Cette déclaration n'eut aucun effet sur Hawk. Il monta en selle. Lanna le suivit des yeux tandis qu'il franchissait la porte et passait sous la traverse. La robe du cheval luisait sous le soleil. Hawk fit prendre le pas à sa monture. Lanna se mit à trembler.

CHAPITRE XVI

Pendant une semaine, Lanna ne s'aventura pas hors de la maison, espérant que Hawk la chercherait, mais elle ne le vit pas, même de loin. Elle entra alors dans une dépression qui s'aggravait chaque jour.

Elle continuait à boire son thé au sassafras le soir. Le matin, elle s'éveillait revigorée, mais vers midi, alors que les fleurs avaient épuisé leur effet bénéfique, la jeune femme se retrouvait insensible à ce qui l'entourait.

Elle se dirigea vers le living sans but précis ; Katheryn arrangeait un bouquet de fleurs blanches et ocre dans un vase en cristal. Elle ajouta quelques branches de fougère. Assise près de la cheminée, Carol écrivait une lettre à son fils Johnny.

— Bonjour, Lanna. Nous nous demandions où vous étiez. Chad a téléphoné pour dire qu'il arrivait vendredi.

— Parfait, murmura Lanna.

— Il a demandé de vos nouvelles et je lui ai assuré que tout allait bien. (Katheryn coupa une tige.) Il n'y a pas grand-chose à faire ici. J'espère que vous ne vous ennuyez pas, Lanna.

— Non, je ne m'ennuie pas.

En réalité, elle éprouvait plus d'indifférence que d'ennui. Elle observa Katheryn en train d'arranger les fleurs et réalisa combien elle-même était inutile. Elle n'avait rien à faire : la cuisinière préparait les repas et lavait la vaisselle ; la femme de chambre faisait les lits et le ménage ; Katheryn et Carol s'occupaient du superflu, comme les bouquets...

— Je ne suis pas d'une grande aide. Tout ce que je fais ici, c'est donner du travail. J'aimerais en avoir ma part.

— Vous dites des bêtises, Lanna : vous êtes ici pour vous reposer. Chad serait furieux s'il vous entendait dire cela.

Lanna poussa un soupir. Elle n'avait pas le courage de discuter. Elle s'était offerte pour participer aux tâches domestiques, et avait la conscience en paix. Elle se traîna jusqu'à la fenêtre et regarda les grandes ombres des arbres qui s'étiraient par terre. On entendit un bruissement de papier, Carol posa sa lettre sur la table.

— Aimeriez-vous monter à cheval, Lanna ? proposa-t-elle. Nous serons de retour au coucher du soleil.

— Si vous voulez, fit-elle en haussant les épaules.

Lanna n'avait pas spécialement envie de se promener, mais comme Carol s'efforçait de la distraire...

— Il me faut un quart d'heure pour me changer. Et vous ? demanda Carol sur un ton de joyeux défi.

— Un quart d'heure, d'accord, approuva Lanna.

En fait, elle mit moins de temps pour se préparer. Peu lui importait d'être élégante. Il n'y avait personne à impressionner. Si elle avait croisé Hawk, il ne l'aurait même pas remarquée. Elle le voyait seulement en rêve. D'ailleurs Lanna était étonnée de découvrir qu'elle rêvait en couleurs. Elle ne l'avait pas remarqué auparavant : il est vrai qu'elle se rappelait rarement ses songes, autrefois.

Carol ne cessa de bavarder sur le chemin qui menait aux écuries. Lanna trouvait la jeune femme parfois épuisante.

Cependant elle la savait animée des meilleures intentions, s'efforçant de l'égayer et de lui faire prendre goût aux choses. Ce n'était pas la faute de Carol si Lanna ne pouvait répondre à ses attentions. Elle en savait la raison : il y avait une éternité qu'elle n'avait pas vu Hawk.

En trois jours, poussière, sueur et mauvaises odeurs s'étaient accumulées sur Hawk. Il avait dormi deux nuits à la belle étoile. Mais son sommeil n'était pas meilleur sur la terre dure et froide, avec une couverture d'étoiles sur la tête, que dans le dortoir du ranch.

Il n'avait pas réglé le conflit qui l'opposait à lui-même. Son besoin de Lanna était d'autant plus fort qu'il s'éloignait d'elle. Hawk était toujours en proie à la colère ; elle lui avait avoué désirer que Chad l'embrasse, par pure curiosité. Son explication lui avait procuré un immense soulagement, mais chaque fois qu'il la revoyait dans les bras de son frère, il devenait fou.

C'est pourquoi il revenait, il voulait Lanna tout en sachant qu'il n'irait pas vers elle. Le peuple navajo croyait que trop de sensualité était mauvais signe, il croyait également aux sorcières. Lanna l'avait certainement envoûté, songea-t-il avec une grimace.

Il tira sur les rênes. Le cheval s'arrêta devant la porte de l'écurie. Hawk sauta de selle, il avait les jointures raides. Il conduisit le bai à l'intérieur et l'attacha à un anneau planté dans le mur. Lorsqu'il enleva la selle, les étriers cliquetèrent contre ses cuisses. A ce moment-là, Tom Rawlins apparut ; Hawk fit semblant de ne pas le voir et posa la selle par terre.

— Qu'est-ce que tu fais ici ? aboya le contremaître.

— Je m'occupe de mon cheval, répondit l'Indien.

— Je croyais que tu aidais au rabattage.

— Tu *espérais* à tort.

Hawk avait modifié le verbe avec emphase.

— Je ne vois pas pourquoi tu rôdes par ici, je t'ai demandé de déguerpir avant le retour de Chad. Il sera là demain.

Cette affirmation contenait une menace.

— Tu aurais dû te renseigner sur mes projets auparavant, Rawlins.

Hawk tira la couverture humide de sueur, la sellette, et les étendit sur la selle, par terre.

— Je partirai dans quelques jours.

— Tu ne crois pas que tu ferais mieux de surveiller la part de bestiaux qui te revient ?

Hawk défit la bride et fit glisser le licou des oreilles de l'animal.

— Il ne peut y avoir deux ranches sur la même terre, et cela parce qu'il n'y a pas de place pour deux patrons. Je te croyais assez intelligent pour le comprendre.

Le contremaître raillait ; la malice faisait briller ses yeux dans son visage querelleur.

— Tu crois ? fit Hawk avec un sourire moqueur. Je suis un sale métis obtus.

— Tu ferais mieux de retourner au rabattage !

— Je n'ai pas d'ordres à recevoir de toi !

Hawk essuya la croupe luisante de sueur du cheval, dont la peau se mit à frissonner sous sa main gantée.

— Je m'en irai dans quelques jours.

— Et si tu ne le fais pas... ?

Rawlins le provoquait, ses mâchoires étaient devenues blanches à force d'être serrées.

Le grincement de la porte fit se retourner Hawk, pas complètement pour ne pas offrir son dos à Rawlins. Une vague de plaisir déferla dans ses veines lorsqu'il aperçut Lanna qui entrait. Dans son esprit, il la serrait dans ses bras, même s'il ne bougeait pas.

— Je partirai de moi-même et au bon moment, lâcha-t-il d'une voix sourde qui ne risquait pas d'être entendue du milieu de l'écurie.

— Hello !

La voix de Lanna chanta aux oreilles de l'Indien comme le vent. Ce contretemps dérangea Rawlins, mais il cacha son mécontentement.

— Vous allez faire une promenade à cheval avec Carol, Miss Marshall ? demanda-t-il sur un ton calme.

— Oui, nous en avions l'intention.

Carol venait de répondre à la place de Lanna.

— Je vais vous chercher les chevaux, proposa Tom Rawlins.

Hawk s'aperçut que Rawlins s'était éloigné et en profita pour examiner Lanna. Ses yeux noisette étaient cernés, elle avait l'air fatiguée. Son visage ne reflétait plus aucune joie de vivre. Aurait-il détruit son âme par sa cruauté ? Hawk éprouvait le besoin impérieux de l'étreindre pour lui redonner l'étincelle de vie qu'il lui avait ravie.

Carol s'avança promptement entre les jeunes gens et prit Lanna par le bras.

— Allons donner un coup de main à papa.

Elle poussa Lanna vers la porte. Lanna ne se retourna pas une seule fois, mais Hawk la suivit des yeux, jusqu'à ce qu'elle fût hors de vue.

Qu'attendait-il ? Il se maudissait parce qu'il savait qu'il ne courrait pas derrière elle pour s'excuser. Et il se détestait.

Lanna eut des rêves violents et embrouillés : elle assistait à un rabattage en compagnie de Hawk, mais, au lieu de conduire des vaches, les rabatteurs poussaient des personnes. Bien qu'ils eussent des masques grotesques, Lanna les reconnaissait... Chad encore une fois tenait un cœur en or et essayait de le lui donner.

Le cauchemar dura toute la nuit ; Lanna décrivait des cercles à cheval autour des gens masqués mais cela ne la menait nulle part. Elle demandait à Hawk quel chemin prendre, mais il lui demandait de monter avec lui, sur son cheval bai.

Au réveil, la jeune fille eut du mal à séparer la réalité de l'imaginaire. Les couleurs éclatantes des masques lui restaient dans la tête.

Même l'arrivée de Chad, en début d'après-midi, ne put la faire sortir de sa mélancolie. Les sourires du jeune homme ne la charmaient plus, ses compliments sonnaient creux. Pourtant, Chad semblait toujours aussi enthousiaste et sincère ; Lanna comprit que c'était elle qui était différente. Elle avait cru qu'elle se sentirait mieux après le retour de Hawk, mais son humeur maussade persistait.

— Tom m'a dit qu'il avait décidé de déplacer le troupeau de l'automne demain. Il doit descendre les bêtes dans les pâturages d'été.

Chad agita son verre de Martini.

— Dès que Rawlins m'a annoncé qu'il faisait descendre le troupeau, j'ai pensé que c'était une occasion formidable de montrer à Lanna la partie la plus fascinante du ranch. Elle a eu deux bonnes semaines de repos, pendant lesquelles elle a mené une vie de recluse. Elle a besoin d'un peu d'aventure pour que renaisse son enthousiasme. Qu'en pensez-vous, Lanna ? Aimeriez-vous passer deux jours avec le troupeau ? Nous pourrions dormir à la belle étoile, s'il ne pleut pas, bien sûr.

Cette proposition ne satisfaisait pas spécialement Lanna. Normalement, elle aurait été emballée. Que se passait-il ? Elle allait repousser l'offre lorsque Carol l'approuva avec ardeur.

— Quelle merveilleuse idée, Chad ! Ce sera amusant, n'est-ce pas, Lanna ? Je n'ai assisté au rassemblement qu'une fois, lorsque j'étais petite, papa m'y avait amenée. C'est réellement incroyable, Lanna. Vous venez ?

Devant pareil enthousiasme, Lanna ne trouva aucune raison valable pour refuser. Elle avait sûrement besoin d'une distraction qui la sortirait de sa léthargie.

— Bien sûr, répondit-elle avec un haussement d'épaules qui exprimait son indifférence.

Carol se leva de sa chaise et saisit la main de Lanna comme elle l'aurait fait d'une enfant.

— Nous aurons besoin de vêtements chauds dans les prairies. Avez-vous une parka de bonne qualité ? Sinon je vous prêterai la mienne, mais elle risque d'être trop étroite aux épaules.

La proposition de Chad se transforma rapidement en projet. Lanna se laissa emporter par la marée des préparatifs. Elle abandonna à Carol les décisions mais celles-ci passaient invariablement par Katheryn qui semblait faire autorité en dernier lieu.

Lanna était absolument épuisée lorsqu'elle se coucha le soir. Etrangement, elle eut des rêves calmes cette nuit-là, tout remplis d'arcs-en-ciel, de prismes lumineux, de couchers et de levers de soleil.

Au matin, elle s'éveilla reposée et prête à s'embarquer dans la grande aventure de Chad. A midi, son intérêt était déjà retombé. Au déjeuner, Lanna suivit Katheryn dans la salle à manger. Carol et Chad venaient derrière, échangeant des plaisanteries. Lanna avait l'impression que l'équipée rapprochait le couple.

— J'allais oublier, fit Chad en claquant ses doigts, j'ai

des papiers à signer pour vous, Lanna. Ils sont dans mon attaché-case qui se trouve dans le bureau. Je vais les chercher.

Il quitta le groupe et se dirigea vers la porte à deux battants.

— Suivez-le donc, proposa Katheryn à Lanna.

Elle n'attendit pas la réponse de la jeune femme et cria à son fils :

— Inutile de les apporter, Lanna vient les signer.

En entrant dans le bureau, Lanna se sentit comme une marionnette sur laquelle on tire pour la faire aller dans la direction souhaitée. Elle se réprimanda à voix basse d'avoir de telles pensées ; c'était Katheryn qui tirait les ficelles, et non Chad.

Après avoir sorti une liasse de papiers de son attaché-case, Chad feuilleta les pages à signer.

— Il n'y a qu'une ou deux signatures.

— De quoi s'agit-il ?

Lanna n'avait nulle envie d'éplucher du jargon juridique.

— C'est plus ou moins une procuration me donnant le droit de voter à votre place, expliqua-t-il. Il va y avoir une réunion générale au cours de laquelle on prendra d'importantes décisions.

Lanna hésitait :

— Il faudrait au moins que je lise.

— Vous vous y perdrez, fit-il en lui offrant un stylo. (Il sourit.) Juste une procuration.

— Pour une affaire aussi simple, toutes ces maudites pages ! remarqua-t-elle. Laissons cela de côté, Chad, je lirai plus tard.

— Inutile que vous lisiez. Je vous ai déjà dit de quoi il s'agissait.

— Je sais, mais vous ne verrez pas d'objection à ce que j'en prenne connaissance.

— Bien sûr que non, c'est seulement une perte de temps.

— Navrée, je suis stupide en ce qui concerne ces choses-là, rétorqua encore Lanna, mais je n'ai jamais rien signé sans le lire, ce n'est pas maintenant que je vais commencer.

— Vous ne me faites pas confiance, Lanna ?

Chad était surpris et blessé.

— Si, je vous fais confiance.

Toutefois, elle se rendit compte que ce n'était pas vrai, surtout lorsqu'il essayait, comme en ce moment, de faire pression sur elle.

— Seulement, je suis fatiguée, je me fiche de tout ce droit pour l'instant.

— Je voudrais que ces papiers soient signés avant que je reparte pour Phoenix. Je n'aime pas faire les choses à la dernière minute. Asseyez-vous, nous allons procéder paragraphe par paragraphe.

— Non, non, pas maintenant.

Lanna était incapable de se concentrer en ce moment. Elle promit :

— Plus tard, dès notre retour.

A cheval, au sommet de la butte, Lanna avait une vue nette du canyon profond et semé de prairies en contrebas. Les robes rouge brique des vaches de Hereford formaient une énorme tache sur l'herbe verte.

Des cow-boys poussaient les animaux par groupe de trois ou quatre. Chad avait expliqué à la jeune femme que ce rassemblement précédait le déplacement final.

Hawk se tenait à l'écart des autres cavaliers, du moins à ce qu'il sembla à Lanna. Il travaillait seul, mais donnait souvent des ordres. Il portait une chemise bleue et une veste de mouton bordée de fourrure, et montait un cheval bai indiscipliné. Une pensée effleura Lanna : cavalier et monture étaient assortis.

A cette altitude, l'air était vif. Lanna enfonça sa main dans la poche de sa veste matelassée. La brise ébouriffait les cheveux châtains qui sortaient de son chapeau. Ce fatras de rocs déchiquetés, de hêtres jaunes et d'herbe verte aurait dû la séduire. Elle soupira parce qu'elle ne ressentait rien et se demandait pourquoi. Sa placide jument pointa une oreille en arrière ; l'instant d'après, Lanna entendit des sabots résonner sur les cailloux, elle se retourna à demi et aperçut Carol qui approchait sur son cheval pie.

Carol l'avait appelée d'une voix essoufflée. Elle tira sur les rênes pour s'arrêter.

— Chad vous a vue monter, il dit que la vue est magnifique !

Elle caressa l'encolure de son cheval tout en admirant la terre qui s'étendait au-dessous.

— Oui, c'est beau ! reconnut Lanna.

— Fascinant, n'est-ce pas ? s'enthousiasma Carol.

— Oui.

Lanna avait l'impression d'être tiède en comparaison de la bouillante jeune femme blonde.

— Je retourne au campement boire un café, il fait froid ici.

Parfaitement consciente de la déception qui se lisait sur le visage de Carol, Lanna dirigea sa jument dans la direction opposée. Elle ne voulait pas simuler l'enthousiasme alors qu'elle n'éprouvait rien. Elle laissa sa monture se diriger seule et suivre la piste des animaux qui descendait de la butte. Le chemin sinueux la mena rapidement hors de vue, derrière de gros blocs de pierre et des épinettes bleues bordées par des peupliers jaunes. Le vent léger apportait les beuglements des bestiaux et les cris des rabatteurs.

Après un tournant, les arbres moins serrés formaient une clairière de pierres et d'herbe. De l'autre côté, approchait un cavalier. Lanna distingua du bleu et des rayures blanches sous une veste marron. Le cheval et l'homme sortirent des arbres et se dirigèrent droit vers Lanna. L'animal à la robe couleur de marron d'Inde agita la tête en poussant un hennissement sonore, puis il fit un pas impatient de côté. Hawk relâcha la traction sur le mors et laissa le cheval avancer à son allure.

— Où alliez-vous ?

Lanna ne décela rien dans cette question aimable ni dans l'expression plaisante de l'Indien.

— Je rentrais au campement me faire un café.

— Je vous accompagne, déclara Hawk en venant se placer à côté de la jument.

— Je croyais que vous montiez à cheval seul.

204

Lanna n'avait pu s'empêcher de lui faire cette remarque.

— Je veux simplement m'assurer que vous êtes saine et sauve, dit-il en haussant les épaules.

Au soudain intérêt qu'il prenait à sa sécurité, Lanna comprit que c'était sa manière de lui montrer qu'il regrettait leur dernière conversation. Hawk était un être orgueilleux qui ne faisait pas facilement des excuses.

En traversant la clairière, le cheval rétif de Hawk agita la tête et jeta sur son cavalier des regards terribles, comme s'il souhaitait le voir désarçonné.

— Pourquoi ne quittez-vous pas le ranch, Hawk ?

Lanna venait de briser le silence.

— Pourquoi restez-vous ? Pourquoi voulez-vous rester ?

— Je me le demande, et...

— Et... ? souffla-t-elle.

— Je dois jouer le jeu jusqu'au bout. Peut-être, lorsque toutes les cartes seront sur table, saurai-je alors si j'ai perdu ou gagné.

Il eut un regard de côté comme pour dire qu'actuellement c'était la seule réponse qu'il pouvait donner. D'un buisson proche, un oiseau s'envola. Le cheval de Hawk se cabra et rua comme s'il n'attendait que ce prétexte pour manifester. Il fallut un bon moment à l'Indien pour le calmer et le ramener à côté de la jument.

Hawk eut une expression mauvaise.

— Personne ne voulait le monter.

— J'imagine facilement la raison, répondit brièvement Lanna.

Cette diversion ne dura pas longtemps. Les pensées de la jeune femme furent chassées par d'autres.

— Pourquoi Tom Rawlins vous déteste-t-il ? Il vous a pratiquement élevé.

— Il m'a élevé, effectivement.

— Alors, pourquoi ? Parce que vous vouliez épouser sa fille ?

— Disons qu'il ne me voulait pas pour gendre.

Hawk eut un sourire aigu.

— Vous en voulez à Carol de s'être mariée avec Chad ?

— Ils se ressemblent, ils sont faits l'un pour l'autre.

Lanna découvrit de la dureté dans les yeux de Hawk et se demanda ce qui en était la cause.

— C'est cette bagarre avec Chad, quand il vous a battu ?

Hawk interrompit Lanna :

— Chad ? Il ne m'a pas battu !

— Mais Carol m'a dit...

— Carol a menti. La seule correction que j'aie reçue, c'était des mains de son père, pendant que Bill Short et Luther Wicox me tenaient. Chad y assistait, bien sûr, mais il s'est contenté de regarder. En souvenir, j'ai eu le nez cassé.

Hawk toucha la légère bosse qui déformait l'arête de son nez.

— Tom Rawlins vous a donné une correction ? Pourquoi ?

Durant d'interminables secondes, on entendit seulement craquer le cuir des selles et le cliquetis des éperons contre les étriers. Le tempo irrégulier des sabots sur le sol dur rythmait la marche. Hawk surveillait les mouvements de tête de son cheval.

— Il prétend que j'ai violé sa fille.

Lanna se rappela comment il l'avait brutalement affrontée, elle ; il pouvait donc s'abandonner à la colère. Elle demanda :

— L'avez-vous effectivement violée ?

Il renversa la tête vers le ciel et se mit à rire en silence.

— Eh bien, vous êtes la première personne à me le demander ! Tom ne l'a pas fait, ni même John Buchanan.

Lanna sentait sa rancœur et la comprenait soudain.

— Si vous voulez savoir si j'ai couché avec Carol, la réponse est : oui. Trop de fois pour les compter. Mais il y a très longtemps.

— Et elle s'est mariée avec Chad, chuchota Lanna.

— Elle a toujours souhaité devenir une dame distinguée comme Katheryn. D'après ce que j'ai entendu dire, Carol est l'étoile de Phoenix. Son vœu a été exaucé.

Hawk ne semblait avoir aucune animosité à l'égard de

Carol. Lanna ne pouvait même pas prétendre qu'il avait parlé avec cynisme. Il y avait une certaine amertume dans ce qu'il avait dit, bien sûr, mais il acceptait les événements comme des choses naturelles de la vie.

L'allusion à Katheryn fit demander à Lanna :

— Votre mère s'appelait Blanche-Sauge ?

— Oui.

Hawk eut un regard de biais qui semblait demander à Lanna ce qu'elle savait.

— John l'aimait profondément. Tout d'abord j'ai cru que c'était le surnom navajo de Katheryn. Mais le jour où Bobby-le-chien est arrivé, Katheryn s'est mise dans une colère folle. Je l'ai surprise en train d'apprendre à Carol que John avait murmuré le nom de votre mère avant de mourir.

La dépression commençait à envahir Lanna. L'excitation initiale provoquée par la présence de Hawk s'estompait.

— Pourquoi le passé vous préoccupe-t-il ?

— J'essaie de comprendre ce qui arrive et pourquoi. C'est comme si j'étais perdue dans une immense maison avec des tas de pièces sans lumière. Chaque information, si petite soit-elle, éclaire comme une bougie. Ainsi, je peux trouver mon chemin.

— On ne peut rien changer sans être changé soi-même.

— Nous changeons tous, Hawk, cela fait partie de la vie.

La voix de Lanna avait été plate, dépourvue d'expression. Hawk tira sur les rênes de la jument et la força à s'arrêter. Ensuite il fit décrire un demi-cercle à son cheval qui vint se placer à côté de la jeune fille, si près que ses cuisses touchaient celles de l'Indien.

— Qu'est-ce qui ne va pas, Lanna ? Il se passe quelque chose, je le sens, vous n'êtes plus la même. Si je vous ai blessée...

— Ce n'est pas ça, et pourtant...

Lanna haussa les épaules pour montrer qu'elle ignorait pourquoi elle était si lasse.

— Il s'est passé tant de choses depuis la mort de John ! Cet héritage inattendu, tous ces tracas. Ensuite, ma maladie, mon arrivée au ranch... Je crois que tout cela a eu raison de moi.

Comment expliquer que plus rien ne l'intéressait ? Hawk se pencha en avant et posa sa main gantée sur la nuque de sa compagne. Puis le contact de sa bouche sur celle de la jeune fille redonna des forces à Lanna. Oui, ce baiser la fit tressaillir de joie.

Le cheval de Hawk n'apprécia pas le contact avec la jument et décocha une ruade qui sépara les amoureux. Hawk le punit en lui enfonçant un éperon dans le flanc. Le désir qui animait ses yeux bleus ne s'accordait pas avec les écarts de sa monture.

— Je vais manquer le troupeau si je ne retourne pas au rabattage sur-le-champ.

— Je sais, vous feriez mieux de partir, lui conseilla Lanna.

Elle méprisait sa propre apathie. Elle détourna la tête et s'efforça de saisir les rênes d'une main ferme.

— Je ne suis pas de bonne compagnie ; désolée.

Ignorant Hawk qui fronçait les sourcils, elle tapa des talons contre le ventre de sa jument et prit la direction du campement. Elle se sentit encore plus accablée en entendant les sabots du cheval bai tambouriner la terre dans la direction opposée.

Lorsqu'elle arriva au campement, Chad s'y trouvait déjà. Il vint à sa rencontre et l'aida à descendre, puis remit la jument entre les mains d'un cow-boy. Dès que Lanna eut exprimé son désir d'une tasse de café, il s'empressa d'en préparer ainsi que pour lui.

— Pourquoi suis-je si mal, Chad ?

Lanna soupira et regarda l'homme assis près d'elle sur une bûche.

— Vous ne vous sentez pas bien ?

Chad avait manifesté une vive inquiétude.

— Je ne suis pas malade. Seulement, je n'ai plus aucune énergie, plus aucun désir, si ce n'est d'être assise. Je commence à me sentir aussi vivante qu'un légume.

— Je suis sûr que vous exagérez, dit Chad avec un sourire.

— Je n'exagère pas, Chad, insista Lanna en secouant la tête de lassitude.

— Vous venez d'être éprouvée physiquement et émotionnellement. Votre corps a probablement besoin de repos. Bientôt, vous irez mieux, vous verrez.

— Vous avez sans doute raison.

Le reste de l'après-midi, Chad resta auprès de Lanna, veillant à ce qu'elle se sente à son aise. Sa sollicitude désintéressée était rassurante. Lorsqu'il proposa de la ramener au ranch au lieu de passer la nuit dehors, elle refusa. Elle avait déjà causé suffisamment de problèmes.

Ce soir-là, Lanna n'eut pas l'occasion de s'adresser à Hawk, car Chad et Carol étaient assis à côté d'elle. Quoiqu'elle sentît le regard de l'Indien braqué sur elle, il ne l'approcha pas. Il était encore tôt lorsque Carol proposa de se coucher. Elle avertit Lanna que tous s'éveilleraient de bonne heure pour assister au lever du soleil. Chad sortit les sacs de couchage de la malle du camion.

— Je vous prépare votre lit, Lanna, proposa Carol.

— Ce n'est pas la peine de vous occuper de moi, protesta Lanna.

— Ça ne me dérange pas du tout.

— Tenez, Lanna.

Chad lui tendait une tasse en étain.

— Je ne veux plus de café, Chad, merci.

— Ce n'est pas du café, mère vous a préparé du thé au sassafras dans un thermos. Elle vous l'envoie.

Lanna prit le gobelet, confuse que Katheryn lui eût fait une amabilité. Cela ne lui ressemblait guère.

— C'est très gentil à elle.

— Nous sommes tous soucieux de votre bien-être, Lanna, sourit Chad tendrement. Buvez donc.

Les attentions et l'intérêt de la famille Faulkner à son égard donnèrent un instant à Lanna l'impression qu'elle était vraiment aimée.

CHAPITRE XVII

HAWK ÉTAIT ASSIS DANS L'OM-
bre, loin du cercle de lumière dessiné par le feu. Un cheval
frappait inlassablement du sabot contre la corde du corral.
Le regard absent de Hawk balaya la prairie puis revint au
campement et à ses occupants endormis. Automatiquement,
il chercha des yeux la silhouette immobile de Lanna.

Hawk ne savait pas exactement ce qu'il avait attendu de
la rencontre de l'après-midi. Il était certain que Lanna n'allait pas se jeter dans ses bras, mais il n'avait pas pensé
qu'elle serait aussi ambiguë. Ce changement dans la personnalité de Lanna l'agaçait, l'empêchant même de dormir.
Le feu vacillait, sur le point de mourir. Les dernières braises rouges jetaient une faible lueur. Bientôt le froid de la
nuit envahirait le campement. Hawk avait échangé ses
bottes contre des mocassins. Il s'approcha du tas de bois,
sans bruit, et souleva deux grosses bûches. Après avoir
enjambé les dormeurs, il les ajouta aux flammes mourantes.
Le feu gourmand lécha l'écorce sèche et agrandit le cercle
lumineux par sa brusque flambée. Hawk regarda la clarté
éclairer la forme de Lanna. Son regard se fit plus aigu lorsqu'il remarqua qu'elle se contractait nerveusement sous la
couverture. Il s'approcha afin de la tirer de son cauchemar.

— Lanna, réveillez-vous !

Il lui avait parlé dans l'oreille pour ne pas éveiller Carol
qui se trouvait de l'autre côté. Lorsque l'Indien lui toucha
l'épaule, la jeune femme sursauta. Alors, il lui mit une
main sur la bouche pour étouffer son cri d'effroi.

— Vous êtes en train de faire un mauvais rêve, expliqua-t-il.

Lanna le fixa avec des yeux écarquillés et repoussa sa main.

— Vos yeux, murmura-t-elle d'une étrange voix absente, ils sont si bleus...

Il se passait quelque chose de grave. Hawk en avait le sentiment si précis qu'il en fut ébranlé. Il étudia Lanna plus attentivement et remarqua ses pupilles dilatées et sa peau rougie. Les pièces du puzzle se mettaient en place : son teint rouge, son apathie, les tremblements, enfin. Hawk avait reconnu les symptômes du peyotl et se maudit en silence de ne pas y avoir songé plus tôt.

— Ecoutez, Lanna, chuchota-t-il sur un ton pressant, c'est très important.

Elle lui jeta un regard intense, mais fixe.

— Lorsque vous avez bu le café, avant de vous coucher, n'avait-il pas un goût bizarre ?

— C'était... pas... du café.

Elle secoua la tête, mais ses mouvements manquaient de coordination.

— Katheryn... avait envoyé du... thé, fit-elle.

Hawk se redressa sur les talons et chercha Chad des yeux, par-dessus Carol. Ses mâchoires se serrèrent sous l'effet de la colère. Lanna murmurait des paroles incompréhensibles, en proie à une hallucination.

— Dors, Lanna, ferme les yeux. Tout va bien.

Il la vit se détendre et sombrer dans le sommeil. Pour l'interroger davantage, il attendrait que les effets de la drogue aient cessé. Il ne voulait pas courir le risque de la bouleverser dans son état actuel. D'abord Hawk devait vérifier ses soupçons, ensuite il agirait. Il abandonna Lanna et se glissa avec précaution devant Chad et Carol. La logique voulait que le thé ait été préparé d'avance, Chad ne pouvant courir le risque de le trafiquer devant tout le monde. Cette supposition limitait le champ des investigations.

Hawk trouva le thermos dans la sacoche de selle de Chad. Il le goûta et vérifia qu'il avait un goût de peyotl.

Il avait les preuves en main, mais qui le croirait ? Dans

211

son état, droguée, Lanna se laisserait influencer contre lui. Il faudrait bien quarante-huit heures avant que les derniers effets du peyotl se soient dissipés. Ce qui voulait dire qu'il devait enlever Lanna. Hawk reboucha le thermos et remit les choses comme il les avait trouvées. D'un rapide coup d'œil sur le campement, il s'assura que personne n'était éveillé, avant d'emporter un sac de victuailles.

Lorsqu'il s'approcha des chevaux, ils hennirent et tournèrent en rond nerveusement, mais ils se calmèrent rapidement en reconnaissant sa voix rassurante. Hawk s'avança vers la douce jument rouanne montée par Lanna et l'attrapa facilement. Il la conduisit hors du corral et l'attacha à un arbre pendant qu'il revenait prendre son bai puissant. Les chevaux n'avaient pas de selle, il monterait donc à cru. En silence, Hawk revint vers le feu et se baissa devant Lanna. Il la prit doucement dans ses bras, sans l'éveiller et la porta vers les chevaux. La jument ne broncha pas lorsqu'il la déposa sur son dos. Il monta derrière. En revanche, le cheval à demi sauvage résista lorsqu'il le tira, puis finit par céder et suivit la jument et les deux cavaliers.

Au pas, Hawk avançait sur le tapis d'herbe dont l'épaisseur amortissait le bruit des sabots. Dès qu'il se fut un peu éloigné du campement, Hawk fit prendre le trot aux chevaux pour couvrir le maximum de terrain.

Chad partirait à sa poursuite dès qu'il découvrirait la disparition de Lanna. Et si les hypothèses de Hawk se vérifiaient, son frère ne lui laisserait pas enlever Lanna sans se battre. Par bonheur l'Indien avait jusqu'au matin. Il était également sûr que Chad ne manquerait pas d'aller vers la réserve, or Rawlins connaissait l'emplacement du wigwam de sa mère, mais Hawk espérait qu'il ignorait où se trouvait la grotte.

Toutes les heures, Hawk s'arrêtait pour laisser reposer les chevaux. A deux heures il laissa le bai passer devant et conduire la jument. A quatre heures, il traversa la zone qui s'étendait au sud de la frontière du territoire navajo.

Tout en balbutiant des phrases incohérentes, Lanna ne sortait pas de son sommeil artificiel. Chaque fois que Hawk se penchait sur la jeune femme qu'il tenait dans ses bras, il était envahi par un sentiment protecteur qui chassait la fatigue et repoussait le besoin de dormir.

Lorsque le soleil pointa à l'est, Hawk arrêta les chevaux

pour étudier le terrain. Il se trouvait à moins de trois milles du wigwam maternel abandonné. Le bai soufflait bruyamment dans l'aube silencieuse. Attentif à ne pas réveiller Lanna, Hawk l'installa dans une position plus confortable sur la selle. La lumière du matin lui effleurait le visage, lui éclairant le front et les pommettes. Le regard de Hawk s'attarda sur la courbe des lèvres entrouvertes. Il écarta doucement une mèche de cheveux brun satiné.

— J'ai laissé des traces qu'un aveugle pourrait suivre, chuchota-t-il à l'oreille de sa compagne. Maintenant nous allons gagner les rochers, tu n'as rien à craindre. Tu es en sûreté, il ne peut rien t'arriver.

Lanna émit un faible son, comme si elle avait entendu. D'ailleurs, elle avait peut-être entendu, car le peyotl aiguisait les sens. La voix de Hawk l'avait certainement atteinte dans ses rêves. Hawk trembla d'une colère dirigée contre les auteurs du crime. Mais ce n'était pas le moment de s'émouvoir, il refoula ses émotions.

Plus loin se trouvait une cuvette de calcaire sans eau. Hawk poussa le bai dans cette direction et tira sur la corde à laquelle la jument était attachée. Les chevaux ne laisseraient pas de marques nettes sur le sable. D'ailleurs, on ne les distinguerait pas de celles des moutons qui étaient passés par là quelques jours plus tôt.

Plus bas, coulait une source, unique point d'eau à des kilomètres à la ronde, elle jaillissait du rocher et se répandait dans un champ de coton. Un arbre géant dominait le rocher, et ses branches épaisses dissimulaient l'entrée de la grotte. L'ancienne piste s'arrêtait devant la première ouverture de la caverne.

De là où était Hawk, le toit rond du wigwam était à peine visible, mais le jeune homme se souvenait parfaitement de la *ramada* effondrée. Satisfait de ce qu'il venait d'observer, Hawk commença de descendre le long du rocher qui formait un étroit passage jusqu'à la grotte.

Par endroits, l'érosion avait coupé la piste, mais elle restait praticable pour un cheval entraîné. Un gros rocher bouchait une deuxième entrée, contribuant à cacher la grotte.

Hawk pénétra dans la caverne, il frotta une allumette et la tint levée. L'intérieur avait été profondément creusé, au point de former une cavité profonde, capable de loger les chevaux. Tout était comme Hawk se le rappelait, mais il n'avait pas fait confiance à sa mémoire, sachant combien la perception d'un enfant amplifiait les proportions.

A une dizaine de mètres au fond du ravin, un promontoire s'était formé sur une pente de gravillons. Hawk éperonna le cheval et la jument jusqu'au rocher. Ensuite, il dévala la pente, en jetant du gravier après lui pour couvrir les empreintes. Tout à fait en bas se trouvaient amassés de gros blocs de pierre et d'argile que le soleil du désert avait durcis comme du béton. Hawk les suivit jusqu'à la *mesa* formée par les parois du canyon dans lequel se trouvait le wigwam abandonné.

Ce détour pour semer les poursuivants avait rallongé la route de plusieurs kilomètres. La destination de Hawk et de Lanna était plus avant, au-dessous du bord du canyon. Finalement, l'Indien arrêta les chevaux et les attacha à un rocher. Puis il glissa au bas de sa monture, avec Lanna dans ses bras et la coucha avec précaution sur le sol avant d'aller repérer les lieux, à pied.

Il y avait longtemps qu'il n'avait pas emprunté l'étroite piste qui serpentait depuis la falaise jusqu'à la grotte creusée dans la partie rocheuse du canyon. L'érosion et les années l'avaient en partie effacée. Tapi sur le bord, Hawk examina tout d'abord le canyon. A cette heure matinale il paraissait désert ; en fait il avait des habitants : un coyote qui festoyait et un lièvre aux longues oreilles occupé à se laver le museau.

Hawk ressortit de la grotte et remonta la piste jusqu'au bout, là où il avait laissé Lanna et les chevaux. Il souleva la jeune femme et parcourut en sens inverse le chemin de la grotte. Après l'avoir installée par terre, le plus confortablement possible, il retourna chercher les chevaux. Auparavant, il s'assura que Lanna n'était pas sur le point de s'éveiller.

La position du soleil dans le ciel indiqua à l'Indien qu'il s'était écoulé beaucoup de temps depuis son départ. Dès que Chad constaterait la disparition de son frère et de Lanna, il partirait à leur poursuite.

Hawk vérifia le dernier kilomètre parcouru, effaçant une entaille gravée par un fer à cheval, jetant çà et là du sable sur les empreintes. Pour terminer, il s'appliqua à retourner les cailloux qui offraient un côté sombre, terreux au lieu d'une face claire, blanchie par le soleil.

Pendant tout ce temps, il veilla à ne pas laisser trace de ses mocassins. Enfin, il retrouva l'endroit où le troupeau de moutons avait brouté, enleva sa chemise et cueillit une brassée d'herbe qu'il mit dans son vêtement. Satisfait, il retourna à la grotte, jeta une partie de l'herbe aux chevaux et lança le reste près de la paroi du fond. Il remit sa chemise.

Après avoir ramassé des brindilles et du petit bois apportés par le vent, Hawk fit un feu dans le fond de la cave pour chauffer le café.

Il étira ses muscles contractés : il aurait bien aimé s'offrir quelques minutes de sommeil. Il frotta ses yeux irrités et s'assit sur ses talons, attendant patiemment les événements.

Qu'arriverait-il si Chad les retrouvait ? Hawk se prépara au pire.

Dans l'obscurité pleine de formes indistinctes, Lanna ouvrit lentement les yeux, incapable de savoir où elle se trouvait. Tout près, un cheval piétinait nerveusement le sol. Une lumière vacillait. Lanna regarda dans sa direction et distingua une silhouette d'homme accroupie devant un feu de bois. Il tenait une timbale en étain.

Lanna pencha la tête pour vérifier si Carol était éveillée et fut aveuglée par un rai de lumière qui pénétrait par une ouverture. Elle sursauta et s'éveilla complètement. Il y avait deux chevaux derrière une corde tendue en diagonale et fixée à un rocher. Dans la pénombre, elle reconnut la jument rouanne qu'elle avait montée. Le deuxième animal était plus haut sur pattes et d'une couleur plus lumineuse.

Insensiblement, Lanna comprit qu'elle se trouvait dans une grotte. Elle s'assit, son regard inquiet revint à l'homme baissé près du feu. Le mouvement de Lanna attira l'attention de celui-ci ; elle reconnut Hawk mais cette présence ne dissipa pas son trouble. Il se redressa et marcha vers la jeune femme, la tasse à la main.

— Café ? Nous n'avons qu'un récipient et il doit servir de pot et de timbale.

L'Indien n'avait fait aucune allusion à l'environnement.

— Où suis-je ? dit Lanna en acceptant la timbale d'un air distrait. Comment est-ce que je suis arrivée dans cet endroit ?

— Je vous ai portée, reconnut Hawk, désinvolte.

— D'accord... mais...

Lanna regarda une nouvelle fois alentour.

— Où est-ce ? Et comment m'y avez-vous amenée sans que je m'en rende compte ?

— Vous étiez droguée.

— Droguée ? Quelle absurdité !

Elle eut un rire incrédule, puis s'arrêta en constatant que Hawk était sérieux.

— Pourquoi avez-vous fait ça ? Vous m'avez donné quelque chose pendant mon sommeil ?

Sa question était plus étonnée qu'accusatrice.

— Avez-vous déjà entendu parler du peyotl ? La mescaline vous est certainement plus familière. Elle est obtenue à partir du pavot.

Hawk se baissa pour être au niveau de la jeune femme et resta en équilibre sur les talons.

— La mescaline, oui, reconnut Lanna, c'est une drogue psychédélique qui, la plupart du temps, n'a pas d'effets secondaires.

Elle récitait ce qu'elle avait appris à l'école d'infirmières.

— Prétendriez-vous que j'en aurais absorbé ?

— D'habitude on la mélange au thé.

— Au thé...

Lanna commençait à comprendre les allusions de Hawk, mais ne réalisait pas encore très bien.

— Le thé au sassafras ? J'en buvais une tasse avant de me coucher, c'était Carol qui me l'apportait.

— La nuit dernière, c'était Chad.

— Oui.

Lanna approuva d'un signe de tête ; elle avait froid dans le dos.

— Il a prétendu que Katheryn me l'avait envoyé dans un

thermos. Cela explique mes rêves. Pourquoi n'ai-je pas eu de soupçons ? Mais, vous, comment avez-vous deviné ?

— En essayant de vous éveiller d'un cauchemar, cette nuit. Je connais les transes du peyotl. Quand j'ai trouvé le thermos dans la sacoche de Chad, mes doutes ont été confirmés.

— Mais pourquoi ? Que pensait-il obtenir ?

— D'habitude, les effets de la drogue disparaissent naturellement au bout de vingt-quatre heures. Mais si on en prend régulièrement — et vous en avez absorbé tous les soirs — on se désintéresse de tout.

— C'est exactement ce qui m'est arrivé.

Lanna se passa une main sur le visage. Enfin, elle avait l'explication de son étrange comportement.

— Je me demandais pourquoi j'étais aussi apathique. Voilà ! Mais la raison de tout cela ?

— Depuis que vous avez commencé à rêver, avez-vous signé des documents ? interrogea Hawk avec un regard aigu.

— Non, je...

Tout à coup, elle se souvint.

— Chad m'a donné des papiers à signer, il prétendait qu'il s'agissait de procurations lui permettant de voter à ma place.

— Avez-vous signé ?

Hawk serra les lèvres.

— Non, je ne me sentais pas le courage de les lire, et bien que Chad m'ait révélé leur contenu, j'ai refusé de signer.

Lanna s'étonna d'avoir tenu bon.

— Je ne comprenais pas pourquoi il insistait, ajouta-t-elle.

Elle regarda Hawk. Sur son visage, elle lut son manque de confiance à l'égard de son demi-frère.

— Il a essayé de me tromper, et pour cela il m'a droguée ?

— Je pourrais presque l'affirmer. Buvez le café avant qu'il ne refroidisse, ordonna Hawk.

Lanna obéit et avala une gorgée, mais son esprit vagabondait encore.

— Que pensez-vous qu'il y ait dans ces documents ? Vous croyez que je lui abandonnais ma part ?

— Ce doit être plus subtil que ça, répliqua sèchement Hawk. Ce devait être un papier tout à fait légal qui lui donnait le contrôle de votre héritage, le droit d'agir à votre place en vous privant de tout pouvoir.

— Mais Chad est déjà pourvu, il est riche ! Pourquoi aurait-il agi ainsi ?

— Habituellement, on appelle ce sentiment la cupidité, dit Hawk en souriant. Pourquoi partager ce qui pourrait vous revenir dans sa totalité ?

Il ramassa une poignée de terre et la laissa couler entre ses doigts.

— Il pourrait y avoir une autre raison : toute sa vie, Chad a été le second. Il venait après John Buchanan dans l'amour de Katheryn. Il n'a été que le deuxième homme pour Carol. Dans les affaires il venait après son père, peut-être croyait-il même passer après moi. Chad déteste partager. Lorsqu'il a appris qu'il devait partager son héritage, il n'a pu le supporter.

— Dire que je le trouvais gentil et attentionné à mon égard ! Je ne pouvais m'empêcher de penser à John, si réfléchi.

— John Buchanan était très réfléchi, en effet, ironisa Hawk. Il l'a démontré en vous laissant tout cet argent. De cette manière, il faisait de vous une cible pour les escrocs. C'est certainement la raison pour laquelle Chad vous a fait venir au ranch : il souhaitait les éliminer et contrôler votre fortune.

— Mais pourquoi m'a-t-il droguée ? Je lui faisais confiance, moi. (Lanna se passa une main dans les cheveux, comme pour lisser ses pensées en désordre.) Après les réflexions que vous aviez faites sur lui, je croyais que vous aviez des préjugés.

— Peut-être, tout simplement, Chad était-il mécontent que le charme Faulkner n'opère pas sur vous. Il avait découvert que vous y étiez insensible.

Il souleva le menton de Lanna.

— Je me trompe ?

Il la fixait avec des yeux ardents. Lanna sentit le cœur lui sauter dans la poitrine.

— Je suis tout à fait sensible au charme Faulkner, mais pas à celui de Chad, déclara-t-elle.

Les coins de la bouche de Hawk s'étirèrent de plaisir, il tenait toujours Lanna par le menton. Brusquement il lui donna un baiser passionné. Lanna se mit à le désirer follement ; le peyotl exaspérait ses sensations. Hawk s'arrêta à regret d'embrasser la jeune fille et caressa du pouce ses lèvres tremblantes.

— Etant donné la situation, dit-il d'une voix rauque, Chad a dû décider qu'il lui fallait inventer un autre moyen pour exercer son charme. Je devine qu'il a trouvé la solution en Bobby-le-chien.

— Comment ? demanda Lanna, déçue que Hawk ait retiré sa main.

— Si vous ne buvez pas votre café, je vais le faire à votre place.

Hawk prit la tasse des mains de Lanna et se redressa pour boire.

— Ça ne ressemblait pas à Chad de laisser l'Indien au ranch. Mais le vieil homme savait où trouver le peyotl sans exciter la curiosité de personne.

— Il a demandé à Bobby-le-chien de le lui fournir ?

— Chad l'a probablement payé avec du whisky. J'ai interrogé Bobby pour savoir où il se l'était procuré, et il m'a répondu l'avoir échangé contre de la « magie ». Il m'a même précisé que c'était avec Celui-qui-a-deux-visages, mais ce nom s'appliquait à beaucoup de personnes du ranch, y compris Chad.

Lanna compléta la liste :

— Et Katheryn, et Carol...

Ces noms ravivèrent sa colère, mais une colère qui se retournait contre elle.

— Je ne comprends pas comment j'ai pu être aussi crédule ! Je ne me suis pas seulement laissé tromper par Chad mais par elles aussi.

— Vous n'êtes pas la seule à vous être laissé tromper.

Moi aussi. Dans mon orgueil, je pensais qu'ils voulaient se débarrasser de moi parce que j'étais un rappel indésirable du passé. En réalité, ils souhaitaient m'écarter du chemin pour que je ne découvre pas leur petit jeu avec vous. J'ai dû avoir une prémonition en pensant qu'ils s'en prendraient à vous si je m'en allais.

— Je suis contente que vous ne soyez pas parti, reconnut Lanna.

— Nous ne sommes pas encore tirés d'affaire, pourtant.

Cette affirmation la fit revenir à sa première préoccupation.

— Où sommes-nous ?

— Je vais vous montrer, venez voir.

Hawk lui tendit la main pour l'aider à se lever. Elle repoussa la couverture sur ses jambes et lui prit la main. Elle se mit debout, titubant légèrement.

Il la conduisit à l'entrée de la grotte. Le soleil, filtré par les feuilles brunes de l'arbre, faisait un dessin compliqué sur les parois extérieures. Lanna s'arrêta devant la saillie et regarda droit au fond du canyon. Tout d'abord, elle détourna les yeux de la vision éblouissante, ensuite elle remarqua la piste étroite qui montait.

— Vous voyez ce toit, près. de l'entrée du canyon ?

Hawk avait indiqué un point. Lanna fit signe qu'elle l'avait vu.

— C'est là que j'habitais avec ma mère lorsque j'étais enfant. Nous nous trouvons dans la réserve navajo.

Hawk baissa le bras et le passa autour de la taille de Lanna.

— Pourquoi sommes-nous venus ici ?

Elle se tourna et leva la tête vers son compagnon. Elle aimait sa force et son instinct possessif.

— J'avais besoin d'un endroit où vous garder le temps que le peyotl ait cessé d'agir. Demain au plus tard, vous serez tout à fait normale.

Les yeux de l'Indien se posèrent sur la jeune fille avec tendresse.

— En ce moment vos sens sont encore sous son influence. C'est la raison pour laquelle je ne fais pas l'amour avec vous. Je ne souhaite pas que vous me répondiez avec trop de fougue !

Lanna préféra ne pas discuter sur ce sujet malgré le désir qu'elle avait de Hawk. Celui-ci cessa de la regarder et inspecta minutieusement le canyon.

— Vous ne m'avez pas encore expliqué pourquoi vous aviez choisi cet endroit, il y en a des douzaines d'autres !

— Rawlins et les anciens connaissent le moindre recoin du ranch aussi bien que moi. Si nous étions allés en ville on n'aurait pas manqué de nous apercevoir. Ici, dit Hawk en désignant toute la région, c'est chez moi. Rawlins sait où se trouve le wigwam, mais je parie tout l'or du monde qu'il ignore l'existence de la grotte.

— Vous vous attendez donc à ce que Rawlins vienne ici ?

— Oui, mais Chad arrivera le premier ! Après que Rawlins lui aura indiqué le chemin.

— Il n'aura qu'à suivre la piste, elle le mènera droit sur nous, n'est-ce pas ?

— Il l'aura perdue à un mille d'ici, si ce n'est plus, la rassura Hawk. J'ai brouillé nos traces.

Il se tourna vers Lanna et l'observa en silence, puis, posant un doigt sur sa joue, il en suivit la courbe délicate.

— Il se pourrait que je vous aie mise dans le pire des embarras, Lanna. Je ne peux évaluer le degré de désespoir de Chad, ni ce dont il est capable pour...

— Je n'ai pas peur.

Etrangement, elle disait vrai, et cette certitude lui donnait une voix posée.

— Aussi longtemps que nous resterons ici sans bouger, on ne nous repérera pas. Nous pouvons nous cacher jusqu'à ce qu'on soit fatigué de nous chercher.

— Et la nourriture ? Et l'eau ?

— J'ai pris des vivres au campement, confessa Hawk avec une grimace comique ; quant à l'eau, il y a une source au-dessous.

— Et une pompe pour la faire monter ? fit Lanna sur un ton de plaisanterie.

— On ne peut pas les voir, mais il y a des saillies sur le

rocher qui permettent de s'agripper. Tout ce que j'ai à faire, c'est de descendre et remplir les gourdes.

Lanna jeta un regard alarmé sur le roc à pic.

— Et si vous tombiez et que vous vous brisiez le cou ?

Hawk eut un rire de gorge, l'inquiétude de sa compagne l'amusait. Il la serra plus fort contre lui.

— Pourquoi ferais-je une chose aussi stupide ?

Il posa un baiser sur la joue de Lanna et promit :

— Je serai prudent.

Elle appuya le front contre son épaule.

— Nous ne pouvons rester éternellement ici, Hawk. Au bout de quelques jours, que ferons-nous ?

— Eh bien..., nous choisirons le moment opportun pour affronter Chad.

Lanna ferma les yeux, elle adorait la façon dont Hawk avait dit : « nous ».

— Une fois, vous avez prétendu ne pas vous mêler des affaires des autres ; en ce moment on ne peut pas dire que vous soyez un observateur désintéressé !

— Cette fois, c'est différent...

Hawk ne termina pas sa phrase. Il se raidit, enfonçant ses doigts dans l'épaule de Lanna. Elle le sentit tendu, en alerte ; elle leva la tête pour voir ce qui n'allait plus. Elle entendit alors un moteur de voiture, juste avant que Hawk ne dise :

— Les voilà !

Il poussa Lanna à l'intérieur de la grotte.

— Eteignez le feu et calmez les chevaux.

Le feu s'était presque éteint de lui-même. Lanna se contenta d'étouffer les braises avec un peu de terre. Ensuite, elle s'approcha des chevaux, caressa les naseaux du bai et laissa la jument se frotter les naseaux contre son épaule.

La tension lui noua l'estomac lorsqu'elle regarda par l'ouverture. Hawk était à plat ventre. Lanna désira être à côté de lui pour voir ce qui se passait, au lieu de deviner en écoutant les bruits.

La voiture s'arrêta, on éteignit le moteur, puis on claqua

les portières. Suivit un silence lourd. En tendant l'oreille, Lanna perçut ou crut percevoir des voix. Le cheval tourna la tête vers l'ouverture, les oreilles pointées en arrière. Lanna lui tapota la tête.

Le temps s'éternisait. Après des instants qui lui parurent des heures, Lanna commença à se demander si elle devait rester auprès des chevaux. Finalement, Hawk recula à plat ventre dans la grotte, se releva et s'avança vers elle.

— Que se passe-t-il ? chuchota-t-elle en scrutant les traits impassibles de son compagnon. Est-ce qu'ils sont partis ?

— Non, fit Hawk, accompagnant sa réponse d'un signe de tête. J'imagine que Chad va attendre pour savoir si Rawlins nous a repérés.

— Jusqu'à quand ?

— Jusqu'à cet après-midi. Le dépistage est un long travail. De plus, Rawlins continuera à nous poursuivre même après avoir deviné où nous sommes allés.

— Vous m'avez dit qu'il avait dû perdre nos traces à plus d'un mille d'ici, lui rappela Lanna.

— Oui, dès qu'il s'en sera aperçu, il enverra ses hommes au-devant de Chad pour l'avertir. Mais lui, restera en arrière-garde. Je le connais, il tournera en rond à partir du point où il a perdu la piste pour essayer de repérer des traces. Il ne renonce pas facilement.

Cependant Hawk ne semblait pas inquiet. Il regagna le fond de la grotte et ramassa une brassée d'herbe pour la donner aux chevaux.

— Vous feriez mieux de vous reposer, la journée va être longue.

Elle parut encore plus longue à cause de la réclusion et de la nécessité de ne pas faire de bruit. Comme Hawk l'avait annoncé, au milieu de l'après-midi un cavalier solitaire approcha du wigwam. Une heure plus tard environ, deux cavaliers le rejoignirent. Au bout de quelques instants, Lanna entendit encore une fois des portières claquer. Un moteur démarra.

— Ils partent, chuchota-t-elle de son poste, près des chevaux.

— Non.

Hawk était tapi dans l'ombre d'un gros rocher, à l'entrée de la grotte.

— Chad s'en va, mais Rawlins et ses hommes vont passer la nuit ici. Ils ont attaché leurs montures et sont en train d'allumer un feu.

Lanna étouffa un soupir et jeta un regard sur le sac de victuailles.

— Nous ferions mieux de manger. Je vais faire du café et préparer le repas, offrit-elle.

Avant qu'elle ait eu le temps d'ouvrir le sac, Hawk l'avait rejointe.

— Pas de café et pas de feu. Il faudra manger des sandwiches, il reste du pain et de la viande.

— Mais... pourquoi ? protesta Lanna.

— Pour le moment ils *supposent* que nous sommes dans les parages, mais s'ils sentent une odeur de cuisine ou de feu, ils sauront que nous sommes ici.

— Vous avez raison, bien entendu, dit-elle à regret.

Le pain et la viande avaient commencé à sécher, et il n'y avait que l'eau de la gourde pour les faire passer. Elle était tiède et insipide. Une tasse de café chaud aurait été la bienvenue, surtout avec le froid de la nuit qui allait envahir la grotte, dès que le soleil serait couché. Lanna enroula le duvet autour d'elle et se blottit à l'intérieur, au pied des chevaux. En faisant du feu on risquait de se signaler aux hommes qui campaient dans le canyon. Lanna savait qu'il était hors de question d'en parler ; aussi se contenta-t-elle de grelotter en silence.

Hawk abandonna son poste de guet, regagna le milieu de la grotte et s'arrêta pour ramasser son duvet. Il l'ouvrit, sortit le drap et l'étala par terre.

Enfin, il regarda Lanna et dit :

— Inutile que nous soyons deux à ne pas dormir, vous feriez aussi bien de vous reposer.

Il jeta la couverture sur ses épaules comme une cape et retourna à l'entrée de la grotte.

Lanna regarda le drap et renonça à s'en servir. Elle se leva et s'avança vers Hawk qui était assis, jambes allongées, le dos appuyé à la paroi du rocher.

— Permettez-moi de veiller un moment pendant que vous dormirez, proposa-t-elle.

A la faible clarté de la lune, elle distingua le sourire fatigué de son ami. Il fit non de la tête.

— Allez vous coucher, ordonna-t-il avec douceur.

— Si vous ne vous couchez pas, moi non plus. (Lanna s'agenouilla devant lui.) Je reste avec vous.

Il hésita, puis leva le bras pour écarter la couverture. Cette fois-ci Lanna accepta l'invitation, se glissa à côté de Hawk et posa sa tête sur son épaule. Elle étendit sa couverture sur eux deux.

— Comme ça, nous aurons plus chaud, dit-elle.

Elle entendit le grognement approbateur de Hawk et sentit son souffle sur ses cheveux. Elle sourit dans le noir, heureuse de sentir le bras de Hawk peser sur son ventre. La chaleur de l'homme se confondit peu à peu avec la sienne.

CHAPITRE XVIII

UN BATTEMENT D'AILES SUFFIT pour que Hawk ouvrît les yeux. Il s'aperçut avec colère qu'il était tombé dans un profond sommeil. Combien de temps avait-il dormi ? Il regarda le soleil qui se levait à peine. Deux heures, peut-être, pas beaucoup plus. Lanna était lourde dans ses bras, elle avait la respiration profonde de quelqu'un qui dort.

Hawk était raide et ankylosé à cause de la mauvaise position de la nuit, pourtant il s'abstint de bouger. Dehors, quelque chose avait fait peur aux oiseaux, Hawk resta immobile et silencieux. Il lui fallut quelques instants avant de distinguer le bruissement des feuilles, soulevées par la brise, de celui de pas sur l'herbe. Puis il entendit clairement des sabots heurter les cailloux. Le bruit montait directement d'au-dessous et il y avait plusieurs chevaux.

Hawk éveilla Lanna en lui posant une main sur la bouche pour étouffer toute parole. Elle sursauta, puis se détendit. Aux hennissements des chevaux succédèrent des bruits de pierres roulant sous une botte. Hawk jeta un coup d'œil sur ses chevaux : apparemment ce tintamarre ne les intéressait point. Puis il y eut des éclaboussures, ce qui fit dire à Hawk que les hommes étaient à la source.

— C'est la meilleure eau que j'aie jamais bue !

Hawk reconnut la voix de Bill Short.

— Remplis les gourdes avant que les chevaux viennent la troubler, ordonna Rawlins.

— Comment crois-tu qu'il a fait pour s'évanouir dans les airs, l'Indien ? interrogea Short, dérouté. Je pensais qu'il allait se montrer !

— Ça prouve comme il est rusé. Il veut nous faire perdre du temps en nous faisant chercher ici pendant qu'il se trouve ailleurs. C'est pour cette raison qu'il a brouillé la piste un mille plus haut.

— Alors, où est-il ?

— La plupart des Navajos ont des wigwams dans les collines ; des résidences secondaires. J'imagine que c'est là qu'il a emmené la fille, dit Rawlins. Il doit se trouver là-bas, en train de ricaner. Il cessera de ricaner lorsque nous le retrouverons.

— Tu sais où chercher ? interrogea Short, sceptique.

— Je me souviens, John Buchanan avait fait allusion à deux points d'eau dans les collines. Nous en avons trouvé un. Montons plus haut chercher le deuxième.

On entendit craquer le cuir des selles, les sabots des chevaux patauger dans l'eau. La terre vibra sous le tonnerre d'un petit galop. Hawk attendit que le bruit diminue avant de relâcher Lanna. Il se leva en hâte pour vérifier si les cavaliers s'étaient réellement éloignés.

— Ils sont partis pour de bon ? demanda Lanna, remplie d'espoir.

— Je ne sais pas. Pourquoi ne feriez-vous pas boire et manger les chevaux ? suggéra Hawk.

Il ôta la couverture qui lui recouvrait le dos.

— Où allez-vous ?

— Je suis de nature soupçonneuse, dit Hawk en haussant les épaules, je veux m'assurer qu'ils ont bien fichu le camp et que leur conversation n'était pas un piège. Je ne serai pas long, promit l'Indien en empruntant l'étroite piste qui conduisait au canyon.

Une demi-heure plus tard, Hawk était de retour.

— Ils sont partis, assura-t-il, répondant aux questions silencieuses de Lanna. Ils ont pris les collines vers l'ouest. Nous ne risquons rien pendant deux jours.

Lanna perçut une immense fatigue dans la voix de son

compagnon : il avait à peine soufflé les derniers mots. Les petites rides de ses yeux se creusèrent lorsqu'il sourit avec lassitude.

— Que diriez-vous d'un café et d'un peu de nourriture ?

Tandis que Lanna coupait en tranches le bacon apporté par Hawk, celui-ci alluma le feu. Les jeunes gens partagèrent une tasse de café, pendant que le jambon fumé grésillait dans le poêlon. Lanna se servit de l'eau qui restait et l'incorpora aux œufs déshydratés qu'elle mit à frire. C'était là le meilleur repas qu'elle eût pris depuis longtemps.

— Il reste deux gorgées de café, dit Hawk en passant la timbale à sa compagne.

— Il n'y a plus d'eau, répondit-elle avant de savourer le riche arôme du café.

La boisson lui donna un coup de fouet, mais ses muscles restaient raides et endoloris.

— Je vais chercher de l'eau, annonça Hawk.

Il jeta les gourdes par-dessus son épaule.

— Et les chevaux ont besoin d'herbe fraîche.

— Attendez !

Lanna avala sa dernière gorgée de café sans en laisser une goutte.

— Je viens avec vous.

— Quoi ? Et si vous vous brisez le cou ? plaisanta Hawk.

Lanna se souvint de sa description : il y avait un rebord auquel on pouvait s'accrocher. Elle haussa les épaules.

— J'ai fait un peu d'escalade dans le Colorado. Rien d'extraordinaire ou de dangereux, mais si vous pouvez le faire, moi aussi. Et puis, je suis fatiguée de rester enfermée dans cette grotte, je sens que je deviens claustrophobe.

Cette affirmation était un peu exagérée, mais Lanna ne voulait surtout pas rester seule.

Hawk hésita un instant avant d'accepter.

— D'accord, venez, mais je descends le premier.

— Comme ça, vous me rattraperez si je tombe, fit Lanna en éclatant de rire.

— C'est ça !

228

Hawk sourit et se baissa pour ramasser la couverture.

— Vous me la lancerez, j'ai besoin de quelque chose pour ramasser l'herbe.

Lanna suivit Hawk sur le rebord du rocher en cherchant des encoches avec ses pieds. Hawk disparut rapidement de sa vue. Lanna retint sa respiration jusqu'au moment où elle l'aperçut en bas. Elle lui jeta la couverture.

— A vous, fit Hawk.

Il mit ses mains en haut-parleur devant sa bouche pour lancer un défi.

— Vous pouvez encore changer d'avis !

— N'y comptez pas !

Lanna imita les gestes de l'Indien, ventre collé contre la paroi, balançant un pied après l'autre.

Elle ne se sentait pas spécialement rassurée, mais maintenant qu'elle s'était engagée, il ne semblait y avoir qu'une seule issue : sauter. Les genoux de la jeune femme tremblaient, Hawk la soutint par la taille pour les derniers pas. Lanna trouva qu'il avait nettement exagéré : l'érosion avait effacé les creux de la paroi, mais elle était beaucoup trop heureuse de se retrouver sur la terre ferme pour faire des réflexions.

— Votre cœur bat ?

Hawk avait des yeux qui riaient.

— Cent trente pulsations seconde, reconnut Lanna.

— Remplissez les gourdes pendant que je ramasse l'herbe.

Hawk fit glisser les gourdes de son épaule et les tendit à Lanna.

— Vous ne craignez pas de laisser des traces s'ils reviennent ?

— Ils ont parcouru ce canyon dans toutes les directions, et ils seront incapables de distinguer nos traces des leurs, assura Hawk.

Il sortit son poignard du fourreau et étala la couverture sur l'herbe jaunie, au-dessous des arbres.

Pendant ce temps, Lanna maintenait les gourdes à la surface du petit bassin formé par la source, en écoutant le glouglou de l'eau. Celle-ci était glacée, mais la jeune femme en but une gorgée dans sa main et s'aspergea le visage. Sa peau se détendit sous la fraîcheur vivifiante. Lorsque les gourdes furent remplies, Lanna les posa contre le rocher et revint vers l'endroit où Hawk travaillait. Une petite construction dissimulée dans les arbres attira son attention.

— Hawk, qu'est-ce que c'est ?

Elle pointa le doigt vers la chose qui ressemblait à un wigwam miniature.

L'Indien regarda dans la direction indiquée, puis se retourna pour continuer à couper l'herbe.

— C'est un cabinet public ?

— Non, une maison pour transpirer.

— Qu'est-ce que ça veut dire : une maison pour transpirer ?

Hawk interrompit sa tâche quelques instants.

— J'imagine que ce pourrait être la version navajo de votre sauna.

— Quel endroit merveilleux ! murmura Lanna avec un vague regret. Je suppose qu'il n'a pas servi depuis longtemps ?

— Il a servi. J'y vais chaque fois que je viens ici.

Une fois qu'il eut coupé l'herbe, Hawk l'entassa sur la couverture.

Lanna fixait intensément le petit wigwam.

— On ne doit pas pouvoir...

Elle se retourna et aperçut la lueur malicieuse qui dansait dans les yeux bleus.

— Le sauna indien est exclusivement réservé aux hommes, déclara Hawk.

— Les femmes ne sont pas autorisées à entrer ? s'étonna Lanna avec une pointe de provocation.

Hawk regarda vers l'ouest. Lanna comprit qu'il pensait à Rawlins. Pendant une minute, elle avait oublié leurs poursuivants. A regret, elle renonça à « la maison pour transpirer » ; c'était trop risqué.

— Coupez l'herbe à ma place, dit Hawk en plantant la lame du poignard dans la terre, je vais allumer un feu pour chauffer les pierres.

— Nous ne devrions peut-être pas, commença Lanna sur le ton d'une personne raisonnable. C'est imprudent.

— Pas de plus belle occasion de prendre un bain de vapeur, l'interrompit Hawk, ils ne reviendront que demain.

Hawk disparut pendant un temps qui parut infini à la jeune femme. Lorsqu'il revint, elle avait rempli la couverture d'herbe. Hawk rapportait une sorte de broc. Il le posa par terre pour nouer les coins de la couverture.

— Je rentre l'herbe dans la grotte.

Il souleva le ballot par un nœud et le balança sur son épaule.

— Pourquoi ne rempliriez-vous pas le pichet, le temps que je revienne ?

— D'accord.

Lanna ne bougea pas tout de suite et surveilla Hawk en train d'escalader le rocher. Elle craignait que le paquet ne l'entrave. Dès qu'il eut posé un genou sur le rebord du rocher et sauté dans la grotte, elle poussa un soupir de soulagement et alla vers la source.

Hawk était à peine parti que le broc était déjà plein. Lanna se dirigea sans l'attendre vers le petit wigwam-sauna. Une couverture poussiéreuse servait de porte d'entrée. Elle la souleva et tout de suite sentit une bouffée de chaleur. Elle entra, laissant la couverture retomber derrière elle. Etant donné sa petite taille la construction était très vite devenue chaude. Cette impression était encore renforcée par les murs de terre. Au milieu, Hawk avait entassé des pierres lisses. Lanna plongea la main dans le pichet et les aspergea. Des gouttelettes d'eau grésillèrent et furent rapidement absorbées par la surface brûlante.

Lanna ressortit, regarda en direction de la grotte ; aucun signe de Hawk. La tentation de se servir du sauna était trop grande ! Sans attendre son compagnon, la jeune femme se déshabilla, plia ses vêtements et sous-vêtements et les posa près de la porte.

Avant de frissonner dans l'air frais de l'automne, Lanna se hâta d'entrer dans la petite maison. Cette fois, elle arrosa généreusement les cailloux chauffés, qui projetèrent un nuage de vapeur. Elle s'assit et allongea les jambes sur la terre dure. En quelques secondes, la chaleur humide lui enveloppa le corps, la soulageant de toute tension. Lanna pencha la tête en arrière et ferma les yeux pour mieux jouir de la sensation.

Un courant d'air froid lui balaya la nuque. Elle ouvrit les yeux et aperçut Hawk au-dessus d'elle. Il portait un pagne qui cachait très peu de son anatomie. Sa peau ressemblait à du cuivre pâle, depuis les longues jambes jusqu'au torse musclé. Lanna sentit son cœur s'affoler. Le tissu minuscule révélait les attaches des cuisses aux hanches et la ligne précise des fesses.

— Les pierres étaient chaudes, chuchota-t-elle, j'ai pensé que vous ne seriez pas fâché si je ne vous attendais pas.

— Je ne suis pas fâché.

Hawk aspergea encore les cailloux et une vapeur blanche l'enveloppa. Fascinée par la peau de Hawk, luisante de sueur, Lanna ne remarqua pas qu'il ôtait son pagne. Mais lorsqu'il le jeta sur le sol sans précaution, elle suffoqua. Elle brûlait d'une chaleur interne et externe.

Avec la grâce d'un animal, Hawk se baissa et s'assit par terre à côté de Lanna, son regard rivé à celui de la jeune femme. L'environnement primitif, la nudité, et la température volcanique qui s'élevait du foyer poussèrent Lanna à s'allonger dans un coin, Hawk l'imita. Il prit une mèche de cheveux châtains entre ses doigts. Les lèvres de l'Indien se posèrent sur les siennes, Lanna poussa un soupir. Elle caressa la peau luisante, laissant glisser ses paumes sur les puissants muscles du dos. Leurs bouches se dévorèrent, leurs langues se cherchèrent pour lutter délicieusement.

La main de Hawk glissa sur le corps moite de sa compagne, dont la chair s'enflamma à ce contact. Ses doigts caressants semblaient se griser du plaisir de la découverte. Ils suivirent le creux tentateur de sa gorge, se promenèrent sur ses seins. L'odeur de terre de Hawk emplissait Lanna, elle ne ressentait plus qu'une immense tension à l'intérieur. Hawk abandonna la bouche de sa compagne, lui embrassa les joues, s'arrêta à cet endroit de la gorge où le pouls bat follement.

— J'ai tant attendu...

Sa voix rauque, son souffle rapide répondaient à ceux de Lanna. Lorsque Hawk frotta son visage contre ses seins ronds, la jeune femme glissa ses doigts dans les cheveux noirs que la transpiration avait séparés en mèches de jais. Incapable de supporter davantage cette bouche sur sa poitrine, le corps de Lanna s'arqua et obligea la tête de l'homme à descendre. Hawk dévora son ventre rose. Lanna poussa un gémissement, le contact des lèvres sur son bas-ventre la faisait palpiter. Elle bougea doucement les hanches sous les habiles caresses qui ne faisaient qu'exciter la fièvre. Les mains de Lanna, son corps frémissant implorèrent son amant afin qu'il la comble.

Hawk écrasa son corps sur celui de sa compagne, tous deux humides d'une même moiteur. L'air saturé de vapeur leur collait aux reins. Lanna avait du mal à respirer, plaquée contre le sol dur. Elle se débattit doucement pour libérer sa bouche et réussit à articuler :

— Hawk, tu es trop lourd... Tu m'étouffes.

D'un mouvement fluide, il roula sur le dos de telle façon que Lanna se trouva dessus. Il la souleva légèrement, l'éloigna de son torse pour admirer la naissance des seins blancs, nus.

— Je croyais que tu préférais la position traditionnelle, se moqua-t-il gentiment.

A nouveau les mains de Hawk glissèrent sur son amante, l'animèrent par ses caresses. La chaleur du sauna se fransforma en enfer doré au moment où les corps enlacés bougèrent à l'unisson, emportés par un rythme frénétique. Lanna fut enveloppée par une immense flamme qui l'enleva au-delà de la passion, à ce point où l'esprit et la chair fusionnent dans un éblouissement.

La magie se dissipa lentement pour Lanna, abandonnée dans les bras de son ami. Elle ne parlait pas, incapable de trouver les mots qui correspondaient à ses sentiments. Les yeux fermés, elle savourait la violente extase qui la laissait pantelante.

Sous elle, Hawk bougea. Il passa une main sur sa peau tiède.

Elle murmura une protestation incohérente.

— Ce bain de vapeur nous a ôté nos dernières forces, lança Hawk d'une voix rauque.

Il se remit debout, Lanna s'assit dans un coin du sauna,

233

les jambes ramassées sur le côté. Ses yeux noisette étaient devenus lumineux et tendres lorsqu'elle les leva sur l'homme à qui elle appartenait. Il se pencha pour l'aider à se mettre debout, puis se ravisant, la souleva dans ses bras. Elle glissa une main autour de son cou, pressa sa bouche sur son torse, le couvrant de baisers chauds et passionnés. Sa saveur salée l'enivrait, liqueur incomparable.

Hawk porta la jeune femme vers la porte, écarta la couverture d'un mouvement d'épaule. Par contraste avec l'intérieur obscur, le soleil du dehors était aveuglant. Lanna ferma les yeux et se pelotonna contre le grand corps qui la protégeait de l'air frais. Hawk ne la déposa pas par terre, mais continua d'avancer.

— Où allons-nous ? demanda-t-elle.

Elle ne s'en souciait pas vraiment et laissait son pouce courir sur l'omoplate de Hawk.

— Les Nordiques conseillent un bain glacé après le sauna, n'est-ce pas ?

Il fallut quelques secondes à Lanna pour comprendre.

Elle leva la tête, ouvrit grand ses yeux et s'aperçut que Hawk la portait vers la source. Elle interrogea ensuite le visage mat, dans lequel les iris bleus scintillaient de malice.

— Hawk, tu ne ferais pas ça ? Tu ne vas pas...

Elle se débattit, en proie à la panique :

— Non, laisse-moi, lâche-moi !

Il ricana.

— Je te lâche dans une minute.

— Non ! ne me jette pas là-dedans, protesta Lanna.

Elle n'était ni effrayée ni en colère, juste désireuse d'échapper à ce rituel.

— D'accord, dit Hawk en s'arrêtant à côté du bassin formé par la source, je ne te mets pas dedans.

Lanna poussa un soupir de soulagement et se laissa aller tout contre son ami. Soudain le bras qui soutenait ses jambes glissa, les pieds de Lanna se retrouvèrent dans l'eau froide. Ce contact glacé sur ses jambes moites lui fit pousser des cris aigus.

— C'est froid ?

234

Hawk éclata de rire et lui aspergea les cuisses.

— Tu as promis ! s'écria Lanna en essayant de garder l'équilibre sur le fond glissant.

— J'ai seulement promis de ne pas te *jeter* dans le bassin, rappela-t-il en continuant de l'éclabousser.

Lanna lui rendit la pareille, elle prit de l'eau dans le creux de sa main et lui aspergea la poitrine. Hawk s'enfonça un peu plus dans le creux et la bataille de l'eau commença : un jeu plein de rires et de cris. Bientôt trempée de la tête aux pieds, Lanna mouilla Hawk en plein visage et éclata de rire en le voyant reculer. Elle allait recommencer avant qu'il contre-attaque mais soudain il porta la main à ses yeux. La poursuite cessa sur-le-champ.

— Tout va bien ? demanda Lanna, en se précipitant vers Hawk.

Celui-ci avait joué la comédie ; il saisit le poignet de Lanna et la prit dans ses bras. Lorsque les lèvres minces de Hawk se posèrent sur les siennes, à nouveau son cœur s'affola. Elle s'abandonna contre le corps viril, se colla à lui pour mieux en sentir les formes. Ses lèvres s'entrouvrirent, répondant au besoin d'un contact plus intime.

Hawk la souleva de manière que sa bouche fût à la hauteur des seins ronds. Il passa un bras autour de la taille svelte et l'autre sous les cuisses. Les hanches de Lanna plaquées contre son ventre, ses fines jambes gigotant dans l'air, l'Indien sortit du bassin. Devant l'arbre à coton géant, il laissa glisser Lanna à son niveau et l'adossa au tronc en prenant soin de mettre ses bras entre l'écorce dure et les fesses de la jeune femme.

Il s'écoula une éternité avant que Lanna remette les pieds par terre. Même après l'étreinte, elle continua de serrer son amant dont les lèvres lui caressaient les cheveux.

— Tu es à moi, Lanna, dit-il d'une voix forte, aucun homme ne te touchera, plus jamais.

Il prit la tête de son amie entre ses mains et plongea son regard dans les yeux noisette. Il la provoquait, s'attendant à ce qu'elle conteste son affirmation. Lanna n'en fit rien, et poussa un soupir, radieuse.

— Oui, murmura-t-elle, comblée.

Hawk prit une profonde inspiration et expira doucement, comme s'il voulait chasser toute brutalité hors de lui.

— Tu as froid, remarqua-t-il.

Lanna baissa les yeux et s'aperçut que l'air frais lui donnait la chair de poule. Hawk lui prit la main.

— Nous ferions bien de nous rhabiller avant que tu
n'attrapes un rhume.

— Et toi ?

— J'ai la peau dure, assura-t-il en la ramenant vers le
petit sauna.

Les vêtements de Hawk étaient pliés à côté de ceux de
Lanna mais il disparut à l'intérieur pendant qu'elle s'ha-
billait. Elle remontait la fermeture-Eclair de son jean,
lorsqu'il ressortit, vêtu de son pagne primitif. Il s'habilla à
son tour.

— Crois-tu être capable de faire de l'escalade jusqu'à la
grotte ? demanda-t-il.

— Ce serait plus facile si tu m'aidais à monter, répliqua
Lanna.

Hawk attendit que Lanna soit en sûreté sur le rebord
du rocher, puis se hissa en portant les gourdes. L'obscurité
de la grotte donnait l'impression qu'il faisait encore plus
froid à l'intérieur.

— Je prépare du café ? proposa Lanna.

Hawk lui jeta une gourde.

— J'en prendrai volontiers.

Dès que le café eut bouilli dans le pot, Lanna ajouta de
l'eau froide pour faire tomber le marc au fond. Les
amants s'assirent devant le feu, partageant la timbale unique, dans une atmosphère de tranquille intimité. A un
moment donné, les épaules de Hawk s'affaissèrent de lassitude, il tendit la timbale à Lanna.

— Tiens, finis-le, je vais faire un somme, je n'ai pas eu
ma ration de sommeil, ces dernières quarante-huit heures.

Malgré son épuisement, Hawk se releva avec l'agilité d'un
chat et alla s'allonger contre la paroi de la grotte. Avant
de se couvrir le visage avec son chapeau, il jeta un coup
d'œil sur Lanna.

— Je ne pense pas que nous recevions des visiteurs, mais
tu ferais bien de rester vigilante.

Hawk s'endormit sur-le-champ. Lanna prit garde à ne pas faire de bruit en cherchant un peigne dans la sacoche. Elle s'assit devant l'entrée de la grotte pour se coiffer au soleil. Lorsqu'il commença à faire sombre, elle remarqua que Hawk dormait les bras croisés sur la poitrine, comme pour se protéger du froid. Elle secoua la couverture pour faire tomber les derniers brins d'herbe et l'étendit sur le dormeur. Il bougea mais ne s'éveilla pas.

Avant que le soleil soit couché, Lanna prépara le repas du soir, devinant que Hawk n'aimerait pas qu'elle fasse du feu la nuit. On pourrait voir la lumière dans cette contrée déserte. Lorsque le dîner fut prêt, Lanna réveilla Hawk, elle l'effleura à peine, aussitôt il fut en alerte. Dès qu'ils eurent fini de manger, Lanna fit une dernière tasse de café. Le ciel s'empourprait avec la tombée de la nuit, Lanna étouffa le feu. Hawk se tenait à l'entrée de la grotte, scrutant les ténèbres. Elle lui apporta du café.

— Où crois-tu qu'ils sont ? demanda-t-elle, devinant les pensées de Hawk.

Il se retourna et haussa faiblement les épaules.

— Je l'ignore.

Elle lui tendit le café et frémit lorsque ses doigts l'effleurèrent.

— Tu vas rester debout et veiller toute la nuit ?

— Non, je n'en vois pas l'utilité.

Il souffla sur le liquide brûlant avant de boire une gorgée.

— Ils ne reviendront pas en pleine nuit.

Dans la lumière pourpre orangée, Lanna distinguait à peine le wigwam ; le sauna, lui, n'était absolument pas visible.

— Comment était-ce de vivre ici ? interrogea la jeune femme, curieuse de tout ce qui concernait son ami.

— Innocent. Cruel aussi, par la suite, répondit Hawk sans amertume. Oui, c'est d'ici, de mon enfance navajo que je tiens mon équilibre. Un jour, je te montrerai cette terre qu'on appelle les « Quatre Coins ».

— J'aimerais beaucoup, approuva Lanna, heureuse que Hawk désire lui faire découvrir ses propres racines.

— Les *mesas*, les buttes entre les plaines couvertes de

sauge, bordées de rochers, vides. Les canyons d'épicéas bleus, les sables fauves, les lourds rochers rouges. Comment expliquer que les couleurs prennent une intensité dramatique, intensifiant les contrastes d'ombre et de lumière ? Cette terre vivante vibre, toute remplie de la force de son créateur.

En percevant de l'émotion dans la voix grave de Hawk, Lanna comprit que cette identification profonde au sol, elle ne la partagerait jamais avec lui. Il était peut-être sage de le savoir dès à présent.

— Un Indien est inséparable de la terre, poursuivit Hawk. (Il ne s'adressait plus à la jeune femme mais exprimait ses pensées à haute voix.) Les tribus qui ont été séparées de leur sol natal ont péri : les Chippewas, les Mohicans, les Chickasaws. Au contraire, les Navajos, les Apaches qui habitent leur territoire ont survécu, à l'intérieur des « Quatre Pics ».

Hawk s'interrompit et jeta un regard oblique vers Lanna, comme s'il venait de se rappeler qu'elle était là.

— Excuse-moi.

— Tu n'as pas à t'excuser.

— Je préfère que tu me connaisses. Tu vois, je n'aurais jamais quitté ce pays si je n'avais pas été certain d'y revenir. Pourtant je suis coupé en deux, mais j'ai appris à rassembler les parties pour le besoin du tout.

— Deux parties comme dans ton nom, remarqua Lanna.

— Je m'appelle Jim Blue Hawk, rectifia le jeune homme. Jim et Hawk : une partie américaine, l'autre indienne.

— Jim Blue... J.B., les initiales de John, et Hawk, le Faucon, pour Faulkner, le Fauconnier.

— Pure coïncidence. J'ai choisi ce nom lorsque j'étais enfant. John Buchanan aura probablement remarqué l'analogie, elle l'aura amusé, peut-être même en aura-t-il été fier. Je ne sais.

Il haussa les épaules pour signifier que la question n'avait aucune importance pour lui.

— Mais tu possèdes tellement de ses traits ; Chad a hérité de sa faiblesse, de sa superficialité peut-être, ajouta-t-elle en concédant enfin que John Buchanan avait eu des défauts. Toi, tu as sa force, son intelligence, le commandement t'est naturel, je l'ai remarqué quand tu donnais des instructions au rabattage. Pourquoi ne tires-tu pas parti de tes talents ? Tu as évité ce sujet la dernière fois que je l'ai abordé.

— Les patrons ont la fâcheuse habitude d'exiger de leur personnel qu'il travaille à des heures régulières.

— Lorsqu'on est son propre maître, on arrange son emploi du temps selon son goût, répliqua Lanna.

Hawk eut un sourire nonchalant et rendit la timbale à son amie.

— Je te l'ai déjà dit, tu penses trop !

Il s'éloigna de l'entrée de la grotte.

— Je vais vérifier que les chevaux n'ont besoin de rien pour la nuit. Il faudra leur faire faire un peu d'exercice demain.

Lanna resta devant l'ouverture, écoutant les bruits derrière elle. Elle contempla les étoiles qui se levaient à l'horizon, pensive. Elle jeta le fond de sa timbale de café. Lorsqu'elle se retourna, Hawk était déjà couché sur le sol. Il souleva sa couverture et invita la jeune femme.

— Apporte ton duvet.

Elle remarqua qu'il était resté habillé, aussi garda-t-elle ses vêtements. Après avoir rangé la timbale dans le sac à provisions, elle attrapa son duvet et s'allongea à côté de Hawk. Il lui offrit son épaule en guise d'oreiller et elle se nicha dans le creux.

— Fatiguée ?

— Je n'ai pas la migraine, si c'est ce que tu demandes.

Hawk rit en silence. Lanna sentit son haleine chaude sur ses joues. Son corps tout entier était à l'écoute de celui de l'homme allongé à ses côtés. La main de Hawk s'aventura sur la taille de la jeune femme, lui caressa la hanche. Il l'accusa avec indolence :

— Tu rendrais un homme impuissant.

— Vraiment ?

Elle renversa la tête en arrière et lui adressa un regard provocant.

— Les Navajos croient que trop faire l'amour est nuisible, affirma Hawk tandis que sa main continuait à errer.

— Pourquoi ?

La curiosité faisait briller les yeux de Lanna.

— Parce que, selon la croyance navajo, cela peut affecter l'épine dorsale, là où elle touche le cerveau. Un professeur d'anatomie t'expliquerait que tout cela est en relation avec le nerf médian. As-tu étudié le yoga ?

— Non.

Lanna déboutonna la chemise de Hawk et glissa une main à l'intérieur, au contact de sa peau.

— Pour atteindre à l'illumination transcendentale, les yogi doivent détourner leur puissance sexuelle vers le nerf médian. Le pouvoir spirituel provient de l'énergie physique, expliqua encore Hawk. Dans le bouddhisme on croit que l'esprit sort du corps après la mort par le haut du crâne, là où se trouve le nerf médian. C'est pour cette raison que beaucoup de bouddhistes se rasent toute la tête à l'exception de cet endroit.

Hawk souleva une épaisse mèche de cheveux châtains.

— C'est pour une raison identique que les Indiens scalpent leurs ennemis. Ils s'assurent ainsi que leur esprit ne s'échappera pas sous la forme d'un fantôme pour venir les hanter.

— Fascinant, murmura Lanna.

Elle comprenait, mais ses sens se concentraient sur une tout autre chose.

— Je détesterais voir ta belle chevelure danser à la ceinture d'un homme.

Hawk plaqua les hanches de Lanna au sol, sur le drap de couchage.

— Pas même à la tienne ? chuchota Lanna pendant qu'elle défaisait les premiers boutons de son chemisier.

— Pas même à la mienne, souffla Hawk contre sa bouche.

Le jeune homme avait choisi un autre mode de communication que les mots. Lanna approuva l'excellence de son choix avec un grognement de plaisir.

CHAPITRE XIX

En admirant l'effet du so-
leil sur la butte lointaine, Lanna se rappela la description
de Hawk, la veille. Elle sentit la terre tressaillir au moment
où la butte d'argile tourna au rouge feu, puis s'obscurcit
jusqu'au rouge brique. Au loin, une colline plantée de gené-
vriers assombrissait l'horizon.

Lanna offrit son visage au vent qui soulevait des particules de sable. Il lui fouettait les cheveux qui flottaient tels
un étendard soyeux, et plaquait son chemisier crème contre
ses seins. L'air regorgeait d'un âcre parfum de sauge et
de poussière. Tout vivait.

— Bon sang, pourquoi traînes-tu ainsi ?

Le ton bref et inquiet de Hawk fit se retourner la jeune
femme.

— J'admirais le paysage.

Une rafale lui colla une mèche de cheveux châtains au
visage. Elle la repoussa et se retourna pour faire face au
vent.

— Je voulais voir le wigwam où tu habitais lorsque tu
étais enfant.

— Il n'y a pas grand-chose à voir.

— Pas ici, reconnut-elle sans le regarder, car elle était
absorbée dans la contemplation de la terre, mais là-bas...

Elle ne termina pas sa phrase, incapable de trouver des

241

mots plus appropriés que ceux de Hawk. L'Indien s'approcha de son amie, examina son profil puis, à son tour, scruta l'horizon.

Lanna s'arracha à sa communion avec le paysage pour regarder Hawk. Elle lisait en lui sa dignité, sa fierté, et sa farouche indépendance ancestrale. Le moment était venu de parler selon son cœur, sans être influencée par la passion ou le désir.

— Hawk, je t'aime.

C'était un simple constat, sans grandiloquence. Il sursauta puis se tourna vers elle.

— J'ignore le sens du mot « amour », je n'en ai aucune expérience, Lanna.

Il posa les mains sur les épaules de sa compagne, l'obligeant à rester immobile. Cette réponse la déçut, mais elle se dit au fond d'elle-même qu'elle comprenait.

— Ce que je sais, c'est que lorsqu'un homme te touche, je suis empli d'une rage meurtrière. Lorsque je te tiens dans mes bras, je suis transporté. Et je ne me trouve heureux qu'avec toi. Si l'amour est plus fort que cela, tu devras me l'apprendre.

Lanna étouffa un cri en réalisant ce que Hawk disait. Elle se précipita dans ses bras, les yeux humides de joie incrédule. Hawk la serra contre lui et pressa sa tête contre son épaule.

— Impensable, n'est-ce pas ? Je veux que tu deviennes ma femme.

Elle rit, submergée par le bonheur et releva une tête fière et triomphante.

— Je t'épouserai, Hawk, peu m'importe si nous vivons dans une grotte, un wigwam ou...

— Il m'importe, à moi ! déclara-t-il.

Il interrompit ces déclarations passionnées par un baiser. Il appuya la tête sur la poitrine de Lanna, et murmura contre sa peau :

— Tes maudites pensées m'ont fait changer d'idée.

Il l'embrassa sur la bouche, Lanna se pressa contre le corps viril qu'elle connaissait si bien. Il la bouleverserait toujours. Le baiser fut long et passionné, prélude à d'autres caresses, mais soudain Hawk y mit fin, tous ses muscles tendus. Il leva le menton, en alerte, et repoussa Lanna.

— Nous avons des visiteurs. Ils ne nous ont pas encore repérés, nous pouvons nous réfugier dans la grotte, en courant.

Lanna vit le nuage de poussière et sentit le sol vibrer sous ses pieds.

— Non, je préfère rester et affronter Chad.

Hawk parut satisfait de cette réponse et eut un mince sourire. Il jeta un coup d'œil vers la grotte.

— Qu'y a-t-il ? demanda Lanna.

— Il serait préférable que j'aie mon fusil, ça aplanirait les difficultés au cas où les chances tourneraient du mauvais côté.

La confiance de Lanna fut momentanément ébranlée.

— Hawk !

— Ne t'inquiète pas, nous nous en sortirons bien.

Le vent fit voler une mèche de cheveux sur les yeux de la jeune femme, elle la glissa derrière son oreille. Un camion approchait, précédé de trois hommes à cheval. Lanna entendait le moteur mais le véhicule disparaissait derrière la poussière soulevée par les sabots. Le cœur de Lanna se mit à battre, Hawk fit un pas en avant de façon à être le premier exposé.

Son corps était tendu par l'imminence du danger, mais il le dominait, ce qui était finalement une sensation agréable. Le camion stoppa à une vingtaine de pas, les cavaliers s'arrêtèrent tout près. Chad jaillit de derrière une roue et fonça comme un taureau furieux. Hawk avait reconnu les passagers : Carol et Katheryn ; il concentra son attention sur Chad, sans perdre Rawlins de vue.

— Salut, Chad ! c'est tellement gentil à toi d'arriver sans crier gare, on dirait un règlement de comptes. Pas vrai ?

— Laisse-la, aboya Chad.

— Je ne la retiens pas.

L'Indien haussa une épaule puis défia Rawlins.

— De quoi m'accuses-tu, cette fois ? De kidnapping ?

Le contremaître lui adressa un regard noir mais ne répondit pas.

— Tu l'as enlevée au campement, dit Chad, je veux que tu la rendes.

— Je ne viendrai pas, Chad, déclara Lanna. Je reste avec Hawk de mon plein gré. Je sais ce que vous avez tenté contre moi.

— Je ne sais pas de quoi vous parlez. Vous feriez mieux de monter dans le camion, répliqua Chad.

— C'est raté, Chad, poursuivit Hawk avec calme. Lanna ne désire plus rester avec toi.

— Non ! Ça n'est pas raté, hurla Chad, en proie à un violent désespoir. Vous n'allez pas me coincer comme ça ! Je ne vous laisserai pas faire ! Maintenant dégage, Hawk ; Lanna vient avec nous.

— Non !

Hawk remarqua un mouvement et entendit Rawlins donner un ordre à voix basse aux deux cavaliers. Il souleva la patte du fourreau de son poignard, brandit la lame et affronta Rawlins. Pour l'instant, Chad n'était pas menaçant.

— Ne descends pas de selle, Tom, ordonna Hawk en pointant vers lui son poignard. Sinon, j'oublierai que tu es vieux.

Le secours arriva du côté où l'on ne s'y attendait pas. Luther Wilcox venait de sortir son fusil et le braquait vers ses compagnons.

— Cette histoire ne nous regarde pas, Tom, reste où tu es. S'il doit y avoir une bagarre, ce sera entre les fils Faulkner. Et je veux être sûr que les chances seront égales.

— Rengaine ton fusil, hurla Rawlins, tu ferais mieux de viser dans une autre direction.

Luther restait prêt à tirer.

— Je crois que vous l'oubliez : la moitié du ranch appartient à Hawk.

— A toi de décider, Chad.

Hawk défiait son demi-frère maintenant que le danger immédiat était écarté grâce à Wilcox. Chad hésita, et Katheryn l'encouragea :

— Tu ne vas pas le laisser partir comme ça ! Chad, tu as tort de lui faire confiance.

Les yeux bleus de Hawk se posèrent sur la femme entre deux âges, remarquant la haine qui l'animait. Il réalisa sa méchanceté ; elle montait son fils contre lui, l'encourageait à se battre. Il n'y avait pas de doute, elle ne l'avait accompagné que pour avoir la joie de le voir vainqueur.

Hawk croisa le regard vert de Carol, devinant qu'elle se rappelait une scène semblable, jadis jouée pour elle.

Chad se tint les bras le long du corps, en serrant les poings.

— Pourquoi ne poses-tu pas ce couteau, comme ça nous verrons si tu es un homme !

Le sang de Hawk bouillonna dans ses veines. Il commençait à s'apercevoir avec une légère surprise qu'il souhaitait se battre, lui aussi. Il avait refoulé sa haine pendant vingt ans, maintenant il la libérerait. Il fit quelques pas, loin de Lanna jusqu'à un endroit sans arbustes. Au milieu, il y avait des cendres noires qui marquaient l'emplacement où Rawlins et ses hommes avaient passé la nuit deux jours plus tôt. Sans perdre des yeux Chad qui se déplaçait en cercle, prêt à attaquer, Hawk planta sa lame blanche dans une bûche à demi calcinée.

Pendant ces quelques secondes, il n'avait cessé de jauger son adversaire. Chad avait l'avantage du poids mais manquait de résistance. Ses réflexes étaient rouillés mais Hawk ne devait pas les mépriser pour autant.

Le cercle se rétrécit. Hawk attendit que Chad fasse le premier geste. Il partit comme une flèche. Le cerveau de Hawk enregistra que Chad n'était ni lent ni maladroit. Tout de suite après, l'épaule de son demi-frère le heurta avant qu'il ait pu éviter la charge. Il s'agrippa à ses bras pour ne pas être projeté au sol. Les deux hommes s'empoignèrent, aucun ne parvenant à obtenir l'avantage, et Hawk se retira.

Au moment où Chad le suivait, Hawk eut sa première chance. Il dévia le bras levé de son ennemi et lui envoya son poing sur la bouche. Il sentit les lèvres éclater contre ses phalanges. L'adversaire était sonné, Hawk en profita pour lui décocher des coups sur le menton et la tempe ; du sang coula des blessures. Les yeux de Chad flamboyèrent d'une rage meurtrière.

Il fonça sur Hawk comme un animal furieux et lui assena

un direct dans le menton ; des cloches lui carillonnèrent dans la tête. Il recula. Chad se jeta sur lui, l'écrasant sur le sol, et lui donna un coup sur la nuque. Les deux hommes roulèrent dans la poussière en un terrible corps-à-corps. Leur souffle rauque, amplifié par la bataille, sortait de leur gorge, haletant.

A la fin, Hawk réussit une prise qui immobilisa Chad, l'envoyant s'étaler dans les cendres noires. Il se releva aussitôt, aveuglé par le sang qui lui emplissait les yeux. Il fit un brusque mouvement de tête pour l'écarter et s'accroupit, attendant l'assaut.

A ce moment-là, Lanna poussa un cri d'alarme. Chad venait de sortir son arme.

— Hawk ! Le couteau !

Hawk avait bien failli ne pas voir la lame dans la main de Chad. Il bondit en arrière pour éviter sa trajectoire et immobilisa le bras de son demi-frère.

Les deux hommes reprirent la lutte ; Hawk s'évertuait à tordre le poignet de son adversaire pour lui prendre le couteau. Hawk lui fit un croc-en-jambe, et Chad perdit l'équilibre. Il s'abattit en soufflant bruyamment au moment où son dos touchait terre. Ses doigts relâchèrent l'arme que Hawk s'empressa de lui arracher.

La soif de se battre avait échauffé Hawk ; maintenant il fixait un Chad ensanglanté et meurtri dont les traits semblaient avoir perdu toute leur beauté ; il était vaincu et Hawk lisait la défaite dans ses yeux. Hawk enfonça le couteau dans la terre jusqu'à la garde, tout près de la tête de Chad.

Cherchant sa respiration comme un animal blessé, Hawk se releva en titubant.

— Tue-le !

Une voix aiguë s'était élevée.

— Hawk, tue-le !

L'Indien se retourna abasourdi. Carol se précipita vers lui, une lueur folle faisant briller ses yeux. Elle s'agrippa à sa chemise déchirée.

— Il faut le tuer, Hawk !

Cette fois, elle avait une voix basse, désespérée.

246

— Bon Dieu ! De qui parles-tu ?

— Tu ne vois pas ?

Il y avait quelque chose de répugnant dans ce regard.

— Une fois Chad mort, j'hériterai de sa part, nous nous marierons et mettrons tout en commun.

— C'est insensé !

Mais il suffit à Hawk de voir Carol pour comprendre qu'elle avait perdu la raison.

— Hawk, implora la jeune femme, tu es le père de Johnny et tu dois t'occuper de son héritage.

— Johnny ?

La voix bouleversée de Katheryn venait d'interrompre Carol. Elle était agenouillée à côté de Chad ; les larmes ruisselaient sur son visage devenu soudain celui d'une vieille femme. Chad essaya de s'asseoir en se soulevant sur un coude.

— Oui ! Johnny ! hurla Carol avec un plaisir pervers. Vous ne vous imaginiez quand même pas que j'aurais des enfants de Chad ? Je n'ai pas perdu ses enfants, je les ai tués ! Chaque fois que j'étais enceinte, j'avortais. Aucun héritier n'aura usurpé ce qui appartenait à Johnny et à Hawk !

Elle se tourna vers celui-ci, que ce spectacle bouleversait. Il découvrait tout doucement que Chad n'avait été qu'une victime dans le plan machiavélique de Carol.

— Chad n'a pas obtenu la signature de Lanna.

— Moi, si ! se vanta Carol en lâchant la chemise de Hawk.

Elle plongea la main dans la poche de son pantalon et exhiba un document. Elle le déplia et montra la signature, au bas de la page.

— Elle t'a tout donné.

Hawk fixait, incrédule, le nom de Lanna.

— Comment l'as-tu trompée ?

— Très facilement, rit Carol. Une nuit, alors qu'elle était partie dans un rêve de peyotl, je lui ai demandé de signer une lettre adressée à Johnny.

De nouveau, Carol eut un regard de démente. Puis elle reprit :

— Tu dois tuer Chad, il s'agit de légitime défense.

Hawk posa ses mains sur les épaules de la jeune femme, avec douceur.

— Chad est mon demi-frère, Carol.

— Tu le dois, répéta-t-elle sur un ton suppliant. J'ai fait tout ça pour toi. Tu peux avoir l'argent de John Buchanan. Tout. J'ai tout fait pour que nous soyons ensemble, nous nous marierons. Hawk, tu es riche ! Personne n'osera rien contre toi, maintenant !

Il secoua la tête.

— Je ne veux pas t'épouser, Carol. Toi et moi, c'est fini depuis longtemps.

— Non !

Elle ne pouvait le croire. Elle le regardait, éperdue.

— Non ! cria-t-elle en se dégageant des bras de Hawk. Je l'ai fait pour toi !

Elle balaya du regard le groupe qui la fixait dans un silence glacial. Puis, poussant un cri de rage folle, elle partit en courant. Rawlins, le visage couvert de larmes, éperonna son cheval, et vola à la poursuite de sa fille. Hawk détourna son regard de la jeune femme aux cheveux d'or qui fuyait vers le soleil et le posa alors sur Chad.

— Johnny est ton fils ? demanda celui-ci, bouleversé.

— Carol est malade, Chad. Ne crois pas ce qu'elle raconte. Elle est peut-être convaincue que c'est la vérité, moi non.

— Et si c'était vrai ? souffla Chad.

— Et si ça ne l'était pas ? répondit Hawk du tac au tac. Ne te laisse pas gagner par sa folie.

Hawk sentit la main de Lanna sur son bras et baissa les yeux vers son beau visage. Il y lut le message silencieux que lui adressaient les yeux noisette. Le sentiment d'horreur qui l'habitait disparut. Il sourit. Cette femme serait la mère de ses enfants.

— Allons chercher les chevaux et partons d'ici, proposa-t-il avec calme.

Lanna posa un doigt sur la coupure de son visage et fit oui de la tête. Hawk passa un bras autour de la taille de la jeune femme ; elle glissa un bras derrière le dos de son ami. Le couple regagna la grotte, enlacé.

— Pauvre Carol ! murmura Lanna.

Soudain, Hawk s'aperçut qu'il avait le document signé dans la main. Il le plia et le mit dans sa poche.

— Crois-tu qu'il soit légal ? interrogea Lanna avec indifférence.

— Je n'en sais rien, j'en doute puisque tu l'as signé droguée.

— Ça m'est égal (elle leva vers son amant des yeux illuminés), je n'ai jamais désiré cet argent. Mais je possède ce que j'ai toujours désiré.

Avec un soupir de plaisir, Lanna appuya sa joue contre l'épaule de Hawk. Hawk fut inondé d'une chaleur bienfaisante. Il leva les yeux vers le ciel limpide et bleu, vers l'horizon infini. Il serra la taille de Lanna pour que la jeune femme soit tout contre lui.

Achevé d'imprimer
le 2.1.84
par Printer Industria
Gráfica S.A.
Provenza, 388   Barcelona-25
Sant Vicenç dels Horts   1984
Depósito Legal B. 91-1984
Pour le compte de
France Loisirs
123, Boulevard de Grenelle
Paris

Numéro d'éditeur : 8812
Dépôt légal : janvier 1984
Imprimé en Espagne